FERNAND BRAUDEL

L'IDENTITÉ DE LA FRANCE

Les hommes et les choses

*

FLAMMARION

Document de la couverture :
« Le pont de l'Anglois à Arles » Vincent Van Gogh.
Conservé au Rijksmuseum, Kröller-Müller à Otterlo, Pays-Bas.
Cat. n° 208.

I.S.B.N. 2-08-081221-1.

Sharif Gemie
août 94.

L'identité
de la
France

Les hommes et les choses

★

Du même auteur
dans la même collection

La dynamique du capitalisme

Écrits sur l'histoire

Grammaire des civilisations

La Méditerranée, L'espace et l'histoire

La Méditerranée, Les hommes et l'héritage
(en coll. avec Georges Duby, Maurice Aymard,
Roger Arnaldez, Jean Gaudemet, Piergiorgio Solinas)

La difficulté est de trouver les hypothèses qui aient un rapport avec la réalité.
Joan Robinson [1]

Dans les chapitres précédents, j'ai replacé l'histoire de France dans son espace, un espace à la fois trop vaste et trop contrasté, où, par suite, plusieurs France ont dû vivre côte à côte. A la considérer, maintenant, dans ses cadres *chronologiques* majeurs, la France apparaît comme une série de France successives, différentes et semblables, tour à tour étroites ou larges, unies ou désunies, heureuses ou tourmentées, favorisées ou défavorisées. Ce sont ces réalités et ces changements successifs, j'aimerais mieux dire ces *cycles d'ensemble,* que je voudrais fixer, comme autant de repères et presque d'explications. Par l'alternance de leurs flux et reflux, ces cycles ont agité les masses vivantes de notre histoire, comme les marées ne cessent de remuer les eaux de la mer.

J'avais tout d'abord intitulé cette seconde partie : *Les cycles longs de l'histoire de France.* Puis j'ai eu peur qu'il n'en résultât une certaine ambiguïté, le mot *cycle* étant utilisé généralement par les seuls économistes. Dans leur langage, chaque cycle comporte une double histoire, une double pente de part et d'autre d'un point haut. Il y a ainsi une branche ascendante – l'essor ; une branche descendante – la régression ; le sommet marque le partage. La branche ascendante part d'un *point bas* ; la branche descendante aboutit à un autre *point bas.* Ce sont bien des oscillations de ce genre que j'ai l'intention de suivre ici, mais dans le long terme qui n'est certes pas habituel aux économistes eux-mêmes et pas davantage aux historiens. Mais je crois sincèrement que l'histoire a besoin de ce concept et de la problématique risquée qu'il implique ★.

★ Les notes sont regroupées en fin de volume.

Entendons-nous bien : ces cycles longs, multiséculaires, ne sont pas d'origine purement économique. Ils ne correspondent pas à un matérialisme historique qui ferait de l'économie la cause et le moteur suprême de la vie des hommes. Comme toujours causes et conséquences se mêlent, se relaient par un système de *feed back* qui, tour à tour, en fait des causes, des moteurs ou des conséquences. Toute dégradation prolongée, tout essor *séculaire* du niveau de vie, toute dépression économique non redressable dans le court terme, supposent évidemment une intrication de divers facteurs où tout peut entrer : politique, société, culture, technique, guerres, etc. C'est l'ensemble qui a cessé d'être performant pour devenir nocif ou qui redevient performant pour susciter l'essor. Bref, la dégradation ou la reprise générale sont évidentes, si leurs vraies causes sont presque impossibles à définir.

Finalement, je crois que le lecteur, familiarisé avec le langage actuel des économistes, ne serait-ce que par les journaux qu'il lit quotidiennement, acceptera l'extension que je donne au mot *cycle*, pour cet usage particulier. Les historiens seront, sans doute, plus réticents. Notre habitude, en effet, est de considérer en elle-même chacune des France qui se succèdent : il y a des spécialistes de la Préhistoire, des spécialistes de la Gaule indépendante ou de l'Antiquité gallo-romaine, des médiévistes, des modernistes, etc. Et il est indispensable qu'il en soit ainsi. Mais ces France sont à rapprocher les unes des autres. Est-ce trop dire que leur histoire est obstinément cyclique ? Elles naissent, s'épanouissent, déclinent. Elles se succèdent, mais sans s'interrompre.

Si j'ai choisi, dans cette deuxième partie, *Les hommes et les choses*, le double langage de la démographie et de l'économie pour esquisser les grandes lignes de notre passé, c'est que ce sont là les signes les plus apparents, les plus faciles à saisir de ces mouvements profonds... Les hommes, combien sont-ils ? Les choses, comment leur permettent-elles de vivre, de survivre, les obligeant, le cas échéant, à aller de l'avant ou à abandonner telle ligne, telle position préalablement atteintes ? Le nombre – André Piatier dit le « capital humain » – est un « indicateur » primordial,

« le critère le moins arbitraire », avance même Guy Bois [2]. Les deux premiers chapitres (chapitres I et II) lui sont en priorité consacrés : *Le nombre et les fluctuations longues de la Préhistoire à l'An Mille. Le nombre et les fluctuations longues de l'An Mille à nos jours.* Les chapitres III et IV sont consacrés à l'économie sous le titre que j'expliquerai en temps voulu : *Une économie paysanne jusqu'au* XXe *siècle – les infrastructures. Une économie paysanne jusqu'au* XXe *siècle – les superstructures.*

PREMIERE PARTIE

LE NOMBRE ET LES FLUCTUATIONS LONGUES

PREMIER CHAPITRE

LA POPULATION DE LA PREHISTOIRE A L'AN MILLE

Des calculs téméraires qui, en tout cas, font image, fixent entre 70 et 100 milliards le nombre des hommes qui nous ont précédés sur la terre depuis l'*Homo sapiens sapiens*, au vrai depuis que l'homme est homme. Chiffre fabuleux ! « Où loger, m'écrit plaisamment Alfred Sauvy, ces milliards d'humains, au jour du Jugement Dernier ? » [1] A ce compte-là, peut-être y a-t-il eu dans l'espace « français », en forçant les chiffres, un milliard d'hommes qui avant nous ont vécu, travaillé, agi, laissant, si peu que ce soit, des héritages incorporés à notre immense patrimoine. Vivants, nous sommes plus de 50 millions aujourd'hui ; à eux tous, nos morts sont une vingtaine de fois plus nombreux. Et n'oubliez pas qu'ils restent présents « sous les pieds des vivants ». La terre d'un vignoble, par exemple, en Champagne, ou dans le Médoc, ou en

Bourgogne, « est une terre artificielle, façonnée par deux mille ans de travail » ou presque [2].

Bref, aucune surprise si, depuis des millénaires, l'espace français a été travaillé, planté de chemins, de routes, de huttes, de maisons, de bourgades, de villages, de villes ou, comme on a même osé l'écrire, « boisé » de paysans... Le nombre joue précocement son rôle, portant sur son mouvement, consacrant les réussites de l'histoire, même de la Préhistoire : les gloires de Lascaux, l'explosion des dolmens et menhirs aussi bien que l'art roman ou que l'art gothique... Le nombre, multiplicateur de tout, a ses responsabilités, aussi bien dans le rayonnement religieux que dans la progression des Etats, ou dans le capitalisme moderne des villes italiennes à partir du XIIe siècle, et ainsi de suite. Parfois aussi, à l'inverse, dans les pannes et les retours en arrière dont Malthus a été le prophète maléfique.

Nul n'ignore qu'aujourd'hui, le nombre des hommes pèse d'un poids très lourd sur le destin du monde : 4,4 milliards d'humains, en 1980. « Il y en aura au moins 6 en l'an 2 000 et il semble peu réaliste d'envisager une stabilisation à moins de 10 à 11 milliards » pour le prochain siècle, disent les spécialistes qui ne peuvent malheureusement pas se tromper du tout au tout [3]. Au XVIIe siècle, on disait : il n'y a de puissance que d'hommes. La « maxime la plus généralement reçue dans la politique, notait un économiste français, Goudar, au siècle suivant, est qu'une grande population peut seule former un grand Etat ». Quels sont, se demandait-il, « les véritables intérêts de nos rois ?... Leur puissance est dans le nombre de leurs sujets » [4]. Mais le nombre a son revers : qui oserait appliquer les formules de Goudar au temps présent, au vu et su des politiques de l'Inde ou de la Chine, contraintes à restreindre les naissances de façon drastique ?

Rien de tel hier, sans doute. Non qu'une surpopulation relative n'ait à l'occasion exercé ses méfaits. Mais famines et épidémies se chargeaient d'y remédier. Ce n'est que depuis les temps modernes que la population mondiale augmente de façon continue, sinon régulièrement, du moins sans stagnation d'ensemble.

I

A PROPOS DES POPULATIONS PREHISTORIQUES

L'attitude qui consiste à admettre la primauté de l'Histoire sur tout ce qui l'a précédée est malhonnête, et de plus, à la limite, n'est pas rigoureusement scientifique.

Jean Markale [5]

Ne dites pas que la Préhistoire n'est pas l'Histoire. Ne dites pas que la Gaule n'existe pas avant la Gaule, ou que la France n'existe pas avant la France, que l'une et l'autre ne s'expliquent pas, en plus d'un de leurs traits, par les millénaires antérieurs à la conquête romaine. Imaginez plutôt « pendant la plus longue période de l'espèce humaine, tout son travail préhistorique » – la réflexion est de Nietzsche [6]. Ces masses inconcevables de temps vécu, entassées les unes sur les autres, glissent jusqu'à nous, si imperceptiblement que ce soit. Alors, comment n'y aurait-il pas, entre Histoire et Préhistoire, continuité, soudure ? Hier les historiens jouaient leur réputation en prospectant, de ses deux côtés, la frontière factice tirée entre l'Antiquité et le Moyen Age [7], ou entre le Moyen Age et la Modernité. Aujourd'hui, la très grande partie à risquer n'est-elle pas entre Préhistoire et Histoire ?

Malheureusement, il n'y a même pas un siècle et demi que la Préhistoire est née, après que Boucher de Perthes eut découvert, en 1837, dans les terrasses alluviales de la Somme, des outils taillés dans la pierre par les hommes préhistoriques et reconnus comme tels. Du moins par leur découvreur, car Boucher de Perthes eut beaucoup de mal – jusqu'en 1860 au moins – à faire admettre ses conclusions. Les premiers volumes de son ouvrage, *Antiquités celtiques et antédiluviennes*, publiés à partir de 1847, furent accueillis par le scepticisme ou la raillerie, comme devait l'être, en 1859, *L'Origine des espèces* de

Darwin. C'est en cette même année 1859 que des savants anglais traversèrent la Manche pour examiner les découvertes de Boucher de Perthes et lui donnèrent leur caution [8]. Caution révolutionnaire, car reconnaître les traces d'un homme, contemporain des grands animaux disparus, dans des couches dont les géologues connaissaient la très grande ancienneté, c'était forcément rejeter les origines de l'homme dans un passé ultra-lointain, accepter un bouleversement, une révolution en esprit que nous avons bien du mal à imaginer aujourd'hui. Jusque-là, les savants eux-mêmes n'admettaient-ils pas, suivant l'interprétation traditionnelle de la Bible, que l'homme avait été créé quatre millénaires avant J.-C. ? Isaac Newton, qui ne s'est pas occupé seulement de mathématiques et d'astronomie, se gaussait des chronologies établies par les scribes égyptiens, assez vaniteux pour prétendre que leurs anciens rois étaient *« some thousand of years older than the world »*, plus vieux de quelques millénaires que le monde lui-même [9] !

En quelques décennies, grâce à Boucher de Perthes et, plus encore, grâce à son contemporain Darwin, l'un et l'autre scandaleux à leur manière, toute l'histoire aura fantastiquement reculé dans le temps, aussi bien celle des origines de l'homme que celle de la première agriculture, des premiers villages, des premières villes. Et du coup, en ce qui nous concerne, celle de la France.

Comme toujours, et assez logiquement puisqu'il s'agissait de passer d'un domaine intellectuel à un autre, ces perspectives d'une Préhistoire toute neuve ne troublèrent pas aussitôt les historiens : elles leur restaient indifférentes, presque étrangères, perdues dans la nuit. Un simple préalable, à rappeler peut-être dans une allusion ou dans quelques pages. Ensuite l'histoire déroulait à nouveau ses récits habituels, comme si de rien n'était.

Or la Préhistoire, en accumulant ses preuves, ses déductions, ses hypothèses, a creusé en avant des siècles de l'Histoire un gouffre sans fond. Songez que l'Histoire, telle que nous la mesurons, n'est même pas la millième partie de l'évolution humaine considérée dans toute sa durée. Et, pour que cette évolution nous devienne imaginable, il a fallu l'association, la confluence de sciences diverses que les préhistoriens ont su ou dû utiliser : la palynologie (l'étude des grains de pollens anciens), la paléontologie, l'anatomie comparée, l'hématologie rétrospective, la géologie, la zoologie, la botanique et non moins, depuis peu, l'étude des peuples primitifs actuels, enfin l'éthologie, puisque l'homme, enseveli dans la nature, abandonné à ses forces médiocres, a été, des millénaires durant, un animal entre les autres, ne survivant comme eux que grâce à ses liens sociaux, analogues à ceux des sociétés animales.

Tous ces apports scientifiques ne simplifient pas la tâche : ne sont-ils pas à réinterpréter ? Comme le remarque Colin Renfrew, vous ne pouvez attendre des disciplines voisines de la vôtre « une réponse toute faite » à vos propres questions [10]. En outre, très récemment, les nouvelles méthodes scientifiques de datation (par le carbone 14, par le potassium-argon, par la dendrochronologie, l'étude des anneaux d'arbres, ou par d'autres procédés plus raffinés encore) ont provoqué une remise en cause monstrueuse et tumultueuse des encadrements chronologiques et des filiations culturelles, tels que les avaient établis deux ou trois générations d'éminents préhistoriens. En ce qui concerne l'Europe en particulier, tout est à réinterpréter [11].

Autant de circonstances qui font de la Préhistoire une science dynamique, passionnante, mais aussi un terrain mouvant ; elle n'approche de la vérité qu'au prix d'erreurs, de corrections successives, d'hypothèses provisoires. Elle est en constant renouvellement.

Une surabondance de durée

Sur les origines premières de l'homme, la question des questions, rien n'est certain. Les découvertes se succèdent d'un continent à l'autre et, chaque fois, se trouve retouchée l'image d'ensemble qu'elles dessinaient à elles toutes.

Dans l'état provisoire de nos connaissances, si l'on

suit le rameau humain à travers les troncs des simiens et des hominiens, en deçà des Australopithèques d'Afrique orientale (et selon qu'on accepte en route telle ou telle définition des premiers hominidés [12]), nous risquons de remonter à 5, 15, ou 40 millions d'années avant le Christ. Comme le dit Gabriel Camps avec résignation, de découverte en découverte, « notre origine ne cesse de fuir vers un passé de plus en plus lointain » [13].

Toutefois, si l'on borne ses curiosités à l'*Homo* proprement dit, on date aujourd'hui son apparition du moment où il a adopté la station verticale – c'est-à-dire il y a quelque deux millions d'années, peut-être même plus tôt. Ce premier bipède, l'*Homo habilis*, n'est pas le premier à avoir taillé des pierres pour s'en servir comme d'outil. Certains Australopithèques le faisaient déjà. Mais la station verticale a libéré ses mains et, d'autre part, sa capacité cérébrale – 600 à 700 cm^3 seulement au début – va croître désormais assez régulièrement [14]. C'est par la conjonction de ce cerveau surdéveloppé, organe de commandement, et de son serviteur, la main, que « l'homme a pu développer dans toutes les directions ses étonnants pouvoirs » – conscience, mémoire, langage [15]. A l'*Homo habilis*, un Africain semble-t-il, ont succédé l'*Homo erectus*, qui peupla les zones tempérées, puis l'*Homo sapiens* et l'*Homo sapiens sapiens*. Ce dernier, c'est l'homme achevé, vous ou moi.

Toujours dans l'état actuel de nos connaissances, nous soupçonnons la présence de l'*Homo erectus* dans le territoire « français » dès 1 800 000 ans avant le Christ. En Haute-Loire, à Chilhac, dans le Massif Central, ont été découverts, ces dernières années, « des quartz indubitablement taillés [de main d'homme] associés à une faune du quaternaire ancien (Villafranchien) » [16]. Ce serait, jusqu'à présent, la plus ancienne trace humaine découverte en Europe. Mais, avec les découvertes de Solilhac, dans la même région, datées d'environ un million d'années, nous sommes sur un terrain chronologique plus sûr [17]. Autre repère, vers 950 000, celui qu'a fourni au cours des fouilles de 1958, 1962 et 1963, la grotte dite du Trou des Renards, au long du Vallonet, petit torrent de la commune de Roquebrune (Alpes-Maritimes). Les restes d'une faune archaïque – macaque, *Elephas meridionalis,* cheval, félins – y voisinent avec des galets et des os taillés grossièrement. Pas de restes humains, hélas (les pierres se conservent mieux que les squelettes fossiles), mais l'occupation de la grotte par des humains est évidente. Et c'est le plus ancien site habité que l'on connaisse en Europe [18].

Si l'on considère que la Préhistoire, sur notre territoire, s'étend au moins jusqu'au second âge des métaux, vers – 500, nous sommes donc en présence d'une fantastique durée : presque deux millions d'années, soit 2 000 millénaires, soit 20 000 siècles ! Pour s'orienter dans ces étendues temporelles qui défient l'entendement et l'imagination, un premier recours est offert par les géologues. Ils ont mesuré les âges successifs de la terre et assigné à l'histoire de l'homme – à l'hominisation – l'ère quaternaire entière (ou, comme l'on dit aussi, le *Pléistocène*), en lui ajoutant l'étage du Villafranchien (qui appartient à la fin de l'ère tertiaire) et en lui soustrayant la fin du quaternaire, la période où nous vivons encore (baptisée *Holocène*).

Dans cet énorme espace de temps, les géologues ont reconnu quatre très vastes périodes glaciaires successives, auxquelles Albrecht Penck a donné les noms de cours d'eau des Alpes bavaroises où il avait détecté les preuves de très anciens et fantastiques refroidissements : soit, dans l'ordre chronologique, Günz, Mindel, Riss, Würm. Günz commence deux millions d'années avant le Christ, Würm s'achève vers – 10 000. Naturellement, entre ces glaciations, chacune fort lente à s'installer, se situent des intervalles interglaciaires de réchauffement, eux aussi fort longs et irréguliers. D'où des sous-périodes (Riss I, II, III, Würm I, II, III, IV, V...), qui correspondent à une succession de changements lents du climat, quasi imperceptibles sur le moment, mais dont l'addition multiséculaire aboutit finalement à d'énormes bouleversements [19]. Hommes, animaux, plantes sont chassés vers le nord ou vers le sud, suivant que le froid ou la chaleur l'emporte, le froid rejetant vers le sud les êtres accoutumés à des chaleurs relatives, la chaleur attirant vers le nord les chasseurs habitués à vivre des troupeaux de rennes ou de chevaux sauvages. Chaque fois, tout l'environnement a changé.

Pour s'en faire une idée (et puisque ce qui s'est passé jadis, dans la nuit des temps, pourrait *théoriquement* se reproduire dans la nuit ultra-lointaine du futur), imaginez dans quelques milliers ou millions d'années *à venir* ce que la terre, si les continents y restent disposés tels que nous les connaissons aujourd'hui [20], connaîtrait avec une nouvelle glaciation. En Europe, la glace recouvrirait d'une masse épaisse la péninsule scandinave entière, les Pays-Bas, l'Allemagne, la Pologne, la Russie du Nord, les îles Britanniques, jusqu'au voisinage de Londres. La France échapperait aux énormes glaciers, comme jadis, sauf dans les parties hautes de son territoire et principalement dans les Alpes. Cependant le Bassin Parisien, y compris Paris, ainsi que la majeure partie de la France, seraient reconquis par une toundra à la sibérienne, la steppe ou la forêt. Soit un déluge de glace, d'herbes et d'arbres avec d'infinies conséquences pour les hommes, les animaux, la nature entière. L'eau, immobilisée dans les glaciers fantastiquement dilatés, manquerait au niveau des mers, qui découvriraient à nouveau d'immenses fonds marins, reliant bon nombre d'îles, dont la Grande-Bretagne, au continent. En avant des glaciers, des moraines dresseraient leurs épais bourrelets de détritus broyés par l'érosion de ces corps colossaux, tandis que leurs éléments les plus fins, repris par les vents, iraient au loin constituer des nappes de lœss, comme jadis en Chine ou à travers l'Europe. Le lœss du bassin danubien ou de la plaine d'Alsace, le limon des plateaux autour de Paris n'ont pas d'autre origine, et ces sols meubles, aisés à retourner, ont été les terres d'élection des premiers laboureurs de France et d'Europe.

Pour situer n'importe quel champ de fouilles préhistoriques, le premier soin sera donc de repérer l'époque glaciaire ou l'intervalle de réchauffement en cause, d'après les vestiges animaux et végétaux, d'après les nourritures évoquées par les restes alimentaires. Les habitants de la grotte du Vallonet signalée ci-dessus, le plus ancien des

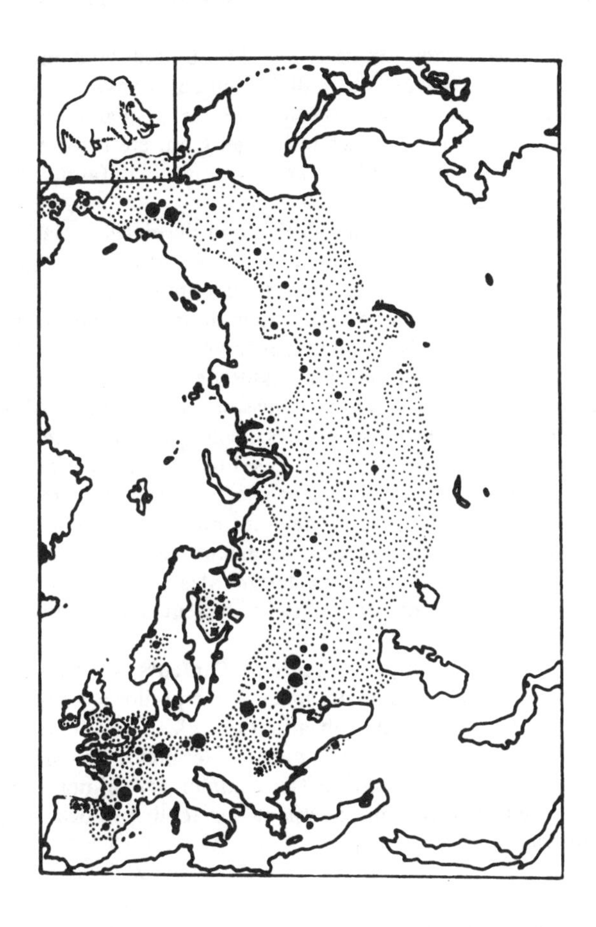

AIRE DE REPARTITION DU MAMMOUTH
ENTRE 15 000 ET 10 000

Entre les glaciers qui recouvrent à cette époque une large partie de l'Europe et de l'Asie, steppe et toundra dessinent, du Nord de l'Espagne jusqu'à la Sibérie, une vaste onde de circulation des hommes et des animaux (en particulier mammouth et renne). La France presque entière se trouve dans cette zone privilégiée. (D'après L.-R. Nougier; *Naissance de la civilisation,* 1986).

sites européens connus, ont vécu, il y a un million d'années environ, à l'époque du Villafranchien, dans un Midi méditerranéen soumis aux rigueurs de la glaciation de Günz. Des pierres éclatées par le gel y ont été retrouvées, à côté des silex taillés et de toute la faune des climats froids [21].

Vers – 10 000, quand s'achève la dernière glaciation, celle de Würm, et qu'un climat tempéré s'installe – en gros celui d'aujourd'hui –, les rennes remontent vers le nord ; incapables de s'adapter, les mammouths disparaissent. Certains de ces mastodontes, conservés intacts durant des millénaires dans les glaces épaisses de la Sibérie, étaient retrouvés hier encore par des missions scientifiques. Mais ils avaient leur place, depuis des siècles, dans les légendes des tribus nord-sibériennes. Les Iakoutes et les Toungouzes, qui les découvraient parfois debout, comme s'ils venaient de perdre la vie – les chiens se jetaient sur eux et les dévoraient –, les imaginaient comme d'énormes taupes vivant sous terre, ou comme des animaux aquatiques qui mouraient, dès qu'ils arrivaient à l'air libre et à la lumière [22].

Le climat tempéré oscillera d'ailleurs à son tour. D'où une série de climats successifs : préboréal, boréal, atlantique, sub-boréal, sub-atlantique [23]... Chacun d'eux privilégiera tel arbre, tel animal : le bœuf, le cheval, l'orme, le chêne, le hêtre, le châtaignier, le noisetier, ce qui influera automatiquement sur les habitudes et la diète des hommes.

Les corps et les outils

Des millénaires durant, l'homme se perd au milieu des animaux sauvages, à travers des toundras glacées ou des forêts imbibées d'eau recouvrant tous les sols, chaque fois que la terre se réchauffe. Des signes subsistent pourtant de son passage – fragments de squelettes, squelettes presque complets, traces de feux et de campements, outils innombrables se comptant par millions, bien que brisés en si grand nombre, perdus dans les

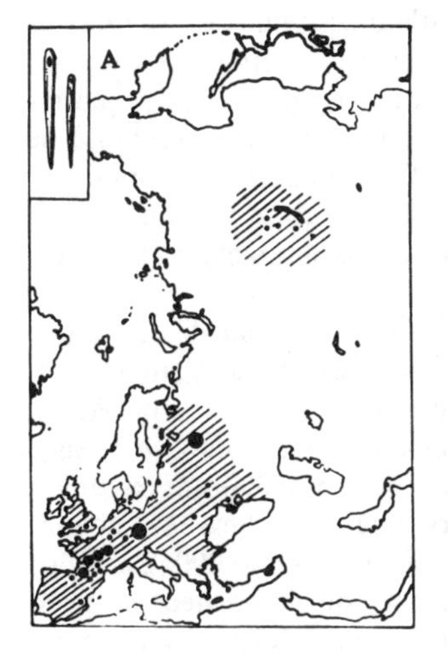

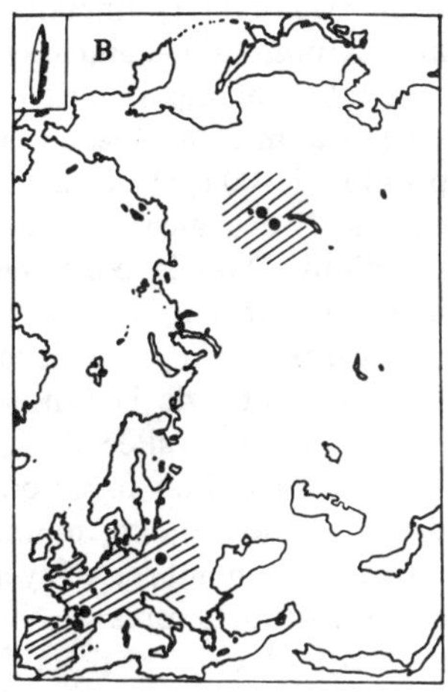

LA SOPHISTICATION CROISSANTE DE L'OUTILLAGE
15 000 - 10 000

A. Les aiguilles d'os à chas (antérieures à 20 000). B. Les outils composites, qui insèrent, dans les rainures de supports de bois ou d'os, de minuscules lames et pointes, de silex ou d'os, interchangeables. (D'après L.-R. NOUGIER, *op. cit.*).

terrassements ou dragages, ou détournés de nos musées par la collecte de préhistoriens amateurs.

Les corps, ou ce qu'il en reste, sont les témoignages majeurs. Mais les très anciens squelettes ont disparu, dissous dans l'acidité des sols. En France, la chaîne des outils commence plus d'un million d'années avant le premier fossile humain connu à ce jour : une mandibule découverte, en 1949, dans une grotte, près de Montmaurin (Pyrénées-Orientales). Presque analogue à la célèbre mâchoire du Mauër (– 600 000 ans), elle est, bien que mal datée, certainement plus récente (vers – 450 ou 400 000) [24]. Elle précède, sans doute de 100 ou 150 000 ans, l'homme de Tautavel (village des Pyrénées-Orientales), dont la découverte aura fait grand bruit, opérée en deux temps : d'abord en 1971, un pariétal gauche, appartenant à un jeune adulte d'une vingtaine d'années ; puis, en 1979, trois mètres plus loin, coïncidant avec la première partie, un pariétal droit qui permit de reconstituer le crâne entier – celui d'un *Homo erectus*, avec une capacité cérébrale de presque 1 100 cm^3 et, sur la face interne du frontal, un cap de Broca aussi développé que chez l'homme d'aujourd'hui. D'où la constatation passionnante : il parlait, quel que fût son langage [25].

En revanche, il mangeait cru le produit de sa chasse. Dans la grotte de la Caune de l'Arago où il fut trouvé, face à l'étroite vallée du Verdouble (affluent de l'Agly), aucune trace d'un foyer quelconque [26], alors que l'usage du feu remonte aux environs de – 500 000 ans et qu'on retrouve de nombreux foyers aménagés dans les cabanes de Terra Amata, près de Nice [27], vers – 400 000. La vallée du Verdouble, entre deux falaises qui la bordent de près, est un abri naturel, particulièrement précieux, sans doute, pour l'homme de Tautavel, ce contemporain de la glaciation de Mindel ; favorable aussi à la faune surabondante identifiée grâce aux ossements entassés dans les divers niveaux de la grotte par des générations de chasseurs : chevaux, éléphants, aurochs, mouflons, bœufs musqués, cerfs, rennes, lions des cavernes, renards polaires, ours, lynx, panthères, lièvres siffleurs... Mêlés aux ossements des animaux, les restes humains, broyés pour en extraire la moelle ou la cervelle, semblent indiquer des pratiques de cannibalisme [28], qu'on retrouve sur bien d'autres sites, tout au long de la Préhistoire, encore au VIe millénaire. Un cannibalisme qui d'ailleurs semble avoir été parfois rituel, dont on ne peut même douter qu'il l'ait été lorsqu'on le retrouve associé à l'inhumation [29].

Vers – 100 000, l'*Homo erectus* cède la place à l'*Homo sapiens*, l'homme dit de Néanderthal [30]. Celui-ci a occupé sans conteste tout le Moyen-Orient et l'Europe, y compris la France. Sa présence, hors de ces vastes limites, est encore controversée, du moins sous sa forme européenne, très caractérisée et aisément reconnaissable. En tout cas, ce Néanderthalien, considéré longtemps comme une brute épaisse, a été depuis réhabilité : doté d'un « gros » cerveau, plus volumineux même que le nôtre (1 600 cm^3 en

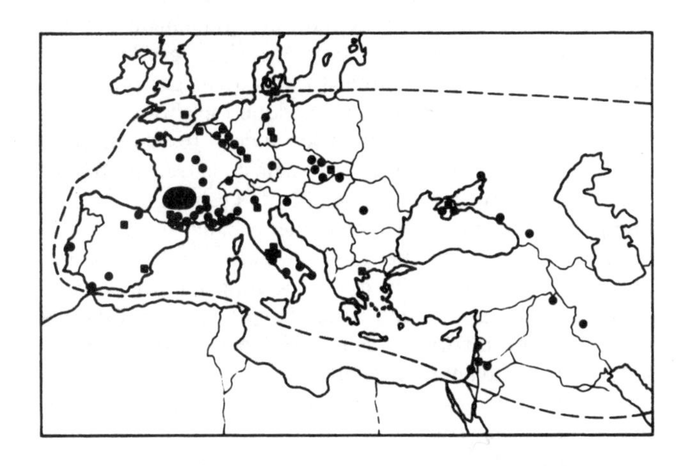

REPARTITION GEOGRAPHIQUE DES VESTIGES DE L'HOMME DE NEANDERTHAL (75 000 - 35 000)

Leur plus grande concentration se situe en France, à l'ouest du Massif Central (cercle noir).

moyenne contre 1 400), il s'affirme ouvrier plus qu'habile, son langage est articulé [31] et, détail décisif à lui seul, il est le premier homme qui ait offert à ses morts une sépulture. De ce point de vue, c'est un homme « achevé » – Pierre Chaunu dirait un homme « complet ». Les nombreux spécimens qu'on en a retrouvés (une centaine sur le seul territoire français) présentent à travers l'Europe des caractères constants, tant du point de vue du genre de vie et de l'outillage lithique que du point de vue strictement morphologique. Il s'agit donc d'une espèce parfaitement caractérisée et restée semblable à elle-même, sur un vaste territoire, pendant la bagatelle de 60 millénaires, 600 siècles.

Or brusquement, sans qu'aucune explication ne se présente avec évidence, cette race va disparaître complètement, en moins de 5 millénaires (ce qui est très bref en termes d'évolution), éliminée au profit de l'*Homo sapiens sapiens*, tout à fait différent morphologiquement, en fait déjà l'homme moderne. Comment s'est produite une pareille transition ? Les préhistoriens n'ont pas d'explication péremptoire à donner, climatique ou autre, d'autant que jusqu'ici, on n'a retrouvé aucun fossile humain significatif datant de l'époque cruciale de la transition. Une évolution généralisée de l'ensemble de l'espèce est exclue : une population aussi vaste et stable, échangeant librement ses gènes, ne peut évoluer que *très lentement*. En principe, donc, les Néanderthaliens ont été affrontés, pacifiquement ou non, à une population *nouvelle*, que les circonstances ont tellement favorisée (sans que nous connaissions la nature de cet avantage) qu'elle les a assez rapidement et totalement éliminés. D'où l'hypothèse, purement théorique, d'une « invasion » étrangère, sans que l'on puisse d'ailleurs en imaginer l'origine, car, antérieurement à leur apparition en Europe, on trouve déjà des hommes « modernes » dans divers points du globe, de l'Australie à l'Irak, au Sahara et à la Norvège. Peut-être ont-ils pénétré l'Europe à partir de la Palestine où, vers – 50 000, ils étaient présents déjà aux côtés d'authentiques Néanderthaliens, lesquels ne s'y éteindront que beaucoup plus tard [32].

En tout cas, à partir de – 35 000 environ, l'*Homo sapiens sapiens*, présent presque partout sur le globe, occupe la France entière. C'est déjà l'homme actuel, avec les caractères anatomiques que connaissent nos médecins, avec, selon les régions, certaines différences, mais qui ne font qu'annoncer les types raciaux de la France actuelle : méditerranéen, alpin, nordique [33]. Ses préoccupations religieuses évidentes impliquent probablement un psychisme proche du nôtre. Enfin, divine surprise, apparaît avec lui le sens de l'art et de la forme. C'est de la fin de l'Age de la pierre ancienne (Paléolithique supérieur) que datent les étonnantes statuettes qui semblent représenter les déesses de la fécondité et, surtout, tant de peintures, de gravures ou de sculptures, ornant les parois des grottes, ou les mille objets de la vie quotidienne, façonnés dans la pierre, l'os, l'ivoire, le bois de cerf ou de renne. Découvertes très tardivement, les magnifiques fresques des cavernes ont stupéfait autant qu'émerveillé.

Cet art multiforme a évolué lentement, passant d'un graphisme sommaire au fantastique réalisme de Lascaux, pour se réduire finalement à quelques signes géométriques, sans doute symboliques [34]. Mais cette évolution s'étend sur 200 siècles de distance, de – 30 000 à – 10 000, ce qui semble à l'historien une éternité... Pensez à la brève durée de l'art roman ou de l'art gothique, pour ne pas parler d'écoles comme l'impressionnisme ou le cubisme, qui furent le fait, au plus, d'une génération.

De cet art premier, la France, avec le Nord de l'Espagne, a eu la meilleure part. Dans la basse vallée de la Vézère, en Périgord, où la rivière encaisse de profonds méandres, « les gîtes anciens se pressent autour et en amont des Eyzies, Cro-Magnon, La Mouthe, Les Combarelles, Font de Gaume, Le Cap Blanc, Laussel, La Laugerie, Les Marseilles, La Madeleine, Le Moustier, Lascaux... » – autant de « lieux saints de l'humanité..., écrit Pierre Gaxotte, au même titre que l'Egypte, Ninive, Athènes et Rome » [35].

On s'est posé beaucoup de questions sur la signification de cette première explosion artistique, où personne ne consent à voir la gratuité de l'art pour l'art. Les chasseurs forcenés qui ont peint et gravé la cohue des animaux sauvages avec lesquels et au détriment desquels ils vivaient – aurochs, mammouths, bisons, chevaux, bouquetins, ours – ont-ils voulu, par leurs dessins, ensorceler leurs proies ? Les hommes masqués qui dansent face à des animaux dans la grotte des Trois-Frères, au Mas d'Azil et ailleurs, sont-ils des sorciers-shamans, voire des dieux, ou les protagonistes de rituels qui nous resteront impénétrables ? Cette « écriture » qui nous enchante et nous éblouit, de quels symboles était-elle porteuse ? En tout cas, sa force d'expression impose plus que le respect.

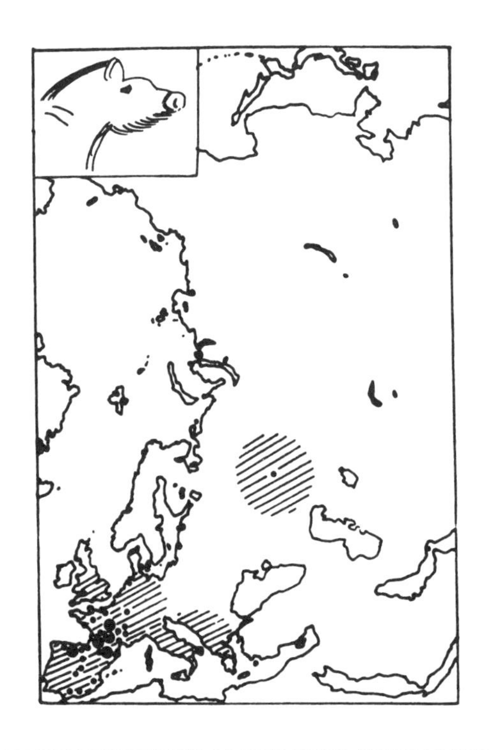

L'ART RUPESTRE FIGURATIF ANIMALIER,
15 000 - 10 000.

Il est présent surtout en France et dans le Nord de l'Espagne. (D'après L.-R. NOUGIER, *op. cit.*)

Franck Bourdier va jusqu'à y voir la preuve d'une supériorité culturelle de ces vallées du Sud-Ouest franco-espagnol, par rapport au reste du monde. Supériorité que l'Europe, l'ayant perdue, ne ressaisira, pour la conserver à nouveau des siècles durant, qu'aux XIIe et XIIIe siècles après le Christ.

Matériellement, l'*Homo sapiens sapiens* aura vécu à l'aise, presque largement, durant les derniers millénaires de la glaciation de Würm qu'on a appelés parfois l'*Age du renne.* Les troupeaux de rennes, faciles à chasser, fournissaient à la fois viande, peaux, os et « bois » – c'est-à-dire nourriture, vêtements, couvertures de tentes, matériaux de base pour la fabrication de nombreux petits outils. Il y a d'ailleurs eu, pendant la période dite magdalénienne, à partir de – 15 000, un essor démographique certain, avec occupation des montagnes et peuplement de l'Europe du Nord [36]. Signe aussi de prospérité et de progrès technique, une amélioration générale de l'outillage. L'industrie lithique est arrivée à une perfection remarquable.

Malgré des techniques différentes selon les lieux et des ruptures, des discontinuités évidentes, la tendance est partout à la création inventive. Les Néanderthaliens avaient perfectionné leurs bifaces, les racloirs, les pointes. On voit maintenant apparaître une série de très petits outils, parfois emmanchés, tous spécialisés, les uns encore en pierre, les autres utilisant de nouvelles techniques de façonnage des os : ainsi s'affinent diverses formes de racloirs en silex, lisses et denticulés, des burins, des couteaux de pierre, des pointes, des aiguilles à chas, des hameçons, des harpons aux barbelures soigneusement découpées... La curieuse culture solutréenne [37], qui n'a duré que 3 000 ans et n'aura pas fait école, livre même de magnifiques lames de pierre, soigneusement retouchées sur chaque face, épaisses de moins d'un centimètre, longues parfois de 30 à 35 centimètres. Les techniques de pêche (en particulier celle du saumon) et de chasse se sont aussi perfectionnées. Les sagaies et les pointes lancées par propulseurs permettent déjà de frapper à distance. Toutefois la véritable révolution en matière d'armes – l'arc – se produira très tard, aux dernières heures du Paléolithique, au moment où toute la vie va changer, vers – 10 000, avec le réchauffement qui suit la dernière glaciation et inaugure le climat tempéré que nous connaissons encore aujourd'hui.

De l'Age de la pierre à l'agriculture : la grande mutation

Contrairement à ce que nous penserions spontanément, le réchauffement du climat n'a pas entraîné, dans l'immédiat, une amélioration de la condition des hommes. En fait, il aura mis sérieusement à mal les civilisations en place des grands chasseurs. La forêt dense s'est développée rapidement, en même temps que ruisselaient partout, ou stagnaient, les eaux libérées par la fonte des glaciers, que les mers montaient et recouvraient les zones côtières. Plus de troupeaux de rennes ou de chevaux à poursuivre sur les herbes gelées. Il faut chasser à l'affût le cerf ou le sanglier, à travers la forêt épaisse. S'habituer aussi à une flore nouvelle qui bouleverse, en partie, les expériences anciennes. Les nourritures changent : beaucoup moins de gros gibiers ; davantage de petits animaux faciles à piéger ; une place accrue du végétal, graines, herbes, noisettes, glands, châtaignes, mûres... ; enfin un abondant recours aux poissons de mer, de lacs, de rivières, et plus encore aux mollusques et aux escargots dont les innombrables coquilles se retrouvent en tas parfois énormes, mêlées à d'autres débris alimentaires.

Sur ces constatations, on a trop souvent conclu à une régression, voire à une « décadence » des descendants de l'*Homo sapiens sapiens*, au cours de cette difficile époque de transition, dite *Mésolithique* [38]. Aujourd'hui, on tendrait à y voir une période d'adaptation, ce qui exige ingéniosité et invention. Si l'art a disparu, dès avant la fin de la dernière glaciation, l'outillage technique ne s'appauvrit pas, au contraire : il y a spécialisation croissante de très menus instruments, taillés avec précision, incorporés ingénieusement à des outils composites, à manches ou hampes de bois [39]. La chasse est devenue plus difficile, mais l'homme est désormais un archer, il sait viser sa proie, la frapper de loin. Il est vrai que les flèches tueront aussi bien les hommes que les animaux : « L'invention de l'arc et de la flèche a eu autant d'importance pour l'homme préhistorique que l'invention de l'arme nucléaire pour l'homme moderne », affirme même Robert Ardrey [40], pensant, sans doute, qu'il faut exagérer pour enseigner.

Enfin, à partir du VIIe millénaire, apparaissent en France les prémices de la révolution agricole qui, deux ou trois millénaires plus tard, transformera les chasseurs préhistoriques en paysans. Premier signe avant-coureur, une cueillette intensifiée des graminées, vesces en particulier (par exemple dans le Var), auxquelles s'associent même (ainsi dans l'Hérault) des légumineuses, lentilles, pois... S'il n'y a pas encore agriculture, il y a au moins collecte systématique et engrangement [41].

Second signe, plus net : l'apparition de l'élevage du mouton, lequel semble bien un apport du lointain Moyen-Orient où sa domestication avait commencé dès le Xe ou IXe millénaire. C'est l'époque aussi des débuts de la navigation dans l'Egée. Rien d'étonnant donc si le mouton (dont aucun ancêtre ne se retrouve dans la faune européenne) apparaît, au VIIe millénaire, dans l'Europe de l'Est, puis vers – 6000 sur les côtes méditerranéennes d'Occident (y compris celles de la France méridionale). Un millénaire plus tard, on l'élève en Aquitaine, et il est sur le littoral breton vers – 4500 [42].

L'élevage a donc précédé, dans l'aire méditerranéenne occidentale, la grande cassure que fut la mise en place de la *néolithisation*, entendez l'apprentissage révolutionnaire de l'agriculture, au vrai la naissance de la Gaule et de la France, ou mieux de l'Europe entière, avec leurs labours, leurs pâturages, leurs maisons, leurs villages et leurs peuples enracinés de paysans.

Cette révolution agricole – aussi importante que le sera plus tard la Révolution industrielle anglaise, à partir du XVIIIe siècle de notre ère – est issue des pays du Proche-Orient, patrie des céréales sauvages. La pratique de l'agriculture, nouveauté essentielle, en accompagne ou suit plusieurs autres : la sédentarisation, l'élevage domestique, la fabrication d'outils agricoles tels que la faucille et les meules, la pierre polie (et non plus taillée), enfin l'invention créatrice de la poterie. Ce cortège de biens culturels a mis plusieurs millénaires à se disséminer ; il aura gagné l'Europe par deux voies distinctes : la longue vallée du Danube, d'est en ouest, et les routes marines de la Méditerranée. Les mesures du radiocarbone permettent d'en bien repérer dans le temps les étapes et le cheminement. Et c'est l'occasion de voir se dessiner déjà une double France : celle du Midi et celle du Nord.

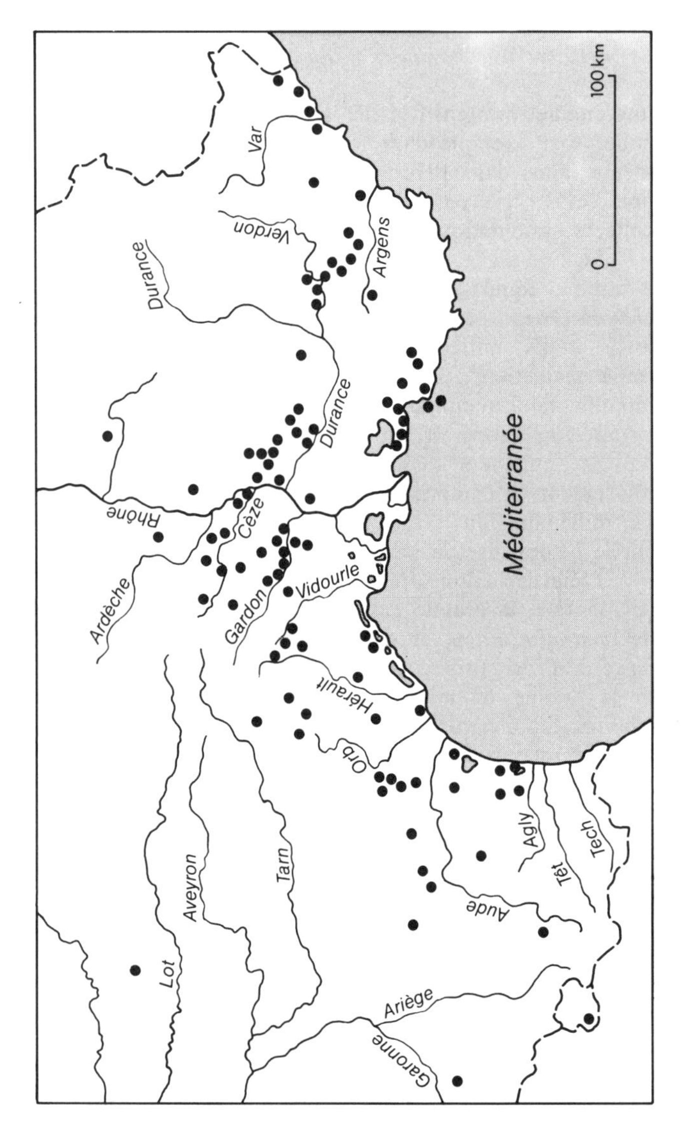

PREMIERES COMMUNAUTES PAYSANNES
EN FRANCE VIe -Ve MILLENAIRES.

Elles occupent la façade méditerranéenne des Alpes-Maritimes au Roussillon. La pénétration à l'intérieur des terres est lente.

Hétérogénéité, diversité

Notre territoire, condamné à son rôle de carrefour, aura reçu, en bout de course, les deux vagues distinctes de la néolithisation : la France du Midi a été touchée la première, vers – 5000, par voie méditerranéenne ; la France du Nord et de l'Est, un demi-millénaire plus tard, par la voie danubienne. Or il s'est agi là de deux contextes culturels différents, inscrits, chacun isolément, dans des zones particulières (voir cartes p. 30 et 32).

En ce qui concerne le Midi, le transfert, plus précoce, est cependant beaucoup moins net. Il est certainement d'origine maritime, puisqu'il s'étend à partir des côtes. Mais il ne s'agit pas d'une colonisation qui apporterait ses lumières à de nouveaux territoires. Les analyses anthropologiques qui ont pu se faire jusqu'ici, sur des squelettes, assez peu nombreux il est vrai, permettent à Raymond Riquet de conclure qu'il ne s'accompagne « d'aucune migration »[43]. Il n'y a d'ailleurs eu aucune rupture brusque, mais des « contaminations porteuses d'idées ou de techniques donnant naissance à des créations originales, au sein même des sociétés indigènes »[44]. D'autant que, pense Jean Guilaine, le modèle initial – l'agriculture développée dans le Levant méditerranéen – s'est transmis irrégulièrement, déformé par ses immobilisations répétées dans tel ou tel des bassins méditerranéens qui ont joué le rôle de « filtres successifs ». Chez nous, le résultat est une lente acculturation des populations locales, lesquelles ont intégré progressivement – sans tout abandonner de leurs traditions – l'élevage, la sédentarisation, l'agriculture et une poterie qui est celle de toute la Méditerranée occidentale du temps, décorée souvent par impression de coquillages (en particulier le *cardium*, d'où le nom de poterie *cardiale*, qui sert à désigner le premier Néolithique de cette aire méridionale). Déjà anciennement établi, l'élevage du mouton et des chèvres se développe, au point de provoquer le déboisement et l'érosion des sols. Dans le courant du Ve millénaire, les premiers villages apparaissent, encore sommaires, mais déjà on peut reconnaître, sur les pentes des Corbières par exemple, une petite transhu-

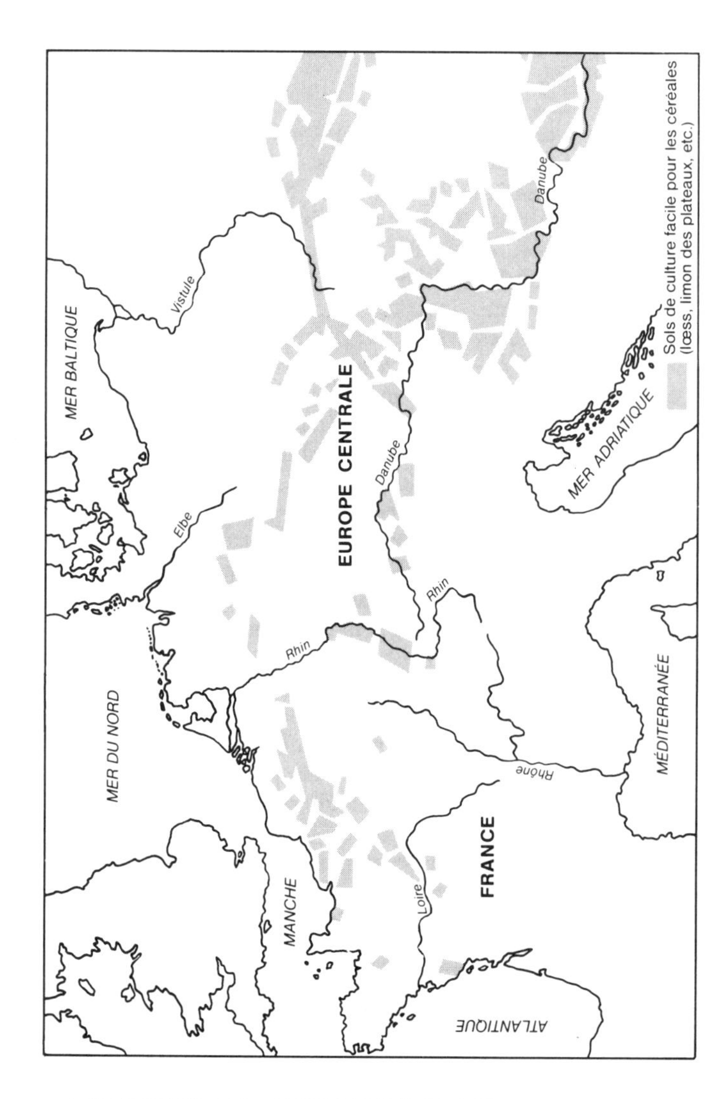

LES ZONES DE LOESS ET DE LIMONS EN EUROPE

Recherchées par les agriculteurs d'Europe centrale, elles dessinent le chemin de la propagation de l'agriculture au long du Danube jusqu'au Rhin et au Bassin parisien, au Ve millénaire.

mance des troupeaux, avec villages d'hiver, dans la plaine, et gîtes d'été, sur les hauteurs [45].

Ce groupe culturel méditerranéen, borné à une bande côtière au début, s'est lentement étendu à toute la moitié du Massif Central, au domaine alpin, avant de diffuser vers des latitudes toujours plus hautes.

Dans la moitié nord de la France, la situation est tout autre : il s'agit bien d'une rupture. L'agriculture y a été implantée de toutes pièces par des colonisateurs originaires de la vallée du Danube, centre alors de communautés paysannes en pleine possession de leurs techniques agricoles. Ils diffèrent d'ailleurs, anthropologiquement, des populations locales antérieures [46]. A partir de – 5000, ces Danubiens avaient progressé vers l'ouest, à la recherche de nouvelles terres limoneuses, semblables à celles qu'ils avaient l'habitude de travailler. Vers le milieu du Ve millénaire, ils franchissaient le Rhin, mais n'atteignirent les abords du Bassin Parisien que cinq siècles plus tard. Ils se trouvèrent en face de petits groupes humains, encore chasseurs et cueilleurs. Mais, comme ils se bornaient eux-mêmes à la culture des bonnes terres alluviales des vallées, ils n'eurent pas de peine à contraindre ces populations encore mésolithiques à se réfugier sur les sols ingrats ou à s'adapter elles-mêmes. Les nouveaux venus construisent de vastes maisons, de style danubien, en bois et torchis, capables d'abriter chacune une large famille (jusqu'à une dizaine de personnes), et leurs villages atteignent parfois 200 habitants. Plus que les Méditerranéens, ce sont de vrais paysans, qui apportent avec eux des méthodes depuis longtemps éprouvées et familières dans leur pays d'origine. Acharnés à défricher la forêt, ils cultivent le blé et l'orge sur brûlis, élèvent bœufs et porcs (guère de moutons) et, s'ils chassent toujours, le gibier n'a plus qu'une place secondaire dans leur alimentation carnée. Leur poterie caractéristique est dite *rubanée*, à cause de ses décors en volutes [47].

Ainsi, l'implantation néolithique ne s'est pas faite, chez nous, sous le signe de l'unité : culture du *cardial* au Sud, culture du *rubané* au Nord se sont développées indépendamment. Et ce n'est pas tout. Dans l'Ouest atlantique, le Néolithique, quelle qu'en soit l'origine (peut-être maritime), apparaît dans un contexte original, avec une poterie particulière, ni cardiale ni rubanée, et surtout une architecture de pierre extraordinaire, de type mégalithique [48], dont les monuments sont parvenus jusqu'à nous. Longtemps, les préhistoriens se sont refusé à attribuer ces constructions grandioses à des « barbares » autochtones : elles ne pouvaient relever que de « vraies » civilisations et donc venir de l'Orient. Sur la foi de quelques ressemblances (en particulier avec les tombes à rotonde de la Crète minoenne), ils ont imaginé un peuple de navigateurs expérimentés, issus de l'Egée, porteurs d'une « religion mégalithique » qu'ils auraient diffusée le long des côtes atlantiques, en commençant par l'Espagne (où se trouvent aussi des mégalithes), vers le milieu du IIIe millénaire. Et c'est aussi à cette époque tardive que nos ancêtres retardataires des rives atlantiques auraient enfin appris les leçons du Néolithique.

Les datations au radiocarbone ont mis en l'air toutes ces hypothèses. Les plus anciens monuments mégalithiques connus sont bretons et portugais – non espagnols – et ils sont antérieurs à n'importe quelle architecture de pierre de la Méditerranée orientale, y compris l'Egypte. En fait, c'est dès le Ve millénaire qu'explosa, dans des conditions mystérieuses, cette culture nouvelle, autochtone pour une large part, et que s'élevèrent les premiers grands dolmens – par exemple celui de Barnenez, près de Morlaix, qui allonge sur 70 mètres ses onze sépultures collectives aux belles voûtes encorbellées, plus une salle qui semble une sorte de sanctuaire [49]. Des poteries lisses, sans décor, font partie du mobilier funéraire. Ces premières sociétés mégalithiques qui probablement sont déjà *paysannes*, resteront fidèles à leur architecture qu'on retrouvera, avec des variantes notables bien entendu, tout au long de la façade atlantique de l'Europe. Dans l'Ouest français, la construction mégalithique s'est poursuivie durant deux millénaires, et plus tard elle a fait école dans le Midi de la France qui, au IIIe millénaire, s'est couvert de dolmens.

Au début du IVe millénaire, donc, trois zones

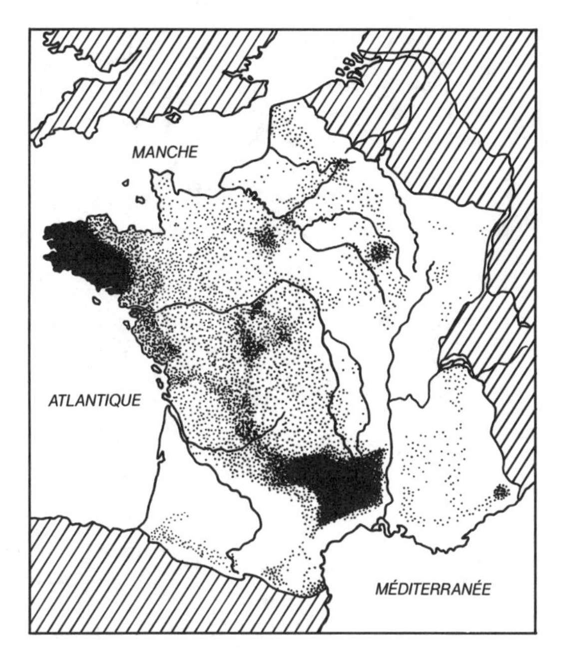

DISTRIBUTION GEOGRAPHIQUE DES DOLMENS
EN FRANCE V^e^-IIIe MILLENAIRES

Cette carte résume l'expansion sur deux millénaires des tombes collectives mégalithiques, de la Bretagne, leur berceau en France, jusqu'au Midi.

culturelles se partagent la France, séparées par un Massif Central sans doute un peu contaminé par chacune d'elles. Dans la seconde moitié du millénaire, des liaisons se sont cependant établies, au point qu'une même culture, ou plutôt certains éléments d'une même culture tendent à recouvrir le territoire dans sa totalité, les provinces de l'Est exceptées. Cette culture originale, le *Chasséen*, s'est formée dans notre Midi, vers – 3600, « à partir du fonds de population antérieur et en assimilant des impulsions de souche méditerranéenne » [50]. Avec sa belle poterie au lissé

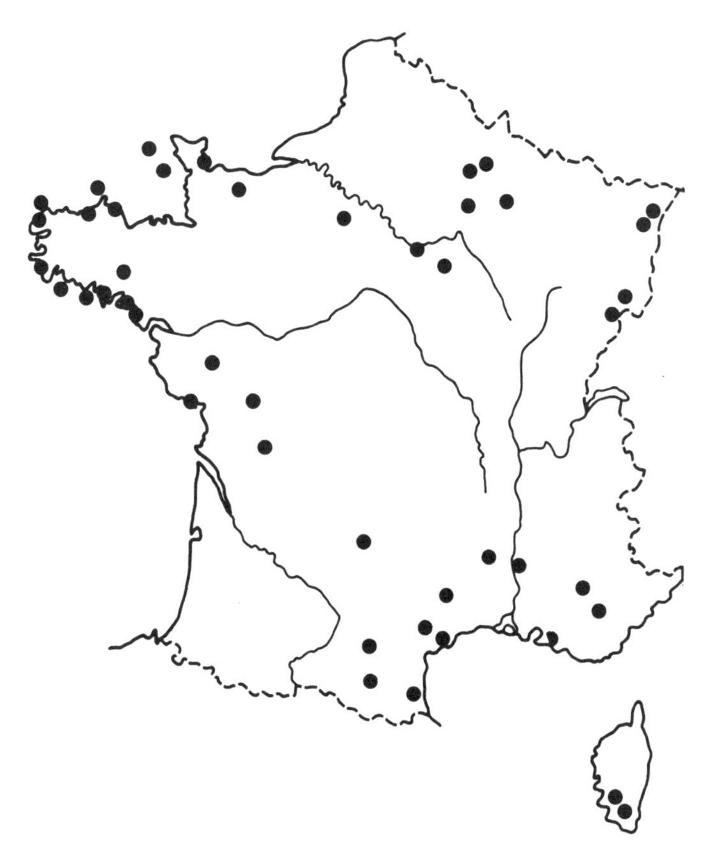

PRINCIPAUX SITES DES DEBUTS DU NEOLITHIQUE EN FRANCE VIe - IVe MILLENAIRES

Ils dessinent trois zones culturelles différentes, développées chacune indépendamment, séparées par le vide du Massif Central.

soigné, à la cuisson parfaite, décorée de motifs géométriques, et son outillage perfectionné – qui compte une forte proportion de lames tranchantes, couteaux ou faucilles, quantité d'armatures de flèches de formes diverses, plusieurs modèles de haches polies, et tout le matériel des mangeurs de grain : pilon, broyeurs, meules... – elle donne une impression d'abondance.

SITES DES IVe ET IIIe MILLENAIRES

Ils signalent une première esquisse de civilisation « nationale », la culture chasséenne ayant alors instauré de vifs échanges et recouvrant presque tout le territoire (sauf l'Est). (D'après J. GUILAINE, *La France d'avant la France,* 1980).

Dans le mouvement, semble-t-il, d'une forte poussée démographique, cette culture s'est montrée rapidement conquérante, progressant à la fois vers le nord, par la vallée du Rhône, et vers l'Aquitaine, par les Causses et le seuil de Naurouze. Le résultat, conclut Jean Guilaine [51], c'est une sorte de « civilisation néolithique nationale ». Ce qui ne veut pas dire qu'elle ait effacé toutes les différences locales, mais qu'elle a marqué de son sceau reconnaissable l'ensemble des cultures régionales. Sous cette vive impulsion, celles-ci ont évolué et fabriqué chacune, finalement, leur propre version de la culture mère, avec de fortes différenciations.

En fait, je penserais volontiers que la poussée chasséenne correspond à l'acculturation tardive des populations qui étaient restées à l'écart des premières innovations agricoles du Néolithique. Dans un contexte de forte montée démographique, les chasseurs ou les bergers se décident enfin à devenir des paysans. Ils sortent de leurs forêts, ou même ils les défrichent. C'est ce que suggèrent les réflexions de Raymond Riquet [52] sur la civilisation qui, dans le Bassin Parisien, se met brusquement en place vers la fin du IVe millénaire. L'anthropologue y retrouve des types humains très différents des agriculteurs du rubané, leurs voisins, mais qui ressemblent de près aux populations anciennes du Mésolithique. Si l'on ajoute que, bien que lié à l'explosion de la culture chasséenne à travers tout le territoire, le Bassin Parisien a développé son outillage original, un outillage particulièrement robuste qui semble fait pour le travail du bûcheron, l'image se complète d'une population de défricheurs, à la conquête de nouveaux terroirs. La force de l'expansion chasséenne ne viendrait-elle pas, précisément, de ce qu'elle a permis d'achever la révolution néolithique à travers le territoire et d'augmenter en proportion les ressources vivrières d'une population accrue [53] ?

En même temps s'instaurait une vie d'échanges accélérés. C'est ainsi que, parmi le mobilier des dolmens de l'Ouest, on retrouve la nouvelle poterie « chasséenne ». A l'inverse, les « haches à bouton », fabriquées dans les ateliers de Plussulien (Côtes-du-Nord), avec une belle roche dure, la dolérite, circulent non seulement à travers toute la Bretagne, dans la Manche, la Mayenne, la Loire-Atlantique, mais aussi sur le Rhin, dans les Alpes ou les Pyrénées. De même les haches polies en hornblende, originaires du Finistère [54].

Le tout à la faveur d'une expansion générale, car partout les villages se multiplient, s'agrandissent. L'agriculture affirme sa prépondérance. Le culte de la déesse mère, déesse de la fertilité, commun à toutes les sociétés néolithiques, prend une place nouvelle qu'atteste l'apparition de petites figurines, généralement modelées dans l'argile, assez médiocres à vrai dire et peu nombreuses si on les compare aux innombrables et souvent précieuses statuettes de la déesse mère, en Orient ou en Europe centrale. Une exception cependant : l'impressionnante statue de pierre de Capdenac-le-Haut (Lot), trouvée dans un campement chasséen occupé vers 3000 avant J.-C. Elle pose d'ailleurs un problème aux spécialistes, car elle ne ressemble à rien de connu, sauf peut-être à certains galets sculptés yougoslaves, et du Ve millénaire ! En tout cas, si l'on excepte quelques « Vénus » et le charmant visage de la « dame de Brassempouy » [55], datant de la fin du Paléolithique, l'étrange « déesse de Capdenac » peut prétendre au titre de la plus ancienne statue préhistorique de France [56].

L'Age des métaux

La Préhistoire s'achève avec l'arrivée des techniques du métal, toutes originaires de l'Orient ou de l'Europe balkanique, qui fut le plus ancien foyer métallurgique d'Europe. On y a travaillé d'abord le cuivre, vers la fin du Ve millénaire, puis les alliages de bronze, enfin le fer. D'où les divisions traditionnelles : Age du cuivre, Age du bronze, Age du fer. Avec un décalage considérable dans le temps, ces techniques auront été introduites l'une après l'autre sur notre territoire : le cuivre de 2500 à 1800 avant J.-C. ; le bronze de 1800 à 700 ; enfin le fer à partir de 700. Et, chaque fois, le phénomène a été lié à la pénétration de populations étrangères.

La civilisation du cuivre est restée double (l'outillage de pierre maintient, en effet, sa primauté) si bien qu'à son propos on parle souvent d'*Age chalcolithique*, relevant à la fois du cuivre et de la pierre. Cette civilisation a pénétré en territoire français à partir des relais de l'Italie du Nord et de la péninsule Ibérique, où la métallurgie du cuivre s'était implantée à partir de 3000 avant J.-C. Vers le milieu du IIIe millénaire, apparaissent dans notre Midi plusieurs foyers de métallurgie, liés aux gisements de minerai, dans les Cévennes, l'Aveyron, le Quercy, la Lozère, le Languedoc [57]...

Toutefois cette production reste locale jusque vers – 2200 environ, jusqu'à ce qu'elle s'inscrive et s'amplifie dans le contexte de la culture dite campaniforme [58]. Une culture importée, repérable à travers l'Europe entière grâce à sa poterie caractéristique (« campaniforme », c'est-à-dire en forme de cloche renversée) et aux objets de cuivre qui se répandent dans son sillage. Une immigration étrangère semble en cause, bien que nulle part on n'ait pu, jusqu'ici, en trouver le foyer : on a avancé la région du Tage aussi bien que l'Europe centrale ! Quels étaient ces hommes ? Des guerriers, de redoutables archers qui ont su dominer le pays, disent les uns ; d'actifs marchands et colporteurs, disent les autres, vendant à la fois leur magnifique poterie et ces objets de cuivre qui avaient l'attrait de la nouveauté : poignards, ciseaux de forgeron, alênes, aiguilles... En tout cas, de grands voyageurs, présents dans la péninsule Ibérique, la plaine du Pô, la Sardaigne, la Sicile, la vallée du Rhône jusqu'à sa source, les Pays-Bas, l'Ecosse, l'Angleterre, la Bohême, la Moravie et presque toute la France (à l'exception, curieuse, du Bassin Parisien qui semble un îlot de refus). Pour la première fois, avec ces populations omniprésentes, s'évoque « une certaine notion d'unité européenne ». Auraient-elles été les premières propagatrices, en Occident, des langues indo-européennes ? On l'a avancé, avec « une large part de vraisemblance » [59].

Toutefois, nulle part sur notre territoire les peuplades du campaniforme n'ont formé des groupes compacts, homogènes, capables d'écarter ou d'absorber les autochtones. C'est plutôt le contraire qui se vérifie : leurs vestiges se retrouvent mêlés à ceux des populations locales, dans les tombes collectives traditionnelles (alors que les nouveaux venus pratiquent eux-mêmes, lorsqu'ils sont groupés, la sépulture individuelle). Il y a eu, de toute évidence, mélange, fusion.

Cependant, alors que la métallurgie du cuivre était en plein essor en France, vers – 2000, il y avait plus d'un millénaire déjà que le Moyen-Orient et l'Europe centrale l'avaient abandonnée au profit du bronze, alliage de cuivre et d'étain moins cassant et plus résistant que le cuivre pur. Ce grand progrès technique ne sera transmis à l'Occident qu'à partir de – 1800.

Plusieurs conséquences s'ensuivront : tout d'abord des courants commerciaux, avivés par la recherche de l'étain indispensable ; en outre, un outillage de qualité qui fera bientôt disparaître l'outillage de pierre ; mais, plus encore, une division accentuée du travail (agriculteurs, mineurs, artisans, forgerons, marchands, guerriers), donc des distinctions de classe et une hiérarchie. De sorte que les populations qui ont introduit sur notre territoire les techniques du bronze y ont apporté aussi un modèle nouveau de société, dominée par une aristocratie de guerriers et peut-être de forgerons [60]. Le rite de la sépulture individuelle révèle la hiérarchisation sociale : dans leurs tombes surmontées d'un tumulus, les hauts personnages ont été enterrés avec leurs objets personnels, armes précieuses, bijoux, parures [61]... Le prestige du héros se reconnaît aussi à de nouveaux dieux, mâles et armés, qui rejettent dans l'ombre la déesse mère de la fécondité, chère aux agriculteurs du Néolithique, et à de nouveaux cultes – culte du feu, culte du soleil.

Cette culture a largement provigné. Entre – 1800 et – 1200, elle a effacé, un peu partout, la pratique de la sépulture collective. Les vieux dolmens bretons, lorsqu'ils sont encore utilisés, n'abritent plus qu'un unique occupant. Une seule exception : le Midi méditerranéen et le Sud-Ouest, des Pyrénées à l'Aquitaine, restent fidèles à leurs traditions funéraires [62]. Pourtant, nulle part il n'y a trace d'élimination physique des populations en place. Imaginons-les plutôt comme les serviteurs, les agriculteurs des nouveaux maîtres.

Dès – 1800, la métallurgie du bronze s'organise brillamment. Au début, elle est confinée à la zone rhodanienne au sens large (Valais suisse, sillon rhodanien,

SITES DE L'AGE DU BRONZE EN FRANCE

Deux grandes aires de production : à l'ouest, sur la côte Atlantique, à l'est, des Alpes à l'Alsace. (D'après J. GUILAINE, *op. cit.*)

Jura, Alpes), mais sa production – poignards magnifiques, fortes haches, perles, bracelets, épingles ornementales, alênes, aiguilles – est activement colportée, en Bourgogne, dans le Massif Central, dans l'Aquitaine et jusque dans le Languedoc-Roussillon. Du coup, la route du Rhône assume son rôle d'intermédiaire entre Méditerranée et terres d'Allemagne.

Trois siècles plus tard, sur tout le littoral atlantique, s'allument une série de nouveaux foyers de métallurgie. Alors apparaît, nouveauté essentielle, la fabrication *en série* d'instruments de bronze (qui vont détrôner *définitivement* l'outil de pierre). Chaque centre de production se spécialise dans tel ou tel type de hache, de poignard, de pointe de lance ou d'épée. Fabriqués dans la plaine du Médoc, ou en Bretagne, ou en Normandie, ou entre Loire et Garonne, ces produits s'exportent de province à province et se retrouvent côte à côte, sur les mêmes marchés [63].

Indépendamment de ces deux zones, atlantique et alpinorhodanienne, une troisième zone de production se distingue, dans un contexte culturel un peu différent, apport de populations d'outre-Rhin qui se sont implantées en Alsace, pour gagner ensuite le Bassin Parisien et le Centre-Ouest. Leurs lourdes haches, leurs couteaux trouveront aussi une clientèle en direction du Midi, le long de la Saône, dans le Jura et même dans le Massif Central. Et l'on retrouvera leur poterie caractéristique jusque dans les Charentes [64].

Vers – 1200-1100, une coupure culturelle importante se produit. Dans le contexte des bouleversements qui affectent alors tout le bassin de l'Egée, des populations nouvelles ont pris pied en Europe centrale et finalement, comme souvent, elles franchiront un jour le Rhin. Leur culture est résolument originale, puisque les nouveaux venus incinèrent leurs morts – et l'on sait combien les rites funéraires ont de signification. Les urnes où sont recueillies les cendres sont enterrées les unes à côté des autres, dans des sortes de cimetières, dit « champs d'urnes ». Les trois quarts de la France seront touchés par cette « culture des champs d'urnes », dans un contexte économique favorable. Un fort développement des villages

SITES DU PREMIER AGE DU FER (700-500 AVANT J.-C.)

Ils sont concentrés dans la zone occupée par les envahisseurs de la civilisation dite de Hallstatt : au sud et à l'est de la Loire. (D'après J. GUILAINE, *op. Cit.*)

de plaine, l'usage de l'araire, la colonisation des hautes terres, les défrichements, l'utilisation du chariot et du cheval domestique [65] comme animal de trait, tout indique une large montée de la vie. Seule reste étrangère au mouvement la façade atlantique, jusqu'aux abords du Bassin Parisien, centre alors de marchés actifs où se disputent l'influence atlantique et l'influence « continentale ».

Cependant, même dans les zones où les nouveaux venus ont pris pied, le poids des cultures locales reste visible. En Bourgogne et ailleurs, deux siècles durant, inhumations et incinérations se pratiquent en même temps, parfois dans les mêmes cimetières. Les différences locales restent fortes, au point que certains archéologues, identifiant traits culturels et « populations », parlent parfois de cinq vagues successives d'envahisseurs. Jean Guilaine pense qu'il faut voir plutôt là, selon les lieux, le résultat d'élaborations différentes et se demande même s'il « y eut réellement invasion ». Pourquoi pas, dit-il, simple acculturation, poursuivie de place en place, au contact de « marchands ambulants ou de groupuscules dynamiques » [66] ?

En tout cas, il est clair que l'Age du bronze a été, et de plus en plus au cours de son évolution, une époque d'échanges actifs (les lingots de cuivre et d'étain voyagent sur des distances souvent considérables, pas moins que de la Bretagne aux Alpes ou à l'Espagne), une époque de pluralité et d'interpénétration des cultures.

L'Age du fer (de – 700 à la conquête romaine) est une période, elle aussi, fertile en bouleversements. Il débute avec les difficultés d'une détérioration du climat, plus froid et plus humide : les eaux des lacs submergent leurs rives ; les arbres – hêtres, aulnes, sapins, épicéas – envahissent les pentes montagneuses. Ce développement forestier avantagera évidemment la métallurgie nouvelle du fer, technique beaucoup plus exigeante que celle du bronze : elle réclame, en effet, de hautes températures et l'utilisation massive du bois. Restée longtemps secrète dans son pays d'origine, le royaume hittite, elle s'était propagée de façon lente et irrégulière et l'on ne saurait dire quand, ni par quelle voie, elle aura atteint l'Occident, soit par la Méditerranée grâce aux Phéniciens, soit par les chemins continentaux de l'Europe, à la suite de nouveaux immigrants qui, une fois de plus, traversent le Rhin, en plusieurs vagues [67].

Deux grandes périodes se distinguent dans l'Age du fer : la culture de Hallstatt, à partir des VIIIe-VIIe siècles ; celle de la Tène, à partir du Ve siècle. Ce sont des périodes que nous connaissons un peu mieux que les précédentes ; d'où une abondance de problèmes dont, trop souvent, la solution (qui s'en étonnera ?) nous échappe.

C'est le cas assurément de la période de Hallstatt [68]. Nous ne savons pas grand-chose des nouveaux venus, sauf qu'ils sont les premiers cavaliers à apparaître en Occident (depuis quelques siècles, le cheval avait été introduit sur notre territoire, mais uniquement comme animal de trait). Ils sont aussi les premiers porteurs de la métallurgie du fer, soit une série d'outils et d'armes nouvelles, dont l'épée lourde, qui leur donne une supériorité sans réplique sur tout adversaire encore armé du vieux poignard de bronze. Ainsi les Doriens, vers 1110 avant J.-C., eux aussi des cavaliers venus du nord des Balkans, avaient, des siècles avant Hallstatt, ruiné, en Grèce, la brillante civilisation mycénienne.

Il n'y eut pas, en « Gaule », de pareilles mutilations, mais plutôt des infiltrations, des superpositions, des dominations. Tout l'espace « au sud d'une ligne qui irait de la Lorraine et de la Champagne jusqu'à l'embouchure de la Loire » a été touché, occupé par les envahisseurs. On les repère d'après leurs tombes à tumulus [69] où les morts, soit incinérés (comme au temps de la civilisation des champs d'urnes), soit inhumés, sont toujours accompagnés de leurs armes, de leur épée, parfois de leur char et du harnachement de leurs chevaux. Le fait sans doute décisif, c'est que, parmi ces tombes individualisées, se distinguent celles des chefs, toujours somptueuses. Il est clair que la société des cavaliers est fortement hiérarchisée – et ce trait s'avérera l'un des éléments majeurs de la société gauloise, destiné à se maintenir jusqu'à la conquête romaine et même au-delà.

Mais qui sont ces peuples qui annoncent la Gaule ? Des Protoceltes, disent les uns. Des Indo-Européens mais pas du tout des Celtes, disent les autres, arguant du fait que les « vrais » Celtes, ceux dits de la Tène, détruiront en arrivant les sites fortifiés de leurs prédécesseurs. Ce qui n'est pas un argument suffisant : les tribus celtes ne se battaient-elles pas souvent entre elles ? Sans doute, le seul critère valable d'identification des groupes celtiques devrait être leur langue. Mais l'on ne connaît rien de celle des peuples de Hallstatt. En tout cas, ils venaient, comme les futurs Celtes, du centre de l'Europe et ils ont étendu largement leur influence, de l'Oder jusqu'à l'Espagne.

Toutefois, contemporaines de leur intervention, des influences particulières ont joué dans la transformation de l'espace et de la société de la future Gaule. Les VIIe, VIe, Ve siècles voient, en effet, l'essor des civilisations de Méditerranée et leur essaimage, avec les colonisations concurrentes des cités grecques, des Phéniciens et des Etrusques. Sur le territoire de la Gaule, les Phocéens, en 600, ont fondé Marseille, *Massalia*, une ville favorablement située, pôle admirablement actif qui attire à lui les ressources du « marché » gaulois, drainées par le couloir Rhône-Saône (dont l'étain britannique), et qui maintient ouverte la circulation avec la mer Intérieure, malgré les attaques répétées des Carthaginois et des Etrusques. Ceux-ci, à partir de l'Italie septentrionale, atteignent la Gaule par les cols des Alpes, déjà fréquentés ; ceux-là la touchent par l'Espagne et, bientôt, par la route de l'Atlantique [70].

Cette ouverture marchande de la Gaule vers le sud, est-ce le trait majeur de l'âge finissant de Hallstatt ? Alors des villes citadelles, pour le moins des villages perchés et fortifiés, se constituent et, dans les tombes princières où les hauts personnages reposent, ensevelis sous un grand tumulus avec leur char et leurs objets personnels, les fouilles retrouvent des importations précieuses d'origine étrusque ou grecque. C'est au pied de l'une de ces « villes » perchées, l'oppidum de Vix, en Bourgogne, qu'a été découverte, en 1953, la sépulture richissime d'une jeune femme [71], étendue dans un char, ornée de tous ses bijoux. A ses côtés, trois bassins de bronze d'origine étrusque, un bassin d'argent, deux coupes attiques, une *œnochœ* en bronze, enfin, le désormais célèbre cratère de Vix, énorme pièce de bronze très haute (1,65 m), ornée d'une frise représentant des chars et des guerriers [72]. Autant que sa splendeur, nous éblouit l'exploit de l'avoir transportée jusqu'à Vix de sa patrie lointaine : Corinthe, ou une fabrique de Grande-Grèce, peut-être Phocée en Asie Mineure...

La tombe de Vix a été datée de l'extrême fin du VIe siècle. A cette époque, les envahisseurs dits de la Tène, qui portent sans contredit le nom de Celtes [73], ont déjà commencé leur infiltration dans l'Est de la Gaule : Vix sera brutalement détruite dès les premières années du Ve siècle. De même la forteresse du Pègue, dans la Drôme. Un peu plus tard, celle du Camp de Château (Jura) sera à son tour abandonnée [74]. La société hallstattienne se désagrège tandis que, violente, explosive, rapide, s'introduit dans l'hexagone une nouvelle conquête étrangère qui va peu à peu recouvrir notre territoire, dans la majorité de son étendue. Ce sont sûrement des guerriers intrépides, des cavaliers passionnés, des forgerons experts, des artisans d'une habileté consommée et, qui plus est, les porteurs de mythes brillants, d'une religion, d'une culture originale, d'une langue indo-européenne qui leur est propre. Ce sont nos « ancêtres » les Gaulois.

Les Celtes ou les Gaulois : plus que leur histoire, leur civilisation

Avec les Celtes de l'Age de la Tène, la Préhistoire passe, en somme, derrière nous ; nous entrons dans les pénombres de notre *Protohistoire.* Pas encore, cependant, dans la lumière historique qui ne surgira, et encore, qu'avec la conquête romaine de la Gaule (– 58 à – 51). Aussi bien, les renseignements précis nous manquent sur ce long préambule à l'histoire « française ».

Les Gaulois sont des Celtes. Mais qui sont les Celtes ? Des Indo-Européens. Précision illusoire, car les Indo-Européens, dont l'origine est antérieure au IIIe millénaire, comptent de nombreux peuples à travers le vieux monde, de l'Atlantique au Gange. Un seul trait d'ensemble : ils parlent des langues apparentées entre elles, si bien que, pour des linguistes, elles sont presque déductibles les unes des autres. Hier, l'explication à leur sujet était même d'une simplicité parfaite : les Indo-Européens avaient été, à l'origine, un seul et même peuple, installé au sud du Jutland, en bordure de la Baltique et de la mer du Nord ; ce peuple ensuite s'était dispersé ; chacun de ses fragments, en se séparant, avait développé une langue particulière. Malheureusement, cette explication sécurisante est aujourd'hui abandonnée et aucune autre ne la remplace.

Les Celtes, qui appartiennent au rameau occidental des Indo-Européens (tout comme, avant eux, les peuples de Hallstatt et des *champs d'urnes*, probablement même les Campaniformes de la fin du IIIe millénaire), sont donc à replacer dans une obscure et trop vaste destinée. Dès le VIIe siècle avant le Christ, ils occupent probablement le quadrilatère de Bohême, au Centre de l'Europe, en une zone de confluences et de passages obligés. Aussi bien on ne parlera pas des Celtes comme d'une race : parmi eux l'anthropologie distingue sans fin des brachycéphales et des dolichocéphales. Dès le Ve siècle, ils sont « presque aussi hétérogènes que les populations actuelles » et ils le seront de plus en plus en occupant de nouveaux territoires [75]. Ne parlons pas non plus d'un peuple – ce mot vague signifierait trop de choses encore – et certainement pas d'un Etat. Peut-être sont-ils issus d'une famille qui s'est imposée, d'une tribu qui a subjugué les autres ; puis leur culture a fait tache d'huile. Finalement un « ensemble » s'est constitué.

L'étonnant, c'est évidemment la formation d'un tel ensemble, qui implique bien des forces à l'œuvre, bien des hasards, bien des évolutions et des réussites. L'explication de Barry Cunliffe [76] est séduisante, sans doute, parce que seule elle donne un sens au processus accompli. Tout dériverait d'un accident lointain : au

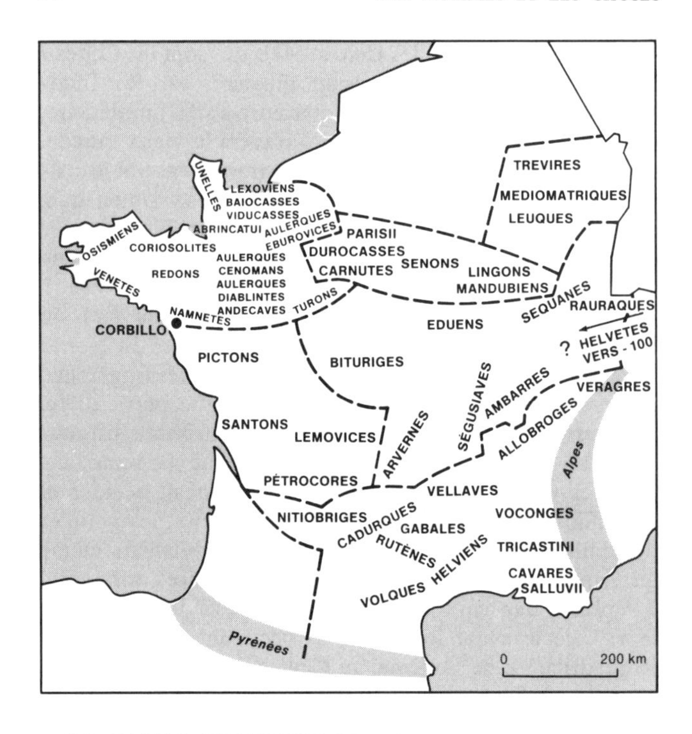

LA GAULE CELTIQUE AU IIe SIECLE AVANT J.C.

La carte présente les différents peuples qui la composent avant la conquête de la Provence par les Romains (121 avant J.C.).

XIIe siècle avant notre ère, avec les invasions doriennes et les méfaits mystérieux des « peuples de la mer », il y a eu effondrement *brutal* de la rayonnante civilisation égéenne qui avait fait de la Méditerranée du Levant, de l'Egypte à la Grèce et à l'Asie Mineure hittite, un extraordinaire centre d'échanges culturels et commerciaux, étendant au loin ses ramifications [77]. Imaginez une lanterne sourde, telle celle des braconniers qui, durant la nuit, piègent au loin le mouvement des gibiers. La lanterne sourde s'éteint. Privée de cette lumière, il a fallu que

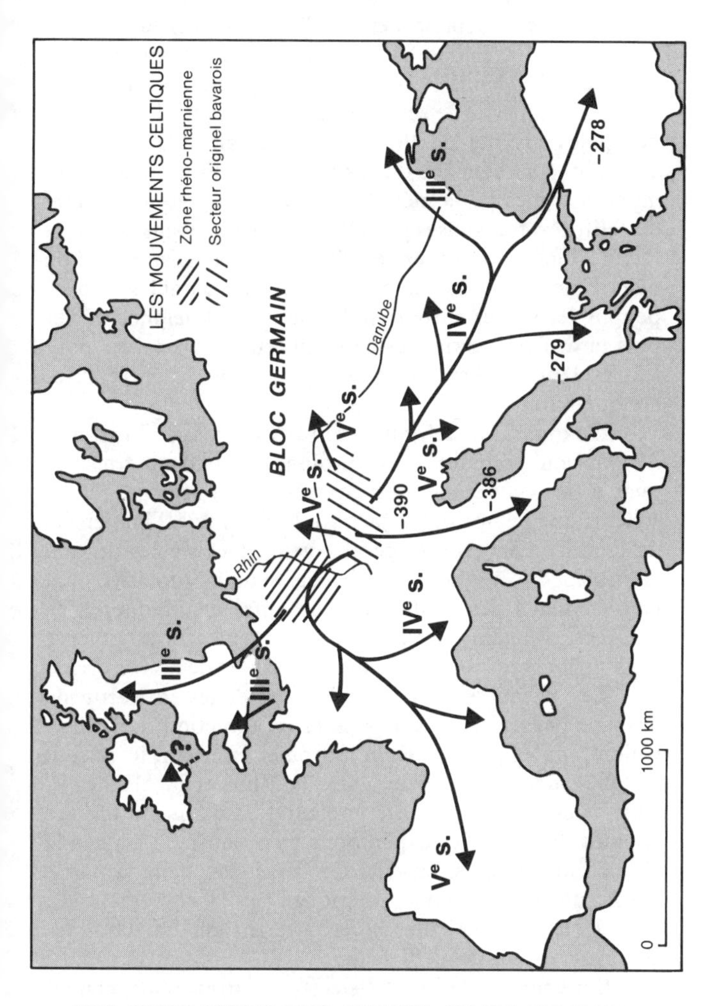

LES CONQUETES DES CELTES (Ve-IIIe SIECLES).

A partir du secteur originel bavarois et de la zone entre Rhin et Marne (occupée dès le VIe siècle), elles s'étendent très loin dans toutes les directions, sauf vers le nord, face à l'aire germanique qui les bloque.

l'Europe centrale vive, s'éclaire d'elle-même, utilise ses acquis, un peu comme deux millénaires plus tard, après les grandes invasions barbares du ve siècle après J.-C., l'Europe du Nord – celle des Pays-Bas – devra se construire à partir de ses propres forces, pour devenir l'un des pôles vivants de l'Europe médiévale. Ce processus aurait joué au bénéfice de ces territoires où les techniques modernissimes de la métallurgie du fer, longtemps secret des Hittites, transmises par l'Illyrie et les Balkans, auraient facilité bien des choses, en favorisant la naissance d'un peuple de forgerons et de guerriers redoutables. De ce peuple, les Celtes auront été les héritiers, quelques siècles plus tard. Des héritiers assez nombreux et prospères pour s'être lancés dans une longue série d'entreprises conquérantes.

L'expansion celtique, faite de coups brusques, d'explosions rapides, s'est prolongée pendant trois ou quatre siècles, s'étendant à de très vastes régions. Sur le schéma que j'emprunte à Jacques Harmand [78], l'immensité de l'espace concerné saute aux yeux. Des siècles durant, la violence celtique aura été la seule alternative aux empiétements des civilisations urbaines de Méditerranée – Grecs, Romains, Etrusques –, la seule force violente capable longtemps de leur faire obstacle et de les terroriser.

Les premiers mouvements des Celtes, à partir de l'espace bavarois, les ont poussés en direction de l'ouest. Colonisant les pays du Rhin moyen et inférieur, ils se sont installés, dès le VIe siècle, entre le Rhin et la Marne. Et c'est de cette zone de forte implantation qu'ils ont ensuite conduit de nouvelles expéditions victorieuses, à travers la Gaule entière, puis, au-delà des Pyrénées, dans la partie ouest de la péninsule Ibérique (les Celtibères). Au IIIe siècle, probablement, ils atteignaient la Grande-Bretagne et, au-delà, l'Irlande.

Cependant, dès le ve siècle, d'autres raids étaient conduits à partir de la Bavière, par le Brenner et le Saint-Gothard. Les Celtes gagnèrent ainsi l'Italie, emportèrent Rome, en – 386, et s'installèrent dans la plaine du Pô (la Gaule cisalpine), entre les Vénètes, les Étrusques et les Ligures. Leur avance en direction de l'Italie méridionale sera toutefois bloquée par les Romains et les Etrusques [79] et leur occupation se bornera à un territoire assez étroit, une écharpe des Alpes à l'Adriatique.

Enfin, vers l'est, par la vallée du Danube, les Celtes se sont enfoncés profondément en direction des Balkans et de l'Asie Mineure. Delphes était pillée par eux en – 279, le Bosphore franchi en – 278, un Etat galate fondé, cette même année, et qui durera jusqu'en – 230. Mais si loin de leurs territoires originels, ici comme en Espagne, les Celtes à la limite de leur expansion se sont heurtés au nombre. Ils ont dû composer avec les occupants et leur influence, bien qu'évidente, a abouti à des « peuplements mixtes, celtisés en proportions diverses » [80].

Cette reconstruction chronologique, présentée par Jacques Harmand avec les réserves qui s'imposent (les textes de l'Antiquité utilisables sont toujours à interpréter), me semble vraisemblable. Imaginons ces raids victorieux sur le modèle de l'invasion des Cimbres et des Teutons (– 102-101) – des Germains, mais métissés de culture celtique –, ou mieux sur le modèle de la migration des Helvètes que César bloquera en – 58, au début même de la conquête des Gaules : de longs convois d'hommes, de femmes, d'enfants, de chariots, de cavaliers... Tout un peuple en marche, une cohue, des progressions inorganisées mais qui ont, des siècles durant, mis en question le destin entier de l'Europe et de la Méditerranée. Qui ont affronté l'Europe profonde à L'Europe méditerranéenne, les tribus aux cités [81], les Barbares aux civilisés, l'économie primitive à la monnaie... Longtemps victorieux, les Celtes ne connaissent ni les villes à plein exercice, ni l'Etat avec ses structurations, ni *a fortiori* l'Empire. Pas de buts politiques longuement poursuivis, pas de conquêtes savamment méditées. L'esprit d'aventure, le goût du butin, parfois aussi, sans doute, le surnombre des bouches à nourrir, les portent hors de chez eux. Ils sont capables de se déchirer entre eux, de s'engager comme mercenaires au service des Grecs de Sicile ou d'Asie Mineure, au service de l'Egypte, au service de Carthage : « Qui veut un courage aveugle et du sang à bon marché, écrit Michelet, achète des Gaulois. » [82]

Gaulois ou Celtes, ce sont les mêmes peuples. Appelés *Keltoi* par les Grecs, les Celtes installés en Gaule ont été baptisés *Galli* – Gaulois – par les Romains. Par commodité, on parlera des Celtes quand il s'agira de l'ensemble, des Gaulois quand notre territoire sera en cause. Mais quand César, au seuil de ses *Commentaires*, présente les divisions de la Gaule, il appelle celtique (de la Garonne à la Seine) le cœur du pays à conquérir, entre d'une part, au sud, l'Aquitaine (des Pyrénées à la Garonne) et d'autre part, au nord, la Belgique (de la Seine au Rhin).

Ayant envahi la Gaule par l'est, les Celtes se sont installés fortement en Alsace, en Lorraine, en Champagne, en Bourgogne [83] ; ils y exploitent les forêts et les minerais de fer. Ailleurs, leur occupation sera moins serrée. A peine le Morvan et le Massif Central seront-ils touchés. Et, vers le sud, la présence gauloise se heurtera à la résistance des Ibères, à l'ouest, et à celle des Ligures, à l'est : il y a eu barrage contre eux de part et d'autre de la basse vallée du Rhône. Mais, de toute façon, nulle part les populations locales, plus ou moins subjuguées ou refoulées, n'ont disparu. Henri Hubert [84], dans ses ouvrages sur les Celtes, encore classiques aujourd'hui, insiste sur le grand nombre des envahisseurs. C'est inscrire à l'actif d'un renouvellement ethnique considérable la diffusion linguistique, culturelle, sociale de la Gaule celtique. En fait ces Celtes, déjà mêlés racialement à leur point de départ, en Europe centrale, et qui, en cours de route, comme tous les peuples migrateurs, ont entraîné dans leur flot des étrangers de rencontre – ces Celtes ont eu tout le temps, en Gaule, où ils se sont conduits en maîtres, de se mêler aux populations conquises. Il y a eu, plusieurs siècles durant, colonisation et acculturation.

Le succès des Celtes, en Gaule, c'est d'avoir, sauf vers le sud, étendu, imposé leur langue et leur façon de vivre. Dans leur succès culturel, l'économie a eu sa part : vive, elle a favorisé les mélanges. Encore faut-il noter qu'en Gaule, les Celtes n'ont créé ni les campagnes céréalières ni les artisanats. Bien avant leur arrivée, les campagnes étaient en place partout où les forêts, les marais, les eaux divagantes des rivières et des fleuves le permettaient (des forêts, il est vrai, plus étendues qu'aujourd'hui, surtout au nord de la Loire : elles couvraient la Beauce, l'Orléanais, le Gâtinais, le Blaisois, le Perche...) [85]. Se cultivaient depuis des siècles et des siècles l'orge, le blé – ainsi que le millet. Manquaient à l'appel le houblon, l'avoine, le châtaignier et surtout la vigne, mais celle-ci, installée en Provence au lendemain de sa soumission à Rome vers – 121, n'allait pas tarder à gagner la Celtique. De même, c'est selon une tradition bien plus ancienne qu'eux, que les Gaulois élèvent, le plus souvent dans les forêts, des troupeaux de moutons, de chèvres, de bœufs, de porcs (assez nombreux pour permettre des exportations de viandes salées et de laine vers Rome, dès avant la conquête). En revanche, les Celtes sont peut-être responsables de la large propagation du cheval, l'une de leurs très grandes passions [86], et ils ont été sûrement les initiateurs des techniques du fer, dans nombre de nos provinces qui les ignoraient encore au début de l'Age de la Tène. Plus encore, ils ont développé largement l'outillage *agricole* de fer, relativement rare au temps de Hallstatt.

En tout cas, les campagnes que César traverse, lors de la guerre des Gaules, sont peuplées de paysans experts, en avance sûrement sur les Romains. Il est douteux, quoi qu'en aient dit quelques enthousiastes, qu'ils aient inventé la charrue : les nombreux socs à talon de fer que l'on a retrouvés ne pouvaient s'adapter qu'à un araire, non à la vraie charrue à roues, qui retourne la terre en même temps qu'elle ouvre le sillon. Du moins les Gaulois ont-ils su perfectionner leurs techniques de labourage, puisque, à la veille de la conquête, ils ont été en mesure de mettre en culture des terres lourdes, ce à quoi l'araire simple ne suffit pas [87], et les Eduens, autour de Bibracte, pratiquaient le chaulage [88]. D'autre part, les Gaulois disposaient d'un excellent outillage, grande faux de fer pour couper l'herbe, serpes, haches et même, curiosité qu'il ne faudrait pas généraliser, une moissonneuse, « appareil composé, explique Pline l'Ancien, d'une caisse à rebord denté, montée sur deux roues et poussée par un attelage, en sorte que les épis décapités tombent dans la caisse ». La Gaule était riche en grains – avantage et désavantage, car les envahisseurs n'eurent aucune peine à se nourrir chez elle, au fur et à mesure de leur progression.

Les Romains ont trouvé aussi en Gaule des artisans d'une extrême qualité. Maîtres incontestés dans le travail du fer qu'ils savent forger et étamer (Pline attribue aux Bituriges la découverte de l'étamage), ils travaillent aussi le plomb, l'argent, l'or. Répondant à la passion des Gaulois pour la parure, ils fabriquent de beaux bijoux, des émaux remarquables (c'est une de leurs spécialités), des armes magnifiques, des mors de chevaux précieusement ornementés. Ils exploitent des mines de fer et d'or, par exemple, dans les Cévennes, celles de Brassempouy, sur les bords du Luz-de-France : tel meunier, géologue amateur qui en reprit la prospection, en 1850, « y trouva des monnaies gauloises, antérieures à la conquête » [89]. Les épées celtes, du IVe au Ier siècle avant J.-C., témoignent aussi d'une maîtrise croissante des techniques de la forge et du fer carburé, cependant que se développe une étonnante variété d'outils spécialisés, pour le travail du cuir, du bois et la gravure du métal – à quelques exceptions près, la gamme entière de l'outillage moderne [90].

Les artisans gaulois tissaient le lin et la laine, ils les teignaient dans les couleurs vives qu'ils affectionnaient. Ils savaient à merveille travailler le cuir et le bois, selon des techniques ignorées des Romains (le tonneau qui remplace avantageusement l'amphore est une innovation celte). Ils avaient été les premiers en Europe à fabriquer du savon. Ils étaient aussi de bons cordonniers (les *gallicæ* sont de grosses galoches à semelles épaisses), des céramistes et des potiers adroits.

Enfin, dès le temps de la Gaule indépendante, des villes naissent et engendrent un artisanat proprement urbain. Comparaison n'est pas raison, mais l'installation des métiers dans les villes françaises, au XIIe siècle après J.-C., semble bien avoir marqué un tournant de la vie économique et urbaine – j'y reviendrai [91]. Faut-il souligner le fait en Gaule et, puisque existait à Bibracte, dans la partie basse de la ville, tout un quartier réservé aux artisans, y voir la marque de la division croissante du travail, qui ne cesse d'accompagner les progrès de la vie économique ?

Cette vie de la terre et des métiers est animée par une circulation d'une certaine ampleur. La Gaule indépendante est, en effet, un pays ouvert. Les chemins, on n'ose dire les routes (et pourtant), les navigations maritimes et fluviales existent. Rome en héritera. Sur terre, roulent des voitures, si bien que les chemins ne sont pas aussi rudimentaires qu'on le dit : à côté des chars de luxe – *essedum, carpentum* – , légers et rapides, sur le modèle des chars de guerre, les gros chariots à quatre roues, *carruca, reda, petorritum* (tous véhicules d'origine celte, copiés par les Romains aux IIIe et IIe siècles avant J.-C.) [92], impliquent des attelages. D'ailleurs la Gaule est traversée du nord au sud par les grandes routes de l'ambre et surtout de l'étain de Bretagne et d'Angleterre, qui transite à partir de Rouen par la Seine, la Saône et le Rhône, pour gagner Marseille. Cette route de Marseille, on peut l'appeler la route des Arvernes, car ceux-ci la contrôlent en travers du Rhône.

Une route maritime existait aussi. Sans doute les Celtes ne sont-ils pas des marins et pour cause. Mais, en Armorique, ils ont trouvé des constructeurs de bateaux et des marins, en particulier dans la petite mer intérieure du Morbihan, semée d'îles et d'îlots. C'est le pays glorieux des Vénètes dont la vocation de navigateurs, si l'on en croit Alain Guillerm [93], aurait été déclenchée, ou confirmée, par l'arrivée sur la côte bretonne, au Ve siècle, d'un navire phénicien (le périple d'Himilcon). Ainsi aurait commencé la carrière des moyens et gros navires des Vénètes, fabriqués en Gaule, qui accomplissent des liaisons sur les côtes de l'Atlantique et de la Manche, en Angleterre et dans les îles Scilly, riches en étain. En accord avec Carthage, ils transportent le minerai d'étain de la Cornouaille jusqu'à la vaste rade de Vigo et, tant que Carthage tiendra l'Espagne, le commerce morbihanais ne fera que progresser vers le nord et vers le sud, de même que celui du pays des Osismes (le Finistère actuel). Car la flotte vénète, bien que la plus puissante, n'est pas la seule. Elle collabore, par exemple, avec les navires qui s'activent du Finistère jusqu'à l'Escaut. Et les bâtiments des Pictons et des Santons, entre Loire et Gironde, seront réquisitionnés par César, lors de sa campagne contre l'Armorique [94].

César, dans ses *Commentaires*, qualifie la ville gauloise soit d'*oppidum*, c'est-à-dire de ville forte, soit d'*urbs*. Ce dernier mot, qui, en principe, désigne la ville par excellence, est-ce seulement un doublet, pour ne pas répéter le premier terme ? Sous sa plume, Alésia, par exemple, est tantôt *urbs*, tantôt *oppidum*. En fait, les réseaux villes-villages sont, en Gaule indépendante, des réseaux bourgs-villages-hameaux, ceux-ci groupant des maisons de torchis, couvertes de paille, sans ouverture (la fumée sort par le toit). Les bourgs ont peut-être des rôles urbains, mais rudimentaires. Les *oppida* sont les seules villes notables – alors toute ville est forteresse, toute forteresse est ville, a-t-on l'habitude de dire. Sauf certaines positions fortes derrière des lignes d'eau – c'est le cas de Bourges (Avaricum), la capitale des Bituriges –, les *oppida* sont bâtis sur des hauteurs, tels Bibracte, Gergovie... Généralement protégé par un fossé profond, un mur d'environ quatre mètres d'épaisseur, le *murus gallicus* (pierre, terre, gros madriers de bois inclus), les entoure, laissant à l'intérieur de vastes espaces vides (135 hectares à Bibracte, 97 à Alésia [95]). Ce sont, en cas de danger, des refuges pour les populations du plat pays et leurs troupeaux. L'espace y est cependant partiellement occupé par des maisons, parfois un quartier aristocratique, un temple, et par des ateliers d'artisans, détail important, comme je l'ai déjà dit. Le problème, c'est de savoir si ces villes fortes sont aussi des villes, au sens ordinaire du mot, je veux dire des centres politiques, religieux, *économiques* – quelle que soit, en ce dernier domaine, leur force ou leur efficacité. Venceslas Kruta, un des meilleurs connaisseurs de l'histoire des Celtes, l'affirme résolument. Les historiens sont nombreux à le nier.

Il me semble pourtant que ce rôle est attesté par les transformations visibles qui se produisent au IIe et au Ier siècle avant l'ère chrétienne. C'est au cours de ces deux siècles que les *oppida* surgissent. Jusque-là les Celtes n'avaient pas construit de forteresses : leur puissance créait sans doute la sécurité, une sorte de *pax celtica*. Le même phénomène se présentera avec les débuts de la paix romaine en Gaule. Cette poussée de villes perchées, de villes refuges est-elle alors à mettre uniquement en relation avec le recul de la puissance des peuples celtes, avec les difficultés et menaces qui montent ? On songe à l'occupation de la « province » par les Romains (121 avant J.-C.), ou au dramatique déplacement (102-101 avant J.-C.) des Cimbres et des Teutons. Ces peuples ambigus, germains sans doute, mais installés à la frontière nord de la première Celtie, en bordure de la Baltique et de la mer du Nord, au sud du Jutland, étaient touchés par le rayonnement de la civilisation des Celtes (leurs chefs portent même des noms celtes). Ils n'en sont pas moins, celtisés ou non, des envahisseurs, des pilleurs de villes et de campagnes. Et, même si Venceslas Kruta a tendance à minimiser le péril qu'ils ont représenté (la peur romaine l'aurait grossi) [96], la guerre, de toute façon, était endémique entre les tribus gauloises. Les *oppida* ont donc certainement joué un rôle défensif et mis les populations locales à l'abri. D'ailleurs ces villes perchées se révéleront, en Gaule et hors de Gaule, comme les seuls moyens de résistance à opposer aux Romains. Ceux-ci ne gagneront qu'à la suite de sièges : Numance en Espagne (134 – 133 avant J.-C.), Alésia en Gaule (52 avant J.-C.).

Soit, mais pourquoi ce rôle défensif de la ville, qui fut celui de toutes nos villes médiévales, régulièrement ceintes de murailles, exclurait-il son rôle économique ? Venceslas Kruta lie, au contraire, l'apparition des *oppida* au changement de société qu'imposa l'arrêt de l'expansion celtique, irréversible à partir de 225 avant J.-C. Jusque-là, pas de villes : des « paysans armés », sorte de « milice rurale », vivaient en hommes libres dans des hameaux de quelques maisons, toujours prêts à suivre un chef pour l'aventure du mercenariat ou d'une nouvelle conquête. L'expansion définitivement stoppée, il y a concentration des populations sur leur territoire, dépendance des plus humbles, hiérarchisation plus accentuée et un progrès économique d'ensemble dont l'essor des *oppida* serait

LA GAULE AVANT LA CONQUETE ROMAINE.

précisément le résultat [97]. Comment ne pas suivre Kruta sur ce point ? Outre qu'une vie paysanne active crée spontanément les fonctions du bourg, déjà urbaines, l'existence de trafics réguliers traversant toute la Gaule suppose à elle seule des relais organisés, des échanges de services et de marchandises qui tendent à créer des concentrations humaines *permanentes*. Lors de ses campagnes, César ne trouve-t-il pas des marchands romains installés à demeure à Cenabum (Orléans), Noviodunum (Nevers) et Cabillonum (Chalon-sur-Saône) [98] ? Quand Vercingétorix adopte la tactique qui consistait à brûler les villes devant les Romains, lesquels y trouvaient régulièrement leur ravitaillement, les Bituriges refusent ce sort pour

Avaricum, leur capitale, à cause de sa « splendeur ». Certes, n'imaginons pas une splendeur monumentale : les villes gauloises n'ont laissé aucun édifice de pierre. Les maisons y étaient souvent de torchis. « Y a-t-il rien de plus laid que les *oppida* gaulois », s'exclamait Cicéron [99]. Pensons donc plutôt à une « splendeur » économique. Les Bituriges défendirent d'ailleurs chèrement leur ville. Quand elle tomba, César y trouva de vastes stocks de blé [100]. Plus encore, le quartier des artisans, dans la ville de Bibracte, ne témoigne-t-il pas dans le même sens ? C'est ce que pensait Albert Grenier, dans un article ancien, justement à propos des fouilles de Bibracte [101]. Alors, Alain Guillerm a-t-il raison de prêter à Paul-Marie Duval des hésitations à ce sujet, hésitations prudentes, mais qu'il tire de son côté [102] ? Pour lui, en effet, pas de villes gauloises, pas d'Etats gaulois. Pierre Bonnaud dit plus justement que, si « les Gaulois ne connaissaient pas de véritables villes, tous les embryons viables en existaient chez eux... D'où sont issues tant de villes ouest – et centre – européennes, les unes modestes, beaucoup très importantes » [103].

Ce résumé ultra-rapide de l'établissement des Celtes en France a laissé délibérément de côté le problème essentiel qu'ils nous posent : à savoir la connaissance de leur civilisation, de sa cohérence par-delà son morcellement en peuples, voire en Etats autonomes, mortellement jaloux les uns des autres. Pour cette unité, le problème de leur organisation sociale et de leurs croyances religieuses est décisif et le rôle des druides tout sauf anecdotique. J'y reviendrai dans un autre chapitre.

Le triomphe du nombre

Des pages qui précèdent, trop courtes ou trop longues pour résumer notre Préhistoire – trop courtes si l'on songe à la masse des connaissances, il est vrai incomplètes, décousues, que nous possédons ; trop longues si le lecteur, novice en la matière, avait le désir de mettre en sa mémoire

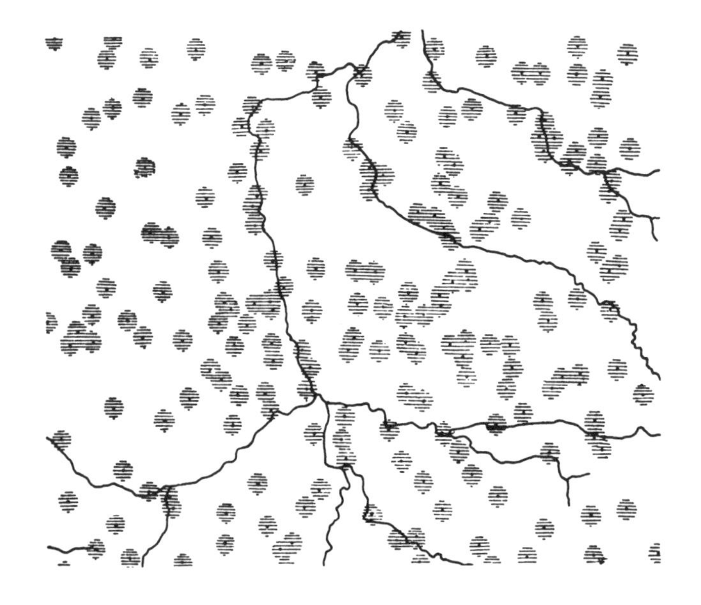

LE PEUPLEMENT DU BASSIN DU LOING,
AU NEOLITHIQUE ET AUJOURD'HUI.

La différence de la répartition vient de ce que l'habitat néolithique était entièrement absent dans les vallées alluviales (Loing et Fay), sans doute marécageuses, tandis qu'aujour-

le schéma détaillé que nous avons retenu – des conclusions importantes se dégagent-elles ?

Avant tout, sans doute, le fait que, très tôt, l'espace français ait été anormalement peuplé. Cette profusion d'hommes s'explique en partie par la situation géographique de notre pays : elle signifie confluence, rendez-vous, carrefour. Emmanuel de Martonne[104] prétendait que l'Europe, d'est en ouest, se présente comme un entonnoir : l'espace ne cesse de se rétrécir à mesure que l'on se rapproche de l'Atlantique. La France est ce goulot étroit où tout se déverse et, par surcroît, se trouve arrêté dans son mouvement par la limite de l'océan. Elle est ainsi une

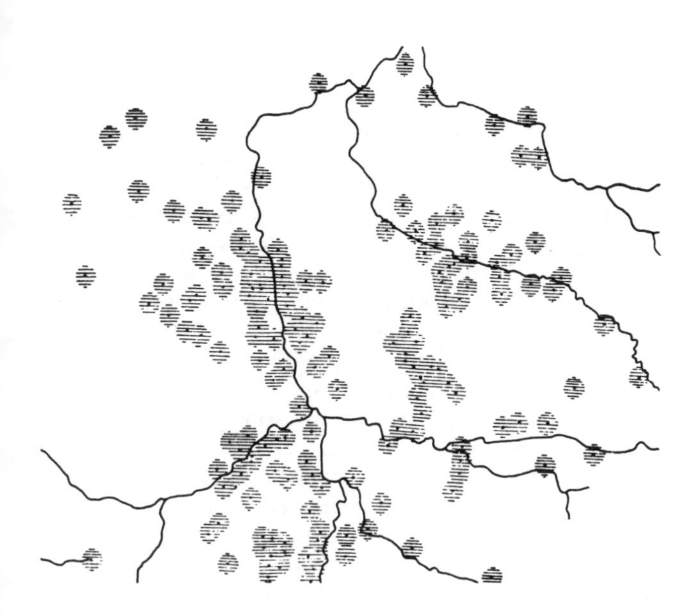

d'hui les plateaux ont été désertés au profit des vallées. Selon L.-R. Nougier, l'habitat rural néolithique dans cette région (établissements plus nombreux qu'aujourd'hui et beaucoup moins importants) serait de 10 à 20 habitants au kilomètre carré. (D'après L.-R. NOUGIER, *Le Peuplement préhistorique.)*

nasse, un piège où les populations sont obligées de se mélanger. Pour Colin Renfrew, l'accumulation des hommes en bordure de l'océan, décelable dès le Mésolithique, serait l'explication de l'apparition des mégalithes en Bretagne – la plus extraordinaire présence de notre Préhistoire. Avec l'introduction de l'agriculture portée par de nouveaux immigrants, une croissance démographique rapide aurait provoqué la raréfaction de la terre. D'où le souci, pour chaque communauté, de resserrer ses liens autour du monument qui serait à la fois sa sépulture collective et la marque de son territoire [105].

Accumulation et mélange des populations : le

métissage prend en France des proportions telles, dit un anthropologue, Raymond Riquet [106], que, dès le Néolithique, la population y « devient franchement moderne » et « prend un aspect général nettement plus français, au sens actuel du terme », c'est-à-dire avec déjà les diversités raciales qui la caractérisent aujourd'hui : les Alpins, les Nordiques, les Méditerranéens, les Norico-Lorrains... Voilà qui valorise la boutade de Ferdinand Lot : « En vérité, si le Français contemporain veut se représenter l'aspect de ses ancêtres, il n'a qu'à regarder autour de lui ou à se mirer dans la glace. » [107]

Mais le plus important, à l'heure du bilan, c'est évidemment de compter. Nos ancêtres, combien étaient-ils ? Peu importe que nous ne puissions à cette question répondre en toute certitude. Depuis une vingtaine d'années au moins, les préhistoriens s'intéressent de plus en plus à l'habitat des anciennes populations, à leur densité, à leur volume, à leur progression. En ces domaines, nous avons besoin d'ordres de grandeur. Avec la montée des densités, en effet (Colin Renfrew le répétait dernièrement [108]), tout se transforme, sans aucun doute : la sédentarisation, l'intensivité des cultures, la hiérarchisation sociale, l'organisation territoriale... Après d'innombrables millénaires d'errance, de cueillette et de chasse, « l'homme prédateur » devient « l'homme producteur» [109]. L'agriculture s'est lentement mise en place, en même temps qu'une montée continue de la population préhistorique, peut-être de 1 à 10, ou même de 1 à 100. L'espace « français » s'est peu à peu empli de villages, de hameaux, de forêts défrichées, d'espaces cultivés, d'hommes, surtout au IIIe millénaire, jusque vers – 1800. Au voisinage de ce sommet, si l'on en croit le calcul éclairant de Louis-René Nougier [110], l'espace de ce qui sera la Gaule renfermerait jusqu'à 5 millions d'hommes, 2 500 000 au minimum. Des cartes situant dans telle région les établissements agricoles néolithiques et ceux d'aujourd'hui peuvent se comparer avec profit (voir cartes pp. 62 et 63). Il est même des régions où les points de peuplement, du temps de l'expansion chasséenne, sont plus nombreux qu'aujourd'hui. Et sans doute les préhistoriens rappellent-ils avec raison que ces sites ne sont pas forcément tous contemporains, qu'on ne peut les additionner tous sans risque d'erreur. Mais il y a d'autres signes d'un trop-plein d'hommes : les villages qui s'entourent d'enceintes et de fossés protecteurs et se préoccupent de constituer d'importants stocks de nourriture, la guerre qui fait son apparition. Dans les tombes collectives, on retrouve des squelettes entassés, criblés de pointes de flèches [111].

Et n'est-ce pas un signe encore de trop-plein démographique que la régression qui, au IIe millénaire, s'interpose, longue, profonde ? On constate ses détériorations évidentes sans s'expliquer à coup sûr les raisons de ce puissant reflux [112]. Des épidémies peut-être, quelque chose de comparable à la Peste Noire qui ouvre, ou peu s'en faut, en Occident, l'interminable guerre de Cent Ans ? Ces épidémies que l'on met en cause, faute de mieux, auraient pu correspondre à une détérioration du climat. Mais d'autres hypothèses sont possibles : famines provoquées précisément par une montée trop forte de la population (comme ce fut le cas un peu avant la Peste Noire), hostilités meurtrières entraînées par l'insuffisance des terres nouvelles, ou, comme il semble à la fin du premier Age du Fer, au Ier millénaire, par l'arrivée de nouveaux envahisseurs. En tout cas, une reprise est nette au second Age du Fer et elle développera ses progrès jusqu'à la veille de la conquête romaine.

La Gaule ne compte pas alors, sans doute, les 20 millions d'habitants et davantage que lui octroyaient avec un certain enthousiasme Henri Hubert, Alexandre Moreau de Jonnès, Ferdinand Lot, Albert Grenier, Camille Jullian. Mais l'occupation celte, comme ailleurs en Europe, correspond sans contredit à une agriculture intensive, à un pays prospère et peuplé, même surpeuplé, selon les auteurs latins qui y voient la cause des émigrations gauloises répétées. Peut-être la population atteint-elle les 10 millions d'habitants que lui attribuait Jules César lui-même. Karl Julius Beloch avance le chiffre de 5,7 millions seulement [113], Gustave Bloch 5 millions [114], Eugène Cavaignac [115] 8 à 9 millions, en reprenant et critiquant les recensements rapportés par César dans le

De bello gallico, en particulier les dénombrements des troupes de secours gauloises, lors du siège d'Alésia (– 52).

Puis-je dire que ces derniers chiffres me semblent trop bas ? D'autant que la Narbonnaise, alors province romaine depuis déjà presque 70 années, est aussi densément peuplée que l'Italie elle-même. Acceptant le chiffre de « plus de 7 millions » pour la Gaule, Karl Ferdinand Werner compte « 10 à 12 millions d'habitants » dans l'ensemble gaulois, province romaine y compris [116]. Mais peu importe ! Des constatations que suggèrent ces ordres de grandeur, il ressort que la Gaule avant la Gaule, du IIIe millénaire à l'ère chrétienne (ou peu s'en faut), a été le théâtre de très longs mouvements de population, à la hausse, puis à la baisse, et ensuite de nouveau à la hausse. Ce sont là les cycles *multiséculaires* dont j'ai parlé à l'avance, analogues, bien que beaucoup plus étendus dans le temps, à ce cycle classique, pourrait-on dire, qui s'annoncera avec le XIe siècle après J.-C. et culminera vers 1350, pour se replier en un siècle rapide – pas moins que la guerre de Cent Ans, de 1350 à 1450. La Préhistoire, à travers l'espace futur de la Gaule, n'aura pas connu pareille « rapidité », mais l'alternance de ces mouvements cycliques reste analogue (en profondeur) à celle qui travaillera sans trop de hâte la France médiévale.

Or ces cycles, même très lents, même interminables, impliquent forcément une certaine cohérence, non pas un émiettement absolu du peuplement, mais une certaine ampleur des échanges de biens, de cultures, de techniques, d'hommes – quelque chose qui ressemble déjà à de l'*histoire* et qui ne peut être que le fruit, la conséquence d'une certaine densité, d'un certain volume de la population.

Ainsi il y a eu une Gaule avant la Gaule, entendez une soudure réelle entre ce qui précède la Gaule et la Gaule elle-même. J'aurais tendance à croire (malgré les réserves avancées sur l'argument essentiel de Nougier : le nombre des villages et des habitats) aux 5 millions de la population préhistorique, vers – 1800. Ce qui voudrait dire que, pour l'essentiel, les jeux biologiques sont déjà conclus à la fin du Néolithique, que les mélanges ethniques sont en place, et y demeureront. Les invasions qui suivront, et notamment celle des Celtes – si nombreuse et violente qu'on l'imagine et si puissant qu'ait été son impact culturel –, se perdront peu à peu dans la masse des populations déjà installées, soumises, rejetées parfois hors de leurs terres, mais qui resurgiront, s'étaleront, prospéreront à nouveau. Le nombre conserve sans doute. N'en sera-t-il pas de même vis-à-vis des Romains ? Et non moins face aux invasions barbares du ve siècle, ou aux immigrés trop nombreux qui inquiètent la France actuelle ? Ce qui compte c'est la masse, la majorité en place. Tout s'y perd à la longue.

Mais laissons ces problèmes – chaque chose en son temps. L'essentiel, pour l'instant, c'est de mettre à sa place l'énorme héritage vivant de la Préhistoire. La France et les Français en sont les héritiers, les continuateurs, bien qu'inconscients. Les recherches hématologiques en sont à leurs débuts [117]. Mais est-ce une surprise qu'elles mettent en lumière, dans notre sang (celui des Français d'aujourd'hui), le sang reconnaissable de la Préhistoire ? Voilà qui nous rend attentifs à une histoire venue du tréfonds des âges.

II

DE LA GAULE INDÉPENDANTE A LA GAULE CAROLINGIENNE

Au-delà d'une « Gaule » préhistorique, quatre images se présentent à la suite les unes des autres : la Gaule celtique dite indépendante (protohistorique), la Gaule romaine, la Gaule mérovingienne, la Gaule carolingienne. De toute évidence, ces longues expériences se succèdent et se ressemblent : elles s'épanouissent l'une après l'autre, puis se détériorent avec régularité comme si, chaque fois et à l'avance, elles étaient finalement condamnées à l'échec, à l'effacement – quelles que soient la forme et la raison de cet effacement, de cet échec.

En l'occurrence, y aurait-il un système, un processus sous-jacent, répétitif ? Les fluctuations de cycles multiséculaires, leurs essors et régressions au ralenti résumeraient ces processus perceptibles au fil de la longue durée. Par malheur, l'explication de ces *trends* nous échappe plus qu'à moitié, vu l'insuffisance de la documentation. Ont-ils même existé par eux-mêmes ? Un ou deux historiens s'en soucient.

Mon propos a été, au plus, d'introduire un peu de langage économique dans ces problèmes lointains, de montrer que si, au cours de ces siècles obscurs, l'économie, bien sûr, n'est pas seule à faire la loi, elle a peut-être eu son mot à dire. Mais qui ne le savait d'avance ?

L'important, de ce point de vue, c'est qu'au cours de ces quatre longues périodes, en gros un millénaire, quels qu'aient été les reculs et les reprises de l'économie ou les avatars de la politique, il n'y a eu aucun processus révolutionnaire capable de changer les structures, les équilibres profonds de la vie, telle la mise en place de l'agriculture, quelques millénaires plus tôt, telles les révolutions énergétiques du Moyen Age dont nous aurons l'occasion dans un instant de parler. La remarque de Robert Fossier est pertinente : « Il n'y a pas de mutation brutale, écrit-il, entre Rome et le IXe siècle. » On pourrait même reporter le terme deux siècles plus tard, comme Michel Roblin qui soutient qu'« entre le Ier et le XIe siècle, une évolution continue exclut tout bouleversement subit et profond »[118].

Si possible, expliquer la conquête de la Gaule par les Romains

Sanglante, rapide, la conquête romaine brise la Gaule indépendante. Les événements – Gergovie, Alésia –, les personnages – Arioviste, Jules César, Vercingétorix – sont plus que connus. Et il n'est pas dans mes intentions de revenir sur un récit enregistré dans la mémoire scolaire de tous les Français. Non que je sois hostile au récit, l'histoire est aussi récit et ce n'est pas sa forme la moins passionnante. J'espère d'ailleurs avoir l'occasion de raconter, dans les deuxième et troisième volumes de cet ouvrage, l'histoire de la France au fil rapide des ans. Mais, présentement, je suis engagé dans une autre « expérience » : ce chapitre se propose, comme je l'ai déjà dit, de mettre en lumière les grandes phases de l'histoire de France, en étant attentif par priorité aux témoignages du nombre. Et, par là, de retrouver les rythmes d'une histoire profonde. Voilà qui, momentanément, m'oblige à n'être attentif qu'à une partie du paysage historique. Je mets en cause la Gaule indépendante, mais je ne chercherai pas à en donner, même en abrégé, une image complète ; les événements, les hommes, les institutions, les sociétés, les économies, plus une civilisation secrète, à plus d'un titre merveilleuse... Ce serait contraire à la logique de la présente explication. D'autres problématiques, d'autres explications suivront. Je reviendrai alors, mais avec un autre regard, sur les paysages traversés une première fois trop vite. Si le lecteur a la patience de me suivre jusque-là, il reverra la société injuste et truculente de la Gaule celtique, ses institutions, ses druides cueillant le gui avec

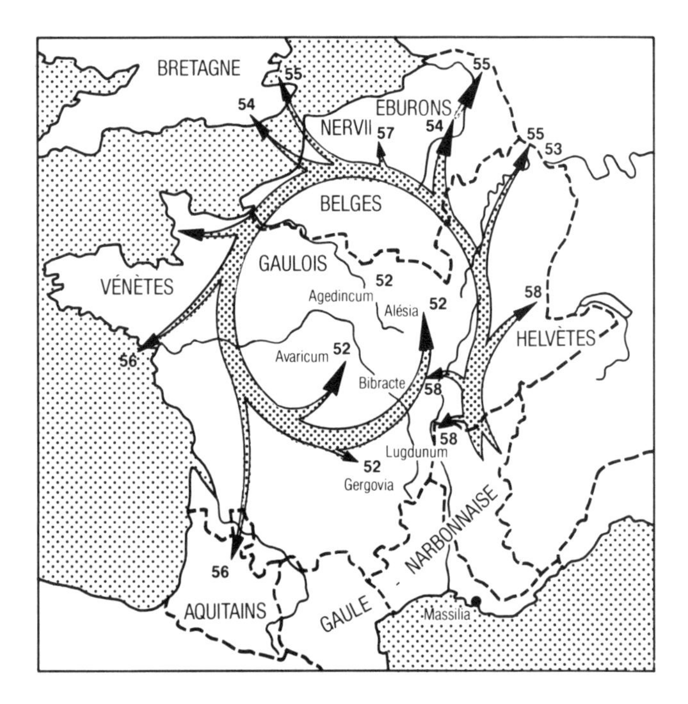

CONQUETE DE LA GAULE PAR CESAR
(58-52 AVANT J.-C.)

La marche rapide de l'armée romaine à travers un si vaste territoire prouve l'existence, en Gaule, d'un réseau routier relativement dense et de ressources agricoles suffisantes pour nourrir hommes et chevaux.

leur faucille d'or et les apprentissages et métissages des villes gallo-romaines.

Ce qui fait question à mes yeux, pour le moment, c'est l'insertion du processus violent de la conquête dans la perspective historique de la Gaule indépendante. Malheureusement les explications des historiens, trop encombrées de sentiments personnels, ne sont pas pleinement satisfaisantes, pleinement libres. Peuvent-elles l'être, vu l'enjeu de la discussion ?

Premier étonnement : la Gaule a été conquise en quelques années seulement (de 58 à 52 avant J.-C.), alors que Rome mettra deux siècles à maîtriser l'Espagne. Strabon (le géographe grec né à peu près au moment de la défaite gauloise) notait déjà ce contraste [119].

Pourtant, la Gaule « chevelue » avait tout pour résister : une forte population (*peut-être* dix millions d'habitants ou davantage), une densité de peuplement supérieure en tout cas à celle des pays méditerranéens que Rome dominait, une indéniable vitalité, une certaine prospérité, bien que le mot puisse être excessif : des historiens pensent même que la Gaule, à la veille de l'arrivée de César, traversait une crise assez sérieuse. Mais cette crise, si crise il y a eu, n'excluait pas des signes de bonne santé, ni une réelle cohérence économique. Et ces signes doivent mettre en garde contre toute explication trop facile ou unilatérale de la catastrophe.

Par exemple, tout mettre au compte de la supériorité militaire de la légion, du génie de César qui, presque d'entrée de jeu, a isolé la Gaule en repoussant les Helvètes, puis les Germains, en débarquant en « Bretagne » (l'Angleterre), en écrasant la marine des Vénètes... Nul évidemment ne peut sous-estimer le rôle de César, sa lucidité, ses rapidités. Mais suffira-t-il d'arguer que les Gaulois, qui sont courageux, armés d'excellentes épées, appuyés par une cavalerie nombreuse, téméraire, ont le tort de tout abandonner au premier échec ? Ce qui revient à leur reconnaître les qualités et les défauts que l'on attribue aujourd'hui à nous autres Français.

Il n'y a pas *une*, mais *des* explications à la défaite gauloise. N'oublions pas ainsi que la conquête de la Gaule chevelue n'a pas été une « première », mais un troisième et dernier acte : les Romains, après l'alerte fantastique de la seconde guerre punique, avant la défaite de Carthage, ont maîtrisé en trois campagnes féroces (– 197, – 194, – 191) cette Gaule cisalpine qui les avait tant nargués, ces guerriers qui étaient allés jusqu'à Rome et qui combattaient nus contre les Romains, pour se moquer de leurs lourds équipements ; puis, en – 121, les Romains avaient occupé la « Province », la Narbonnaise, soit, entre les Alpes et l'Aquitaine, la zone la plus peuplée de la Gaule transalpine. Par cette conquête décisive, Rome ne s'est pas acquis seulement le libre chemin de la péninsule espagnole, elle a frappé à mort l'hégémonie arverne et elle a occupé le territoire des Allobroges, du Rhône au lac de Genève. La Province, c'était une position de départ vers le nord.

Il y a donc eu à la conquête de César des préalables qui ont compté, qui ont, comme dit Alain Guillerm, destructuré l'« espace celtique » [120]. La dernière de ces catastrophes, sans doute, a précédé de plus de soixante ans les campagnes de César. Cela ne veut pas dire pourtant qu'il n'y a pas eu de lien entre ces épisodes et la fin rapide de la Gaule indépendante. La France coloniale d'hier s'est bien installée en Algérie (1830), puis en Tunisie (1881-1883), avant de forcer les portes du Maroc, bien plus tard (1911-1912).

La Gaule ne s'est-elle pas livrée d'elle-même – c'est presque l'évidence – en raison de ses divisions, de son inachèvement politique ? « Un chaos », dit Michelet [121]. Si elle avait formé une « nation », ou même simplement un ensemble politique cohérent, on pourrait même parler de trahisons : celle des Eduens, celle des Rémois et de bien d'autres « collaborateurs », ne serait-ce que tous ces cavaliers gaulois qui accompagnèrent César, ou que les Lingons, peuple puissant autour de Langres, à une croisée des trafics, qui à plusieurs reprises prêtèrent de l'argent à l'envahisseur. En fait, la Gaule était une mosaïque de « peuples » indépendants, sans fin en conflit, de 60 à 80 *civitates*, comme diront les Romains, et chacun de ces carreaux se morcelait à son tour. Bref, la Gaule politique est infiniment divisée : chez elle, « les répulsions sont plus fortes que la fraternité de la race, l'identité de la langue, de la religion et de la culture » [122]. Les druides eux-mêmes ne réussirent pas à grouper les Gaulois contre l'envahisseur, malgré tous leurs efforts. Par cette diversité fondamentale, notre pays se présentait ainsi comme une proie facile. César a pu jouer des rivalités et hostilités entre groupes. Il a divisé pour saisir. Et l'on pourra toujours imaginer qu'une Gaule unifiée en un Etat solide aurait mieux tenu tête aux Romains.

Peut-être. Mais peut-être aussi peut-on avancer des arguments contraires, sans paradoxe. Pour revenir au contraste étonnant entre la guerre éclair des Gaules et l'interminable conquête de l'Espagne, notons que des géographies différentes ont joué leur rôle. Un pays ouvert au nord des Pyrénées, riche, relativement peuplé, avec un réseau de routes utilisables : pas de difficultés pour le fourrage ou le ravitaillement ; un pays hostile au sud, barricadé par la nature, et désert, sans trop de ressources vivrières [123]. Strabon note un autre contraste, décisif à vrai dire : alors que la résistance des Espagnols s'est morcelée à l'infini, résolue dans ce que nous appellerions une guérilla, celle des Gaulois s'est vite concentrée, ce qui ne l'a pas rendue moins énergique, mais plus vulnérable, plus facile à abattre et d'un seul coup. Bref, ce serait la cohérence d'une Gaule capable de mobiliser une immense armée de secours qui permit de l'écraser en une seule rencontre grandiose, le siège d'Alésia, en – 52. Une guerre dispersée, au contraire, aurait décontenancé, gêné l'envahisseur à l'extrême. A l'appui des réflexions de Strabon témoigne l'expérience des conquêtes « coloniales » qui encombrent l'histoire. Voyez, à titre de comparaison, les conquêtes musulmanes du VIIe siècle après J.-C. : elles s'emparent d'un seul coup de la Syrie, en 634 ; de l'Egypte, en 636 ; de la Perse elle-même (641) qui, quelques années plus tôt, avait équilibré et bousculé, à elle seule, la Rome de Justinien ; en revanche, il faudra à l'Islam cinquante ans (650-700) pour maîtriser – et plutôt mal – un Maghreb fruste. Mais l'Espagne wisigothique, cohérente, tombera entre leurs mains d'un seul coup, elle aussi, en 711.

Cela dit, nous expliquons mal le succès de César. Peut-être à cause des divergences de jugement entre historiens. Les uns – hier surtout – se réjouissaient du triomphe de Rome qui avait, à l'avance, jeté la France dans la latinité, l'une des grandes composantes de notre civilisation actuelle. Ainsi parle Gustave Bloch [124], dans le précieux volume qu'il a donné (1911) à l'*Histoire de France* d'Ernest Lavisse. D'autres, avec Ferdinand Lot [125], tiennent la conquête romaine pour la catastrophe de notre histoire nationale, la fin d'une évolution originale, la destruction d'une «France» en puissance. Camille Jullian, dont le nationalisme est plus évident encore, va jusqu'à penser que la Gaule, sans Rome, se serait assimilé la civilisation grecque de Marseille (fondée en – 600) [126] – ce qui reste à démontrer. Il est vrai que la Gaule utilisait l'alphabet grec et pas seulement au bénéfice d'une élite cultivée. Selon Strabon, les Gaulois « rédigeaient leurs contrats d'affaires en grec » [127].

En fait, les routes sont libres, comme toujours, pour toute opération d'*uchronie*, cette manie ou ce besoin de refaire l'histoire autrement qu'elle ne s'est accomplie. Pour son compte, Alain Guillerm est persuadé qu'à elle seule, la Gaule eût été capable de neutraliser, en les assimilant, les Germains d'Arioviste [128], tandis que la Gaule romaine ne sera pas de taille, des siècles plus tard, à maîtriser les invasions barbares qui devaient finalement la ruiner. Nous pourrions, à ce jeu, envisager un autre scénario, l'échec de César devant Alésia, Rome renonçant alors à la Gaule, comme, après l'échec de Varus (9 après J.-C.), elle aura renoncé à une Germanie moins évoluée, cent fois, que la Gaule et, pour cette raison peut-être (sans compter les autres) bien plus difficile à saisir. Mais pourquoi pas l'hypothèse inverse ? Si Rome avait établi sa frontière au long de l'Elbe, au lieu du Rhin, tout n'aurait-il pas été changé dans le destin de l'Europe ?

C'est un fait que, conquise, la Gaule a cédé vite au vainqueur, qu'elle s'est ouverte à la civilisation de l'Italie et de la Méditerranée et que, ce faisant, de plein gré ou sans s'en rendre compte, elle a profondément changé son destin. Sans doute, l'aristocratie gauloise a-t-elle joué très tôt la collaboration et contribué à l'assimilation culturelle de la Gaule par Rome. Sans doute la domination romaine, si dure au lendemain de la conquête, s'est-elle faite libérale avec ces « deux grands empereurs, Tibère (14-37 après J.-C.), et Claude (41-54 après J.-C.), fort décriés par l'historiographie antique, mais qui furent les vrais artisans de la stabilité et de la durée de l'Empire romain ». Ils substituèrent au « colonialisme républicain un régime de *Commonwealth* », comme ose l'écrire un historien, Siegfried Jan de Laet [129]. Notons au passage que Claude fit construire, superbe présent, la majeure partie du réseau routier du Nord de la Gaule [130]. En 48, passant outre aux réactions de l'aristocratie politique de Rome, il ouvrait le Sénat à des « sénateurs » gallo-romains.

Toutefois, gardons-nous de jugements catégoriques. Claude, qu'on appelait à Rome par raillerie le Gaulois (il était né à Lyon), s'il a cherché à bâtir une Gaule pacifiée, ralliée à l'Empire, fut tout de même aussi le persécuteur des druides qui durent se réfugier en « Bretagne » (Angleterre). Alors parlons moins de libéralité que d'un effort intelligent d'assimilation, qu'il faut aussi mettre à l'actif, déjà, d'Auguste. L'héritier de César fit quatre séjours en Gaule, le plus long (– 16 à – 15) à Lyon, qui avait été fondé en – 43 ; le dernier, en – 10, pour réprimer des troubles sur la frontière du Rhin. N'a-t-il pas divisé la Gaule en quatre provinces (Narbonnaise, Aquitaine, Lyonnaise, Belgique) et continué, comme César, à y lever des soldats ? Il a également fondé de nombreuses villes et, pour les embellir, il n'hésita pas à prodiguer une partie des trésors d'Antoine et de Cléopâtre et de sa propre fortune : on lui doit ainsi la Maison Carrée de Nîmes, le viaduc du pont du Gard, les théâtres d'Orange, d'Arles, de Vienne, de Lyon... « La Gaule augustéenne fut un immense chantier » de travaux publics [131]. Les villes nouvelles, où l'aristocratie gauloise allait prendre peu à peu l'habitude de résider, furent des foyers efficaces de romanisation, l'occasion aussi de progrès économiques. Nous disons : « Quand le bâtiment va, tout va », cela risque d'avoir été vrai plus d'une fois, au long de l'histoire.

Autre élément en faveur de l'acculturation : la Gaule est tenue, au sud, par l'Espagne et par la Narbonnaise, celle-ci romanisée bien avant les « trois Gaules ».

D'autre part, elle est isolée des incursions d'outre-Rhin par une forte armée : une centaine de milliers d'hommes qui tiennent la frontière. Vespasien et Domitien renforceront encore cette défense en construisant sur la rive droite du Rhin le *limes*, soit une frontière fortifiée qui, partant de la hauteur de Coblentz, utilisait le cours du Neckar et rejoignait le Danube. En arrière du *limes* et jusqu'au Rhin, s'étendaient les Champs Décumates, peuplés de colons.

Enfin, en 43, sous l'impulsion de Claude, les légions avaient conquis la Bretagne, c'est-à-dire l'Angleterre, qu'il fallut organiser par la suite : du coup, la Gaule était garantie du côté du nord. Boulogne devenait une ville et son port, doté d'un phare colossal, allait abriter la flotte romaine qui, longtemps, se chargera de la police de la Manche et de la mer du Nord. Or, la sécurité, la paix romaine furent certainement des arguments de poids pour une population qui ne les avait plus connues depuis longtemps. Rome aura donné à la Gaule et aux Gaulois leurs noms latins : *Gallia, Galli* ; les noms « Celte » et « Celtique » s'effacent. Elle lui donnera sa civilisation, au terme d'une colonisation de ce point de vue réussie. Elle lui donnera sa frontière du Rhin, tracée par César, et qui a coupé la Gaule d'une Europe centrale celtique (on l'oublie) et germanique.

Garantie, encerclée, protégée, mise en condition par les routes, les villes, les écoles, par l'armée dont les rangs lui furent largement ouverts, la Gaule a cependant été longue à accepter sans réticence son destin nouveau. Malgré Tibère, malgré Claude, malgré les avantages offerts d'une civilisation supérieure, le premier siècle de la domination romaine a été agité, marqué de troubles, de révoltes parfois spectaculaires, assurément sanglantes. A l'égard de cette résistance, faut-il, comme certains historiens français, s'abandonner à une sorte de nationalisme rétrospectif, en grossir la signification [132] ? Je préfère malgré tout le jugement pondéré de Gustave Bloch (1911) et de bien d'autres historiens. En fait, ces révoltes ont répondu à une humiliation plus ou moins consciemment ressentie par un peuple vaincu, aux mécontentements différents de régions différentes, à la rogne de paysans accablés par l'impôt et inquiétés par les recensements cadastraux, à l'irritation d'aristocrates acquis à la romanité, mais indignés par les escroqueries de l'administration impériale, à l'exaspération d'artisans obligés parfois de fuir outre-Rhin pour échapper aux tracasseries des intendants fiscaux.

Le sommet de ces agitations se situe lors de la crise qui secoua si profondément l'Empire, à la fin du règne de Néron et après sa mort, en 68. Alors surgit une épidémie de révoltes, dans plusieurs points de la Gaule, menées parfois par des nobles qui jusque-là avaient servi loyalement Rome. Réprimées ici, elles reprennent là de plus belle. A quoi s'ajoutent les soulèvements de plusieurs légions, mettant à profit les conflits politiques de Rome. L'armée du Rhin, où se trouvaient beaucoup d'auxiliaires belges et germains, marche ainsi sur la Gaule en 69. Celle-ci échappe de justesse à un pillage en règle. Mais Caius Julius Civilis, un Batave, au vrai un Germain, exploite la situation, se met à la tête de légions débandées, offre aux villes gauloises de recouvrer la liberté et de constituer, à cet effet, un Empire gaulois. Un instant, cet Empire fut même proclamé dans l'euphorie d'une Gaule où n'existait plus aucune armée romaine.

Deux faits intervinrent alors pour ramener les esprits au calme. D'une part, la méfiance gauloise envers le vieil envahisseur germain. Méfiance justifiée : Civilis préparait, sans doute, sa guerre des Gaules ; ne détruisait-il pas systématiquement les fortifications du *limes* ? D'autre part, les nouvelles de Rome annonçant la fin des guerres civiles, le triomphe de Vespasien, « l'empereur de bon sens », et le retour à un gouvernement fort. L'ordre avait été donné de diriger sur la Gaule toutes les troupes des pays voisins, Italie, Espagne, Bretagne. Dans le désarroi général, la nation des Rèmes convia toutes les cités gauloises à réunir leurs représentants à Durocortorum (Reims). Les discussions de cette assemblée permirent aux partisans de la paix de l'emporter et une proclamation fut envoyée aux Trévires pour leur enjoindre, au nom de la Gaule entière, d'abandonner leur lutte. Les Trévires s'y refusèrent, mais furent rapidement vaincus et dispersés par une puissante armée romaine, menée par Q. Petilius Cerealis. Restait Civilis. Mais il ne s'agissait plus que d'une guerre entre Romains et Germains et, de défaite en défaite, Civilis choisit de refranchir le Rhin [133].

Cet épisode sanglant fut la dernière protestation importante de la Gaule contre la conquête. Ainsi, de 52 avant J.-C. à 70 après J.-C., un siècle de domination romaine avait finalement réussi à faire presque accepter la romanisation.

Le temps faisait déjà son œuvre. Et le temps s'ajoutera au temps : n'oublions pas que cinq siècles au moins auront couru de la reddition d'Alésia (– 52) à la suppression, toute théorique d'ailleurs, de l'Empire d'Occident, en 476. Que se serait-il passé, en Algérie, si la France avait occupé la Régence d'Alger à peine constituée, en 1516, pour ne l'abandonner qu'en 1962 ? L'histoire, jadis, était moins précipitée qu'aujourd'hui. Contrairement à l'eau des fleuves qui bondit au départ et s'assagit vers l'aval, l'eau de l'histoire coule d'abord au ralenti et ne s'accélère qu'en se rapprochant de nous et de notre époque. L'accumulation des expériences, les circonstances ont fait la Gaule romaine. Pour le meilleur ou pour le pire. A chacun d'en juger.

En tout cas, je ne crois pas qu'on puisse dire, avec Michelet : « La Gaule s'est perdue comme l'Atlantide. » [134] Car, après Alésia, la Gaule ne s'est pas perdue corps et biens. Pour Pierre Lance [135], elle reste l'eau souterraine et toujours vivante de l'histoire de la France. Aussi bien, qu'on le préfère ou non à notre héritage latin, notre héritage celte n'est pas niable : nous restons, bon gré mal gré, sous le signe de cette dualité. Toutefois, culturellement, le monde celte aura perdu en Gaule deux batailles essentielles : sa langue, même si, dans certaines campagnes elle s'est parlée longtemps, parfois jusqu'au XIIe siècle [136], n'a laissé dans le français que des traces résiduelles (le breton est une langue réimportée des îles Britanniques, au VIe siècle ou un peu plus tôt) ; sa religion, longtemps vivante, perpétuée sans peine à travers le polythéisme romain, perdra finalement la partie face au christianisme et à son seul Dieu. Elle ne survivra que dans le fonds païen des légendes et croyances populaires. Peut-on alors parler, à propos de la Gaule, de « génocide culturel » [137] ?

L'apogée de la Gaule romaine sous le règne de Commode

La Gaule romaine a atteint son apogée deux siècles après la conquête de César, sous le règne de Commode (161-192), le fils indigne de Marc Aurèle. Son sort était lié à la fortune même de l'Empire : celui-ci se porte bien, elle prospère ; il se détériore, elle décline. En fait, elle est englobée dans une pseudo-économie-monde, dans ce groupe de régions qui, centré sur la Méditerranée, vit au même rythme et se prolonge, économiquement parlant, vers l'Orient, en direction de la Perse, de l'Inde, de l'océan Indien. Vers le nord de l'Europe, il touche le vide, face à la Baltique et à la mer du Nord où veille la flotte romaine basée à Boulogne ; vers le sud, il se heurte à l'immensité saharienne mais capte l'or en poudre issu du Soudan, à travers les routes du Maroc actuel. Bref, ce sont les oscillations, les rythmes, les conjonctures de cet énorme ensemble qui scandent la vie dépendante de la Gaule.

Or, l'Empire se porte bien jusqu'à la mort de Marc Aurèle (161), et la Gaule jouit de la *pax romana* jusqu'en ce milieu du II siècle de notre ère. Elle s'épanouit : routes, villes, échanges la transforment. Sa population croît à nouveau : elle aura plus que comblé les pertes sanglantes de la conquête, les tueries et réductions en esclavage qui, dans sa masse, avaient creusé des gouffres. On ne dira jamais assez haut les atrocités de la conquête : des tribus entières – ainsi les Aduatuques et les Eburons, entre Rhin et Escaut – avaient été exterminées ou vendues à l'encan [138] et César avait littéralement « encombré de marchandise humaine les foires aux esclaves de toute l'Italie » [139].

Ferdinand Lot [140] exagère quand il estime la population de la Gaule avant César à 20 millions d'habitants, mais Karl Julius Beloch [141] exagère à son tour et dans l'autre sens, quand il calcule qu'en 14 après J.-C., la Gaule n'aurait plus que 4 900 000 habitants (dont 1 500 000, densité 15, pour la Narbonnaise, et 3 400 000 pour le reste de la Gaule (densité 6,3). Il me paraît difficile qu'il attribue à cette Gaule prospère d'aussi faibles densités à l'intérieur

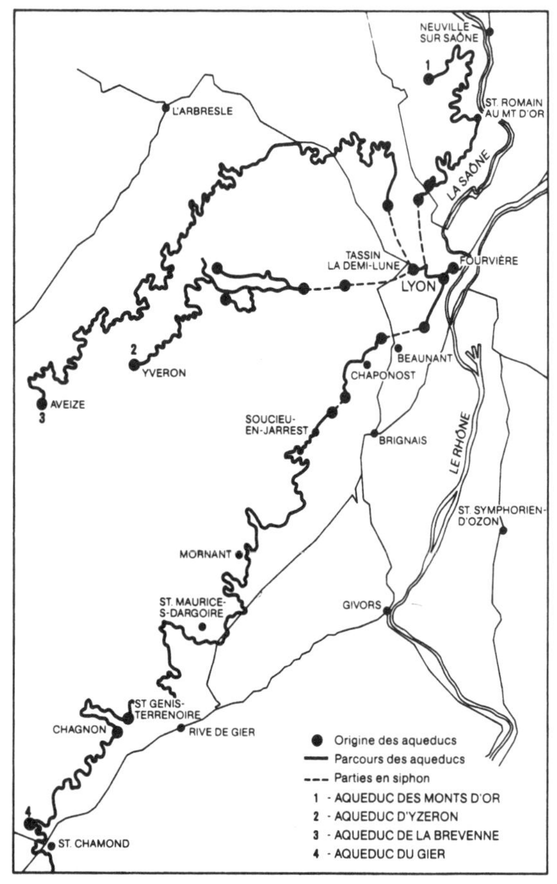

LES AQUEDUCS ROMAINS A LYON

Les quatre aqueducs qui alimentent Lyon disent à eux seuls l'importance de l'agglomération gallo-romaine. Quand les invasions barbares détérioreront irrémédiablement ce système d'adduction des eaux, Lyon devra abandonner en partie son site ancien.

d'un Empire romain, dont il estime la population à environ 54 millions d'habitants pour une superficie de 3 340 000 kilomètres carrés, soit 16 habitants au kilomètre carré. Selon cette moyenne, il reviendrait à la Gaule (638 000 kilomètres carrés) un peu plus de 10 millions d'habitants. Acceptons au minimum les 8 à 9 millions estimés par Cavaignac et qu'une histoire récente de la population juge « assez solidement établis » [142]. Mais qu'en est-il cent cinquante ans plus tard, à l'époque de Marc Aurèle et de Commode, au sommet de la prospérité gauloise ?

Karl Julius Beloch n'hésite pas, cette fois, à avancer un chiffre beaucoup plus élevé. Jamais l'Empire romain n'a été aussi peuplé qu'au tout début du IIIe siècle, dit-il, la population a doublé depuis la mort de César. Les cinq millions de Gaulois qu'il comptait en 14 après J.-C. (chiffre qu'il révise d'ailleurs en le portant à 6 ou 7 millions peut-être) en seraient donc devenus 10 au moins, ou 12, ou même 14. Et la densité de la population serait d'une vingtaine d'habitants au kilomètre carré [143]. Je crois ces estimations beaucoup plus vraisemblables que celles de Russel. Mais acceptons comme un minimum le chiffre de 10 millions d'habitants. Et estimons à 10 % – non pas à 20 % comme le fait Robert Fossier [144] (« quatre ruraux sur cinq hommes ») – la proportion de la population urbaine. Les Gaulois seraient un million à vivre dans leurs villes et, à supposer qu'il y ait alors un millier d'agglomérations à caractère urbain, cela donnerait une moyenne de 1 000 habitants par ville.

Ne vous récriez pas sur la modestie apparente du chiffre : il est probablement encore trop élevé. Un calcul analogue pour l'Allemagne si riche du XVe siècle [145] donne en moyenne à ses villes une population de 500 habitants ! C'est qu'il y a, à côté des villes gallo-romaines de 200 à 300 hectares de superficie, une majorité de bourgs étroits, avec des maisons encore couvertes de paille ; le forum n'y est que la place du marché où les paysans des environs viennent ravitailler les citadins. Ce n'en sont pas moins des villes. N'oublions pas qu'au XVIIIe siècle, Dijon avait encore un grand nombre de maisons couvertes de chaume [146]. « Les villes les plus étendues [de la Gaule romaine], Nîmes, Toulouse, Autun, Trèves, n'ont jamais pu compter plus de 50 000 habitants », dit Ferdinand

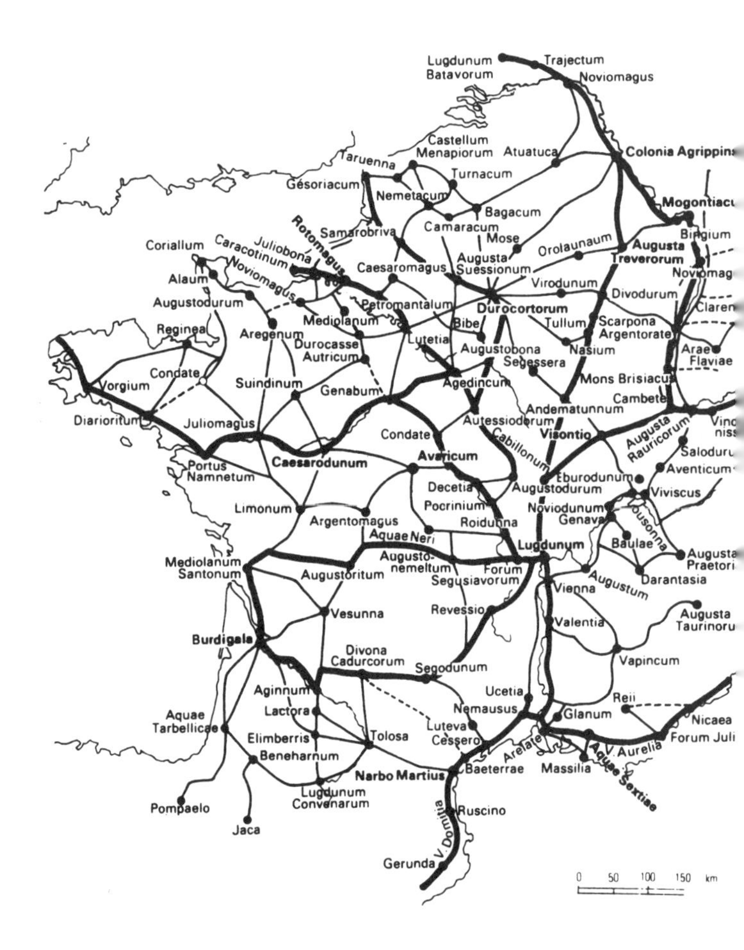

LES ROUTES DE LA GAULE ROMAINE

La densité du réseau routier sur l'ensemble du territoire porte témoignage sur la montée de la population et de la production dans la Gaule romaine.

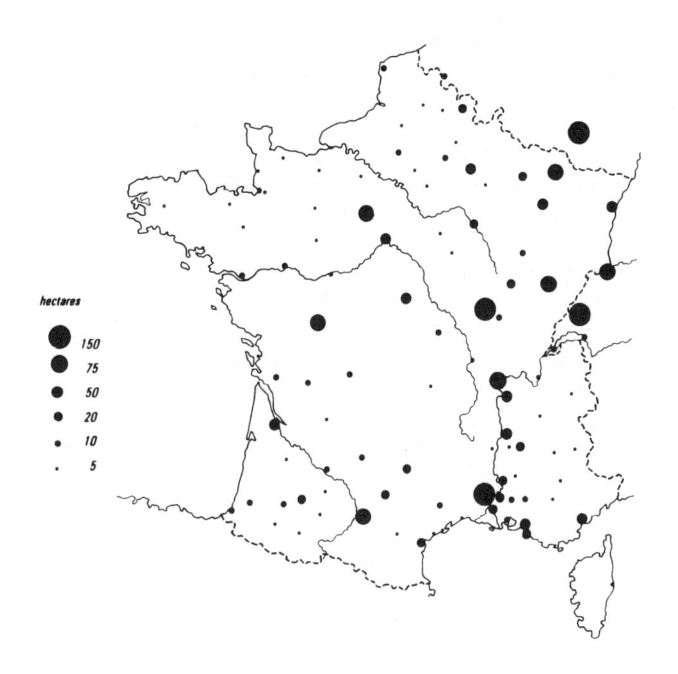

LE RESEAU URBAIN DE LA GAULE ROMAINE.

Cette carte apporte un correctif à celle du réseau routier ci-contre. La répartition des villes gallo-romaines précise les axes stratégiques de l'Empire : la voie du Rhône et de la Saône vers la frontière du Rhin, les routes qui, à travers la Provence et le Languedoc, conduisent vers l'Espagne et la vallée de la Garonne.

Lot [147]. Mais ce ne sont pas là, en soi, vu l'époque, des chiffres médiocres et Lyon, la capitale opulente des Gaules, atteignait peut-être 80 ou 100 000 habitants. En outre, toutes ces villes gallo-romaines, avec leurs théâtres, leurs arcs de triomphe, leurs thermes, leurs arènes, sont imposantes. Quelle merveille que le système d'adduction des eaux à Lyon ! Ou à Vienne ! A ne pas croire au premier abord à la réalité des aqueducs qui les ravitaillent. Bien sûr, d'une certaine façon, ce sont là des décors, « des montages de théâtres »[148]. L'avenir allait démontrer leur fragilité, mais l'avenir n'est-il pas, trop souvent, trahison ?

En tout cas, l'urbanisation de la Gaule et la forme de cette urbanisation sont le signe éclatant de sa romanisation. Plus ou moins forte selon les régions, elle porte témoignage sur une histoire différentielle qui ajoute de nouveaux traits aux diversités antérieures. Ainsi Rome a privilégié la voie du Rhône et de la Saône qui, vers le nord, gagnait par la Meuse ou la Moselle la frontière toujours préoccupante du Rhin. Quand les difficultés s'aggraveront, Trèves deviendra, au détriment de Lyon, la vraie capitale. De même, Rome a privilégié la Narbonnaise : la via Domitia et la via Aurelia conduisaient à travers la Provence et le Languedoc vers l'Espagne. Conquise soixante-dix ans avant le reste de la Gaule, la Narbonnaise, plus peuplée, plus ouverte à la culture romaine, aura le privilège, quand les années sombres arriveront, de rester à l'abri, « romaine » jusqu'en 415-443, dates de l'installation chez elle des Wisigoths et des Burgondes.

Tout cela à verser au gros dossier des différences et contrastes entre le Nord et le Midi français. L'Ile-de-France, elle aussi, a sauvegardé longtemps, contre les Francs, sa romanité, mais elle fait plutôt figure d'enclave, au milieu du monde barbare qui l'entoure.

La Gaule romaine, face à ses troubles intérieurs et aux invasions barbares

La paix romaine s'est troublée, puis détériorée, dès avant la fin du IIe siècle, aux alentours des années 170-180. Déjà, la frontière du Rhin s'agitait : en 162, des bandes germaniques s'infiltraient dans le Nord de la Belgique ; en 174, d'autres pénétraient en Alsace. Ne grossissons pas outre mesure ces incidents : l'ordre fut alors rétabli vite et sans difficulté[149]. La frontière qui assurait la paix et la tranquillité de la Gaule ne sera forcée, ce qui s'appelle forcée, que beaucoup plus tard, en 253, au bénéfice des Francs et des Alamans. La carte de la page 86 indique

que la moitié est de la Gaule a été touchée par ces raids qui atteignirent, vers le sud, le bas Rhône et l'Espagne. La panique, le désordre étaient tels qu'un officier gaulois, Postumus, fut proclamé par ses troupes empereur des Gaules, en 260, non par esprit de révolte contre Rome, mais pour repousser l'envahisseur. Il y réussit huit années durant, poursuivant même les Barbares outre-Rhin, rétablissant en Gaule ordre et confiance. Mais, en 268, ses propres troupes l'assassinaient devant Mayence, parce qu'il leur en avait interdit le pillage. L'Empire de Gaule ne lui survécut guère (en 273, Tetricus, le dernier de ses successeurs, était vaincu par l'empereur Aurélien) et deux ans plus tard, en 275, plusieurs brèches béantes s'ouvraient à nouveau dans les frontières de l'Est.

Cette fois, la Gaule entière est touchée, submergée, mise à feu et à sang. La démonstration est faite que l'ordre ne se rétablira plus, comme on l'espérait encore quelques années plus tôt. C'est alors que les villes se replient sur elles-mêmes et bâtissent en hâte des remparts... Notez cependant que l'on se trouve encore à plus d'un siècle des invasions barbares *classiques*. C'est, en effet, le 31 décembre 406 que se produit la « grande » invasion dite de Radagaise, qui traverse le Rhin pris par les glaces et submerge la Gaule entière, dans une ruée de peuples mêlés qui, paradoxalement, a peut-être été moins destructrice, finalement, que la percée de 275 [150].

Retenons ces dates, 253, 275, 406 : elles prouvent que la décadence de la Gaule est bien antérieure aux grandes invasions du ve siècle. La décadence de la Gaule, c'est-à-dire celle de l'Empire romain – l'homme malade qui n'en finit pas de mourir. C'est là une belle discussion engagée depuis longtemps entre les historiens : l'Empire est-il mort de sa propre mort, en est-il en somme responsable ? Ou a-t-il succombé sous les coups de bélier des Barbares, « assassiné », comme l'a prétendu André Piganiol [151] ? Il nous faudra répondre à ces questions, sinon trancher le débat. D'autant que je vois ces problèmes d'un point de vue assez particulier. Mais, en ces domaines, qui peut être sûr d'avoir raison ?

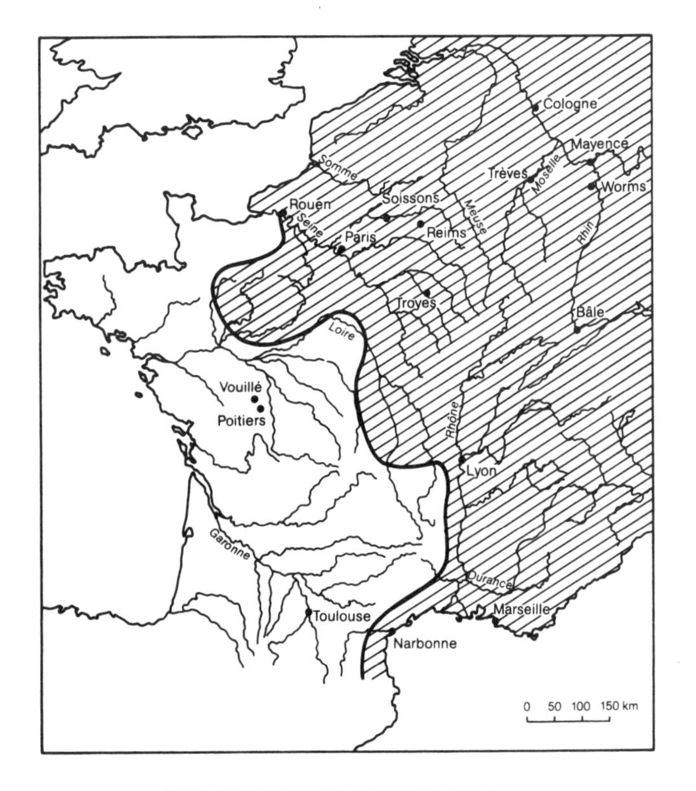

LES INVASIONS DU IIIe SIECLE.

Une jacquerie impossible à éteindre

Comme l'Empire, la Gaule a été frappée aussi du dedans. Elle a connu, à la fois, une crise politique qui a remis en cause l'autorité de l'Etat, celle de l'Empire ; une crise sociale qui a mis en péril l'équilibre de ses hiérarchies ; par surcroît, une détérioration puissante de sa vie économique, sans que les causes de cette crise soient nettes à première vue, mais les faits sont là : la population décroît, ce qui, à soi seul, est la preuve que bien des choses vont à vau-l'eau.

L'essentiel – conséquence autant que cause –, c'est le désordre qui gagne les masses paysannes (le gros de la population gauloise) : une « jacquerie » insistante, quasi impossible à réduire et pour nous, historiens, à localiser. A côté de l'*ager*, du *laboratorium*, la terre cultivée, il y a les immenses forêts, les marécages, les zones montagneuses, les friches qui couvrent de larges espaces et où tout hors-la-loi peut fuir, disparaître. Des termes courants, tels que *tractus*, *saltus* [152], désignent ces terres à part, à demi hors de la prise des hommes : des mondes « sauvages », au vrai, qui sont une troisième catégorie d'espaces, entre les villes et les campagnes [153]. La forêt, qui se présente encore en Gaule par nappes importantes, est l'antithèse de l'espace clair de la ville et, non moins, de la campagne « civilisée » ; elle entretient fantasmes et terreurs ; la traverser la nuit rendait fou, disait-on, et qui y voyageait risquait, d'après les lois anglo-saxonnes [154], d'être pris pour un criminel, à moins de signaler sa présence à son de trompe. Peut-être, en effet, n'y avait-il que les hors-la-loi et les hommes désireux de se libérer qui y cherchaient refuge ; un peu comme, dans l'Amérique coloniale, les esclaves qui fuyaient les plantations et ne trouvaient d'abri sûr que dans les forêts encore non touchées par l'homme.

La situation des paysans gaulois, esclaves ou petits propriétaires (ceux-ci soi-disant libres, mais étroitement dépendants), s'était progressivement dégradée. La main-d'œuvre se raréfiant, les grands propriétaires, les *potentes*, s'efforçaient de la maintenir par contrainte sur leurs vastes et puissantes exploitations, les *villae* dont on sait aujourd'hui, par les fouilles et, plus encore, par les photographies aériennes, qu'elles ont été bien plus nombreuses que ne le pensaient hier les historiens. Ainsi, dans le bassin de la Somme que l'on a cru longtemps cultivé seulement autour des centres urbains, les campagnes restant quasi vides, l'observation aérienne méthodique menée par Roger Agache a découvert au contraire « une campagne toute constellée d'immenses fermes » (680 localisées avec certitude), à côté de minuscules et rares agglomérations [155]. Une enquête du même type est en cours en Bretagne.

Les *villae* gallo-romaines ont probablement représenté la majorité des surfaces exploitées. Groupant d'ordinaire un millier d'hectares (parfois davantage) de terres labourables, de pâturages, de terrains boisés, ce sont d'énormes fermes avec de vastes bâtiments. Telle la villa gallo-romaine de Montmaurin (Haute-Garonne) [156] : 1 500 hectares de terres et 18 de bâtiments ; ou celle de Warfusée Abancourt (département de la Somme), dont les bâtiments s'étalaient sur 330 mètres de longueur [157] ; ou celle du Canet près de Béziers, de proportions plus modestes : 100 × 62 m [158] ; ou encore cette villa fortifiée près de Bordeaux qui, grossièrement, a les allures déjà d'un château fort, *Burgus Leontii*, devenu Bourg-sur-Gironde... Dès que la prospection s'engage aujourd'hui, ainsi autour de Creil, sur l'Oise, se découvrent de nouvelles *villae*, avec leurs murs épais, les tessons de tuiles entassées, les débris des conduites de plomb pour l'adduction et l'évacuation des eaux. Le croirait-on, on y trouve aussi des vitres, ou du moins les débris de ces vitres, enchâssées primitivement dans des rainures de plomb [159].

Toute *villa* est double au moins : il y a l'*urbana* où loge le maître, et qui dispose de tout le confort désirable, à la romaine ! Une cour, un péristyle, le chauffage, les bains... Sidoine Apollinaire (430-487), en juin 465, dans sa villa d'Avitacus, en Auvergne, à vingt kilomètres de Clermont (l'identification d'Avitacus avec le village actuel d'Aydat est certaine), vante à l'un de ses amis resté dans les chaleurs de la ville, le charme de sa retraite, la beauté des bains « qui peuvent rivaliser » avec les piscines construites pour des bâtiments publics [160]. Un lieu de délices sans doute. Mais à côté du logement du maître, s'étendent les bâtiments de la *rusticana*, réservés à l'exploitation (des caves, des greniers) et au logement des esclaves, la vaste cuisine où ils mangent, les chambres où ils dorment. A part, les ergastules, où l'on enferme les délinquants, et l'habitation du *villacus* et de sa femme, qui dirigent le travail en troupe des esclaves et ont la responsabilité de l'entreprise. Autour de la villa, souvent un mur ; parfois, à l'intérieur des bâtiments, mais on hésite à le reconnaître comme tel, un sanctuaire.

Le plan ordinaire semble suivre les conseils des agronomes romains – Varron ou Columelle – pour le site à choisir, les séparations des bâtiments et l'orientation à l'est et au sud du logement des maîtres. Ne se retrouve-t-il pas ailleurs, ce plan, à travers tout l'Empire romain ? Sans doute beaucoup de ces *villae* se disloqueront – et le mot lui-même de *villa* changera de sens [161] –, des villages prendront la suite de ces exploitations longtemps vivaces. En tout cas, il est certain que « les monastères adopteront la forme d'une villa rustique sous saint Benoist » [162].

Mais, plus que les murs ou que l'enceinte protectrice de la *villa* et que les madriers de ses charpentes, ce sont ses hommes qui nous intéressent. Monstrueuse concentration, la *villa* gallo-romaine est « une véritable usine champêtre... bien pire... que ne le sera l'usine citadine... au siècle dernier, en Angleterre [ou] en France » [163]. C'est une machine à assujettir, à broyer les humains. Vers 451, un moine qui s'apitoie sur le sort de ces pauvres, peut écrire : « Lorsque de petits propriétaires ont perdu leur maison et leur lopin de terre à la suite d'un brigandage, ou ont été chassés par les agents du fisc, ils se réfugient dans le domaine des riches et deviennent colons... Tous les gens installés sur les terres des riches se métamorphosent comme s'ils avaient bu à la coupe de Circé et deviennent esclaves. » [164] Même des mendiants, des itinérants, des malfaiteurs, des déserteurs des armées sont enrôlés de force, puis « rivés à leurs terres et assujettis au maître » [165]. Donc ne soyons pas trop facilement dupes des termes de petits paysans libres ou de *colons*. L'Empire romain a, lui aussi, présenté l'ambiguïté dialectique de l'esclave et du colon – le colon, au plus un *serf*, comme on dira plus tard.

Drame d'autant plus ressenti et aigu [166] que l'esclavage, bientôt omniprésent, « semble avoir été moins pratiqué chez les Celtes que chez les peuples méditerranéens » [167]. Sur ce point, la novation a donc été aggravation. D'autant que, vu l'efficacité de sa production, le grand domaine s'est étendu de lui-même, il a annexé, même sans trop le vouloir, les terres des petits propriétaires voisins... Un régime *esclavagiste* ne cesse ainsi de s'étendre : les esclaves ont peut-être été le tiers de la population. Nécessaire pour un tel système, le ravitaillement en hommes sera maintenu par les prisonniers d'innombrables razzias, même après la fin de la présence romaine en Gaule. Ainsi, au temps de Dagobert (629-639), l'armée royale ramenait d'une expédition en Aquitaine d'énormes colonnes de prisonniers, attachés deux à deux, « comme on le faisait pour les chiens » [168]. Mais partout les esclaves s'usent vite : en Amérique, sur les plantations des XVIIe et XVIIIe siècles, un esclave durait, en moyenne, sept ans.

Pour maintenir les effectifs au travail, empêcher les fuites, un Etat fort est nécessaire, c'est-à-dire une possibilité constante de répression. A Rome, le passage de la République à l'Empire (à un régime fort, appuyé sur les classes possédantes) n'avait-il pas été la conséquence des soulèvements d'esclaves ? Or l'autorité gouvernementale s'est détériorée, en Gaule, avec le règne de Commode : aussitôt s'ouvrent les contestations, des soulèvements, des « jacqueries ». Au contraire, sous Dioclétien et Maximien (284-305), le régime impérial rétablit son autorité. L'esclavagisme connaît alors des retours en force qui n'ont duré qu'un temps : les troubles paysans reprendront rapidement.

Le premier repère connu de ces troubles, vers 186-188, c'est un banditisme de masse conduit par un certain Maternus [169], une jacquerie comme tant d'autres qui s'attaque aux villages, aux fermes, aux *villae*. Ses troupes se gonflent avec les premiers succès, puis se disloquent dès les premiers chocs contre les forces de l'ordre, imparables pour elle : l'insurrection paysanne a de tout temps été incapable de résister aux troupes organisées. Ce qui ne l'empêche pas, battue, de se poursuivre souterrainement. Maximien a bien balayé les révoltes des Alpes au Rhin. La guérilla ne s'en est pas moins maintenue.

Au IIIe siècle, en raison du poids des charges fiscales, de l'inflation monétaire, de la hausse des prix, la menace paysanne s'intensifie, à tel point qu'un mot nouveau est créé pour la désigner : *la* ou *les* Bagaudes (peut-être de *baga* : un mot celte qui signifierait *combat*) [170]. Vers 440, Salvien [171] justifie la Bagaude : « Je parlerai à présent, écrit-il, des Bagaudes, dépouillés par des gens mauvais et sanguinaires, frappés, tués, après avoir perdu jusqu'à l'honneur du nom romain. Et c'est à eux qu'on impute un tel malheur, à eux que nous donnons ce nom maudit, nous qui en portons la responsabilité. Nous les appelons des hommes perdus, eux dont nous avons fait des criminels. Car qui a fait la Bagaude, si ce n'est notre iniquité, l'improbité des juges, nos sentences d'exil, nos spoliations ? » [172]

Le plus grave peut-être c'est que le paysan révolté accueille le Barbare, s'entend avec lui, profite des troubles qu'il suscite pour agir lui-même et aggraver ces troubles. A côté des Barbares qui combattent et pillent, n'y a-t-il pas, en effet, des Barbares attachés à la glèbe ? Qu'ils aient quitté volontairement l'armée ou qu'ils aient été réduits en esclavage par les grands propriétaires, ils sont devenus les compagnons de malheur des paysans gallo-romains.

La jacquerie, mouvante par essence, se déplace sur de longues distances. Peut-être est-elle plus vive dans la Gaule de l'Ouest, aux innombrables forêts refuges et où l'autorité romaine, jamais très forte, s'est très tôt rétractée. Ce qui donnerait un sens à la réflexion d'une comédie du Ve siècle – le *Querulus,* Le Grognon – dont on ignore l'auteur. Un de ses personnages demande au Lare familier « de lui accorder la puissance de battre et de dépouiller ceux qui lui sont étrangers ». Le Lare lui répond : « Va vivre sur la Loire » [173], dans ces régions, explique-t-il, « où l'on vit sous la loi naturelle » et « où tout est permis ». Gageons que l'auteur du *Grognon* songe aux Bagaudes.

Dans un livre récent, Pierre Dockès[174] s'est fait l'avocat des révoltés, il a magnifié leur rôle : « Les Bagaudes massacrées ont été malgré tout victorieuses », ose-t-il écrire. Leur opiniâtreté aurait fait basculer le régime esclavagiste vers le système moins dur du servage – plus favorable aux hommes, à coup sûr, puisque le serf, à la différence de l'esclave, possède une maison, une famille, un champ, et que la contrainte sociale a glissé de ses épaules à la terre. Le serf a plus de liberté que l'esclave et la productivité de son travail augmente. Toutefois cette mutation n'est pas achevée, il s'en faut, avec la fin de la Gaule romaine. Il faudra attendre au moins les Carolingiens – et encore ! Et bien des facteurs interviendront, économiques, politiques, sociaux, qui ne sont pas tout à fait dans la logique trop simple de cette explication marxisante. Je pense ainsi que la décadence accentuée des villes a permis aux campagnes de gagner une certaine liberté. Au temps des Carolingiens, les paysans libres seraient encore très nombreux, semble-t-il, bien que désormais cette petite propriété soit « en plein recul »[175].

Pour le moment d'ailleurs, je ne m'intéresse pas à la jacquerie des Bagaudes de ce point de vue général, mais pour montrer seulement à quel point le monde paysan, en Gaule, a été traversé, affaibli, par de tels troubles. Ce n'est pas une société en bonne santé que les invasions barbares secouent et déchirent.

On pourrait aussi se demander si c'est en raison de ces difficultés, de ces malheurs du IIIe siècle que le christianisme commence à se glisser en Gaule comme une espérance. La réponse est probablement non. Les premières communautés chrétiennes apparaissent aux environs des années 170 dans quelques villes : Marseille, Lyon, Autun... Mais, même à l'époque des martyrs de Lyon, en 177, ce sont encore des groupes minuscules, composés pour une large part de Grecs ou d'Orientaux parlant le grec. C'est seulement à la fin du IVe siècle – longtemps après l'édit de Milan (313) qui établit dans l'Empire, comme on le sait, l'absolue liberté religieuse – que le christianisme commencera à prendre de l'influence, dans une Gaule dont les masses mettront encore beaucoup de temps à s'ouvrir franchement à lui.

Tout de même, ne pas oublier les invasions barbares

Hier, au dire des historiens, le processus de la décomposition de l'Empire et de la Gaule s'inscrivait en entier à l'actif des Barbares. Les explications traditionnelles valorisaient, à qui mieux mieux, leurs faits et gestes, depuis la « grande » invasion de Radagaise (406) jusqu'à l'établissement en Gaule des Wisigoths (412) et des Burgondes (443). Le terme étant marqué, plus encore, par la victoire des Romains et de leurs alliés « barbares » à la bataille décisive des Champs Catalauniques (451), remportée sur Attila et ses hordes de cavaliers mongols qui, venus du cœur de l'Asie, avaient poussé devant eux, vers l'ouest, des peuples de l'Europe centrale et de la Germanie. Un danger évident, mortel, avait été écarté. Cette succession d'invasions n'a-t-elle pas été décisive ? Avons-nous raison, historiens, d'y être devenus, aujourd'hui, moins attentifs qu'hier ? Oui et non.

Pour minimiser le rôle des invasions barbares, l'argument initial fut le petit nombre des envahisseurs. La démonstration en a été fournie, il y a longtemps déjà, en 1900, par le livre devenu classique de Hans Delbrück [176].

Peut-être les Francs ont-ils été 80 000, les Burgondes 100 000, les Vandales 20 000 (environ 80 000 quand ils franchissent le détroit de Gibraltar), et ainsi des autres. Forcément, ils ont subi la loi du nombre face à une population atteignant plusieurs millions d'individus. Henri Pirenne aimait à dire [177] que les Barbares avaient barbarisé l'Empire, mais s'étaient noyés dans la masse de sa population, y perdant leur langue au bénéfice du latin et des langues romanes, y perdant leur religion au bénéfice du christianisme.

Mais qui n'aura pas dénigré, en termes plus ou moins vifs, ces « aventuriers gloutons, bruyants, malodorants », comme dit Lucien Romier [178] ? Pour tel illustre historien, les Francs sont « un repaire de vices, le lieu d'élection de la débauche, de la trahison, de la cruauté » [179]. Comme si l'histoire romaine du Bas-Empire n'avait été que vertu, clémence et loyauté ! A l'image ancienne des guerriers farouches déferlant sur l'Occident, on substitue celle d'« hommes ébahis de voir tomber les murs de cet Empire aux portes duquel, jusqu'ici, ils frappaient et où ils entraient sur la pointe des pieds » [180] (le *limes* n'était-il pas, pour les Germains, le *Teufelmauer*, le mur du diable ?). Quant à leurs chefs, François Guizot, précurseur en ce domaine, les montrait déjà portant « avec obstination telle ou telle défroque romaine, comme un roi nègre revêt l'uniforme européen » [181].

Tout cela est-il tout à fait raisonnable ? N'est-on pas passé d'un excès à l'excès contraire ? Robert Fossier [182] aura été le premier, si je ne me trompe, à avoir avancé une présentation équitable des peuples en présence, ceux qui entrent en Gaule et ceux qui, de bon ou de très mauvais gré, les accueillent. Alors reprenons les arguments présentés.

Et d'abord sur le nombre des envahisseurs. On a raison de souligner la modicité des effectifs de ces populations en marche vers l'ouest. Mais il y a eu, à travers la Gaule, indépendamment des « invasions », une constante perfusion de sang « barbare ». On va jusqu'à dire, au total, un million d'hommes. Ce qui ne serait pas grand-chose encore si la Gaule romaine avait été peuplée, comme on l'avance – et comme je ne le crois pas –, de 20 à 30 millions d'habitants. Les proportions du mélange changent, bien entendu, si l'on retient le chiffre de 10 millions. P. Dufournet [183] soutient cependant qu'en pays savoyard, l'occupation burgonde a été si médiocre qu'elle n'a guère eu d'impact : les Gallo-Romains qui y étaient installés, conclut-il, n'ont probablement pas vu plus de Burgondes que les paysans français n'y ont vu d'Allemands durant la dernière guerre. De même, en Provence, en Languedoc, les tensions ont été beaucoup moins fortes qu'au nord de Lyon, à l'ouest du Massif Central ou dans le Bassin Parisien [184].

Mais, même si le fait minoritaire est patent, les

minorités sont souvent le levain des sociétés. Elles en modifient les enveloppes, les surfaces. D'autant que l'infiltration des populations barbares d'outre-Rhin a commencé très tôt. Elle s'est faite de mille façons, par le chemin des armées romaines, processus en place depuis des siècles : le *limes* rhénan a été une protection, mais aussi un filtre, une façon de recruter sans danger soldats et main-d'œuvre. Qu'ils aient été installés comme esclaves sur les terres des grands propriétaires, ou qu'ils se soient intégrés aux populations locales après avoir vécu parmi elles en soldats, avec ce que nous appellerions un billet de logement, les Barbares, « noyés par petits paquets dans la masse paysanne... ont aidé à la naissance de la société à la fois rurale et guerrière du haut Moyen Age », dont l'apparition s'explique mal sans « cette lente et longue pénétration de l'élément militaire au niveau le plus bas de la société » [185]. Ils auront modifié, ici ou là, le paysage agricole puisque, au-delà de la destruction des *villae*, souvent incendiées, surgissent des villages, des hameaux dispersés qui reflètent l'allure du peuplement ancien de la Germanie. L'élevage se développe aussi, qui change, sur plus d'un point, la physionomie des activités rurales. Enfin, ces Germains envahisseurs, quoi qu'on dise, ne sont plus les contemporains de Tacite. D'eux-mêmes, et au contact matériel des Romains, ils ont accompli de réels progrès. On trouve plus d'une fois des Germains servant dans l'armée romaine, en tant qu'officiers dans le cadre des légions ou des troupes auxiliaires, et, à ce titre, ayant été élevés à la dignité de citoyens romains. Bref, ce sont des paysanneries ou des aristocraties en gros au même niveau qui se mélangent, non pas cette fois par l'invasion et le pillage, mais par des processus paisibles de fusion, sans histoire.

Sans reprendre à mon compte la théorie d'Augustin Thierry, que nul historien n'admet aujourd'hui – les Francs ancêtres des nobles de l'Ancien Régime, les Gaulois ancêtres des serfs et des prolétaires –, je remarque que l'aristocratie franque a rejoint les rangs (plus épais que les siens) de l'aristocratie gallo-romaine en place, laquelle se maintient parce qu'elle « collabore » et aussi qu'elle trouve refuge dans la haute Eglise. Le fait crucial, à mes yeux, c'est que l'aristocratie franque ait consolidé, confirmé une hiérarchie sociale qui, au-delà de tous les changements qui l'affecteront et avec les avatars qui sont de règle, durera autant si ce n'est plus que notre Ancien Régime.

N'empêche que la Gaule vivante a terriblement souffert des multiples raids barbares, des pillages, des assassinats, des viols, des incendies, des razzias, des passages de troupes, des installations finalement durables et des spoliations des envahisseurs. Il y a eu, sans que l'on puisse les mesurer, régression certaine, profonde, de la population, et désorganisation de l'économie. « Nous oserons évaluer, dit un historien [186], au quart et peut-être au tiers de la population les victimes de ces invasions, en considérant bien entendu que, pour certaines régions, notamment du Nord et de l'Est, il n'est pas exagéré d'admettre que plus de la moitié de la population disparut, compte tenu de la famine et des épidémies qui s'ensuivirent », et aussi « des bandes de gueux qui parcouraient le pays ».

Les villes souffrent énormément et, très tôt, elles se replient sur elles-mêmes. Elles édifient à l'intérieur de leurs espaces des réduits fortifiés où trouver refuge. Et, dans ces constructions qui s'improvisent, les pierres des monuments servent à élever les remparts. Ce qui n'empêche pas ces villes de succomber aux sièges prolongés ou brusques des Barbares : la trahison, la peur, la faim, le manque d'eau les livrent à l'ennemi. L'empereur Julien (361-363) qui se plut à Lutèce durant son bref séjour en Gaule, écrivait aux Athéniens : « Le nombre des villes [gauloises] dont les murailles ont été détruites s'élève environ à quarante-cinq [187]. »

Sans doute y a-t-il eu des secteurs à l'abri : le Midi n'a « rien connu de comparable à ce qui s'est passé au nord de Lyon ou à l'ouest du Massif Central » [188]. Pour Toulouse, au IVe siècle, selon les témoignages d'Ausone, « la vie continue... sans rupture de continuité, celle des siècles précédents » [189]. Mais, en gros, les villes régressent : les champs, les jardins y réoccupent l'espace. Elles deviennent ou redeviennent des bourgades aux rues étroites, bordées de maisons basses aux toits de chaume. Les grands propriétaires les ont abandonnées pour se retirer dans leurs *villae*, afin de les défendre et de s'y défendre, de se rapprocher de leurs biens tangibles, de vivre tout en fuyant la fiscalité trop lourde des cités. A force de vivoter, privées des marchés vigoureux de jadis, à force de maigrir, les villes peuvent tendre à l'autarcie, comme l'écrit Alexander Rüstow [190], ne plus se nourrir que de leur ceinture proche, des champs qui les bordent. Lyon, dont les conduites d'eau ont été coupées, glisse hors de son site ancien. Les campagnes se dépeuplent, elles aussi. Les *villae* connaissent souvent des fins tragiques dont l'archéologie fournit les preuves multiples. Les *agri deserti* ne cessent de s'étendre. Pourtant, quel que soit le désastre qui les frappe et quoi qu'on en ait dit, la fin du monde antique « n'a pas entraîné *ipso facto* la mort totale des villes » [191] ; elles ne sont pas devenues du jour au lendemain « des cadavres de villes », selon le beau mot excessif de saint Antoine. Les rois barbares en choisiront quelques-unes pour y installer leur *palatium*. Elles resteront le sommet de ce qu'autorise le niveau des échanges et de la civilisation. Elles survivront. On peut même s'étonner que la conjoncture à la baisse persiste si longtemps à exercer sa pression nocive, que la Gaule romaine continue inexorablement à se détériorer et que, pourtant, elle résiste. Est-ce, comme je le pense, parce qu'elle était partie d'un certain haut niveau de bien-être, d'une certaine bonne santé ? Ou bien parce que la conjoncture longue ne mord pas toujours sur elle à pleines dents ? Parce que l'Empire, dans sa complexité, décline assurément, mais au ralenti ?

Rome, une économie-monde

De toute évidence, le déclin de l'Empire romain domine, emprisonne le destin de la Gaule, mais ce n'est pas, en soi, un problème clair, loin de là ! Aucun historien sérieux, d'ailleurs, ne se sent qualifié pour le résoudre de

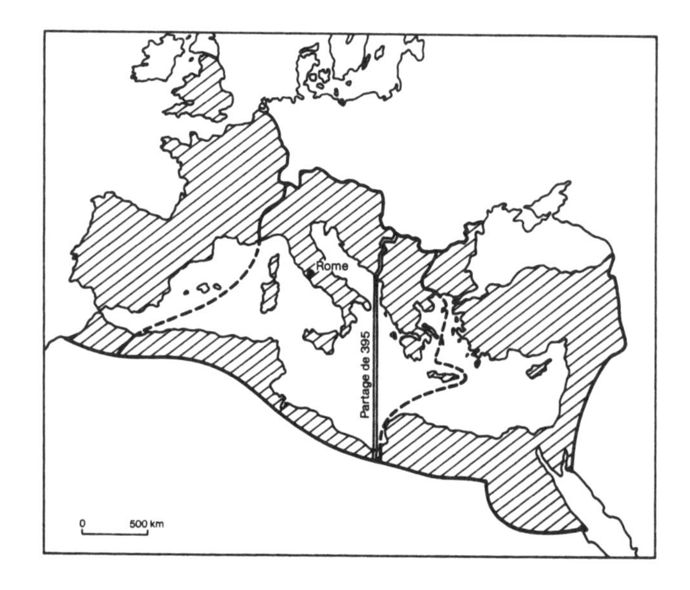

L'ECONOMIE-MONDE ROMAINE.

Le partage de 395 entre Empire d'Orient et Empire d'Occident n'a pas détruit l'unité de l'économie-monde romaine qui, au-delà des frontières de l'Empire, se prolonge en direction du Danube et vers la mer Rouge et l'océan Indien.

façon catégorique. Alors qui, à ce propos, ne prendrait des précautions raisonnables ? Je pense, entre autres, à la conclusion circonstanciée du beau livre de Marie-Bernadette Bruguière : un essai pour tout concilier [192].

Pourtant, si l'on veut y voir un peu plus clair, il faut bien, au départ, avancer quelques hypothèses plausibles, sinon toujours assurées.

La détérioration de l'Empire est à suivre, à la fois, sur les plans politique, économique, social et culturel. Il convient d'admettre qu'elle a été lente, qu'elle est à observer dans la longue durée, et aussi qu'elle a été fragmentaire, je veux dire qu'elle s'est faite par détériorations successives et différentielles.

La première faiblesse a été politique : celle de l'Empire, des institutions, de l'armée. Leur effondrement est marqué, en principe, par la disparition tardive de l'Empire d'Occident : en 476, Romulus Augustule est déposé à Ravenne par Odoacre, le chef des Hérules, et les insignes impériaux sont envoyés à Constantinople. N'y voyons rien de plus qu'un simple fait divers, cette suppression à retardement enregistrant, officiellement, un état de choses déjà ancien. Comme disait Fustel de Coulanges, « l'Empire romain était mort, mais on ne le savait pas »[193].

Toutefois l'Empire c'est aussi une réalité économique, des surfaces de transport, avant tout l'eau de la Méditerranée, des liaisons à partir de ses rivages, à travers les terres qui la bordent et dans toutes les directions. L'espace que Rome domine et anime, c'est une économie-monde, une cohérence qui s'étend à un large fragment de la planète. Cette cohérence, dont la Gaule est dépendante, durera au moins jusqu'au VIIIe, voire jusqu'au IXe siècle, c'est-à-dire jusqu'à Charlemagne. Rome n'en finit pas de se survivre.

En ces débats, le mérite de Henri Pirenne, avant tout dans son livre *Mahomet et Charlemagne* (1937), c'est d'avoir aperçu le rôle de cette économie-monde, d'en avoir soupçonné les rythmes, d'avoir introduit la perspective de l'économie politique dans des siècles obscurs, coincés entre les invasions barbares du Ve siècle et les invasions musulmanes des VIIe, VIIIe et IXe siècles. Mais qui ne connaît la thèse de Henri Pirenne ? Elle éblouissait les historiens, il y a cinquante ans : pour lui, les conquêtes de l'Islam avaient été, avant tout, la saisie de la Méditerranée que l'Infidèle avait annexée, fermée aux navires chrétiens, scellant, du coup, la chute irrémédiable de l'Occident.

Si le lecteur a un peu de patience, il verra ce que je retiens et ce que j'écarte de la thèse, aujourd'hui controversée, de Pirenne. En vérité, les critiques et réserves des contradicteurs d'hier – Marc Bloch[194], Etienne Sabbe[195] et François-Louis Ganshof[196] – qui jetaient à bas, croyaient-ils, la « théorie » de Pirenne, prouvent seulement que la mer Intérieure, lors de ces siècles de crise, n'a pas été fermée de façon absolue, que des échanges se sont même poursuivis entre la Gaule et le Levant. Mais elles ne disent pas avec netteté si l'activité à travers la Méditerranée s'est, ou non, *ralentie*, et à quelles dates.

Or ce ralentissement est indiscutable et, à mes yeux, c'est l'essentiel.

Nous nous trouvons, en effet, face à une régression lente, multiséculaire et cette régression porte sur elle la responsabilité majeure de la ruine, de la désolation progressive de l'Empire romain. Sans absoudre les Barbares, je réduirai leur responsabilité et, non moins, celle des maîtres de l'Empire, souvent médiocres il est vrai, parfois aussi étonnants, géniaux – un Dioclétien, un Constantin – ou celle des hommes de guerre tels que Stilicon (359-408) ou Aetius (390-454), admirables, invraisemblables défenseurs de l'intégrité de la Gaule. A tous, aux meilleurs comme aux pires, n'était-il pas, à l'avance, interdit de pleinement réussir ?

Si je prends comme point de départ l'année 150 qui, *en gros*, signale l'apogée de la Gaule romaine, et comme point d'arrivée l'année 950, qui marque, *en gros*, le point le plus bas de l'expérience carolingienne, je m'accorde le droit, certainement abusif et exercé de façon sommaire, de tracer une ligne droite descendante de 150 à 950, sans trop m'étonner qu'elle dure ainsi huit siècles d'affilée – assurément les siècles les plus obscurs de l'histoire de la France et de l'Occident.

Je ne dis pas que cette ligne représente avec exactitude ce qui serait une détérioration lente, à un rythme constant, de l'espace économique de la Gaule et, au-delà, de l'économie-monde qui a servi de base à la vie de l'Empire romain — une base maintenue longtemps, tant bien que mal, à travers les vicissitudes répétées de l'histoire. Au plus, j'y vois une ligne tendancielle, par rapport à laquelle l'économie gauloise, qui nous préoccupe ici, aura oscillé, tantôt à contre-pente, tantôt en aggravant le mouvement descendant, avec des hauts et des bas qui allégeaient ou augmentaient les effets de la dépression générale. Ainsi, sans preuve suffisante, comme on le verra, je crois à la possibilité d'améliorations, du règne de Clovis († 511) à celui de Dagobert († 639), puis pendant la période de la puissance montante carolingienne, de la fin du VIIe au milieu du IXe siècle, avec naturellement des détériorations dans les intervalles qui séparent ces répits. Tout cela schématique, suggéré, explicatif, vraisemblable à plus d'un titre.

En tout cas, en dépit de ces éclaircies – si éclaircies il y a eu –, il s'agit d'un long recul, probablement jusqu'au voisinage de 950. Et c'est ma façon de rejoindre, sans l'adopter, la pensée pour moi toujours stimulante de Henri Pirenne.

Car je ne rapporte pas tout, comme lui, à l'effet des conquêtes musulmanes qui, à partir du VIIe siècle, se saisissent de la surface de circulation qu'offre l'étendue de la mer Intérieure, surtout avec l'occupation de la Sicile, position maîtresse des relations maritimes d'est en ouest (l'île est atteinte en 827, Palerme occupée en 831, Syracuse en 878). Ces conquêtes ajoutées les unes aux autres (Syrie 634, Egypte 636, Maghreb 650-700, Espagne 711, enfin Sicile) n'ont pas entraîné la fermeture pure et simple de la Méditerranée aux navires chrétiens. Ibn Khaldoun (1332-1406) dira, bien plus tard, qu'en ces époques lointaines, le Chrétien ne pouvait plus faire flotter une planche sur l'eau méditerranéenne. Mais ce témoignagne tardif, qui magnifie rétrospectivement les gloires de l'Islam, ressemble fort à une vantardise. Qu'auraient fait les Musulmans de la mer conquise s'ils n'avaient exploité les pays chrétiens ? En fait, ils avaient besoin d'eux.

En ce débat, les études d'Elyas Ashtor [197], qui s'appuient sur une documentation neuve en langue arabe, apportent une lumière précise. Les Musulmans ne se sont pas emparés d'une Méditerranée alors en pleine activité, mais d'une mer déjà à moitié vide ou morte, pour *tous* ses riverains. Ce n'est donc pas la fermeture de la Méditerranée qui a été le *deus ex machina*, mais la détérioration générale de l'économie. Et c'est au IXe ou au Xe siècle seulement que la conjoncture longue se renversera et que l'activité renaîtra en Méditerranée, à travers *tous* et pour *tous* les pays qui la bordent, aussi bien pour les Latins et les Grecs que pour les Musulmans. Vers 970-985, l'or musulman affluait à Barcelone [198]. Bien sûr, ce n'est pas cette arrivée d'or qui change l'atmosphère économique. Elle n'est que le signe du renversement d'un long *trend* séculaire, qui désormais pousse à la hausse et va vigoureusement soulever la vie entière de la Méditerranée et de l'Europe.

Resterait à expliquer cette conjoncture multiséculaire qui surgit à souhait pour éclairer un processus difficile autrement à saisir [199]. Mais c'est là une tâche pour l'histoire *générale*, le jour où l'on disposera d'une telle histoire (si elle se constitue) comme on dispose d'une *géographie générale*. L'ennui c'est que, dans les sciences humaines comme dans les sciences exactes, une explication une fois avancée, même bien établie – ce qui n'est pas notre cas – réclame sa propre explication, et ainsi de suite. Dire que la récession du haut Moyen Age n'est que la lente détérioration de l'économie-monde sous-jacente à la fortune matérielle de Rome, c'est admettre qu'en tant qu'économie-monde, en tant que réalité *économique*, Rome aura survécu longtemps à la chute politique de l'Empire. Gros problème des survivances ! Le cadre économique de Rome n'est pas seul à se maintenir et, en somme, à nous surprendre. La société romaine a laissé en place, pour des siècles encore, sa hiérarchie et son enfer esclavagiste. Et que dire de sa culture, de la latinité qui s'est transmise jusqu'à nous ? L'Europe, et la France au milieu de l'Europe, n'en finissent pas de se débattre dans l'héritage de Rome.

Je me laisserai volontiers tenter, en conclusion de ce paragraphe à dessein risqué, par une explication récente que je trouve éblouissante, dans la mesure où, vraie ou à demi vraie, elle repose d'un seul coup tous nos problèmes. François Sigaut, agronome et historien, attribue la fortune, l'essor de Rome aux conquêtes qui lui ont permis la généralisation des *latifundia* et du travail des esclaves. L'esclavagisme aurait été un moteur peu à peu puissant et de longue durée, une explosion de force. Jusqu'à ce que, les guerres de conquête se ralentissant, il entre en crise, une crise extrêmement longue. Si cette clef était valable, tous les problèmes économiques de Rome se simplifieraient : comment l'échange, le commerce, la banque, les marchands peuvent-ils se situer dans un système de société longtemps vigoureux et qui se désorganise avec le lent repli de l'Empire romain ? La relance, n'est-ce pas le servage ? Tout cela à discuter.

La Gaule mérovingienne

Tout compte fait, la Gaule mérovingienne qui surgit, un peu à l'improviste, avec les victoires de Clovis (contre Syagrius à Soissons, 486 ; contre les Alamans à Tolbiac, 496 ; contre les Wisigoths à Vouillé, 507) ne commence pas à zéro. Les siècles agités qui l'ont précédée n'ont pas, malgré leur évidente régression, dépassé dans le recul le minimum de densité humaine au-dessous duquel la vie n'aurait sans doute plus été possible. Peut-être, en cette fin du ve siècle, la population atteignait-elle le chiffre de 5 à 6 millions d'habitants, soit, en lui donnant l'étendue de la Gaule romaine, un peu moins de 10 habitants environ au kilomètre carré. Si elle était tombée à 3 millions, comme le calcule Russel, après les invasions, comment aurait-elle supporté les chocs qui l'attendaient encore, en particulier la terrible épidémie de peste bubonique venue d'Orient, qui a frappé à plusieurs reprises pendant toute la deuxième moitié du VIe siècle et, à nouveau, à la fin du VIIe [200] ?

Il n'y en a pas moins eu baisse, et accentuée, de la densité du peuplement et cela pourrait expliquer la facilité relative et la relative rapidité de la conquête franque. Celle-ci, d'autre part, est partie des pays entre Somme et Rhin, c'est-à-dire de régions où les Francs, très mêlés à d'autres peuples germaniques, avaient eu le double avantage de continuer à se recruter à partir de l'outre-Rhin et, gardiens plus ou moins d'accord avec Rome, de s'être pénétrés à l'avance, peu à peu, de la civilisation gallo-romaine. Le coup de chance pour eux fut la conversion et le baptême de Clovis par saint Rémi (peut-être à la Noël 496, mais la date n'est pas sûre). Alors

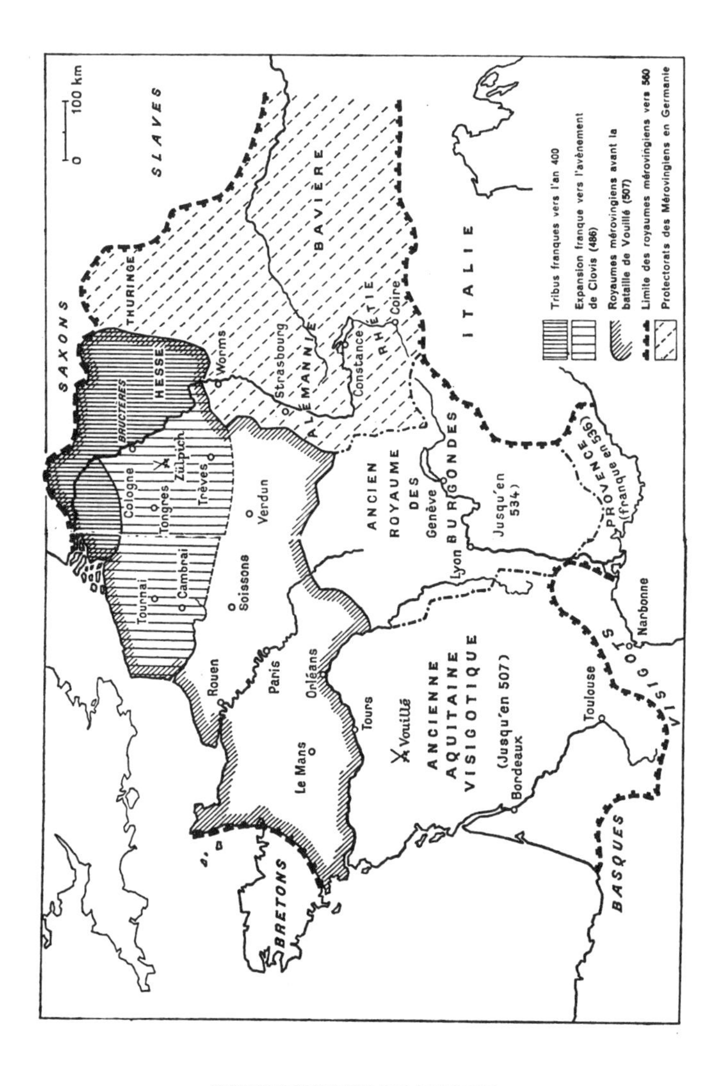

L'EXPANSION FRANQUE.
(D'après L. MUSSET, *Les Invasions, les vagues germaniques.*)

que les autres Barbares installés en Gaule se sont convertis à l'arianisme, les Francs et Clovis ont choisi l'orthodoxie prévalente en Gaule et, rapidement, leur aristocratie militaire dirigeante a collaboré avec l'élite gallo-romaine, civile et ecclésiastique [201]. Ils se sont ouvert ainsi bien des portes et la Gaule aura aidé à leur triomphe. D'autant que, pour elle, la conquête franque – la dernière des invasions – n'a pas été uniformément catastrophique, même dans le Nord du pays où son implantation a été beaucoup plus importante qu'au sud de la Loire. En fait, ni la Bourgogne, ni la Provence, ni le Massif Central, ni l'Aquitaine, rattachés et pas toujours de façon continue au *Regnum Francorum*, n'ont été largement colonisés.

Enfin, autre circonstance favorable, du côté de la Germanie, les Mérovingiens s'empareront de la Bavière, de la Thuringe, si bien que dans une lettre à l'empereur de Constantinople, vers 631 [202], Dagobert prétend exercer son autorité de l'Atlantique au Danube. Le résultat, en tout cas, est que la porte du Rhin se trouve assez bien fermée. De sorte que, malgré les querelles incessantes des princes de la famille royale, malgré leur incapacité à s'élever à la notion d'Etat ou de bien public – pour eux, le *Regnum Francorum* est, selon la tradition germanique, un bien privé que les héritiers mâles se partagent –, malgré ces inconvénients majeurs et cette incapacité de gouverner ensemble, les conditions sont réunies pour que le pays retrouve une paix relative, commence à mieux vivre, à respirer. Les marchandises, les hommes circulent à nouveau ; villes, bourgs *(vici)*, campagnes, *villae*, tout le réseau ancien de la Gaule romaine est resté en place. Les *vici* semblent même se multiplier à la croisée des routes et des trafics. Des marchés assurent la circulation des produits agricoles, dans les villes, les bourgs, autour des grandes exploitations et des abbayes [203]. Les foires animent, relancent les échanges, comme celle de Saint-Denis, créée près de Paris par Dagobert, en 627 [204]. Enfin la monnaie circule : les ateliers royaux et privés frappent des sous d'or. Comme font d'ailleurs tous les Barbares d'Occident – Vandales,

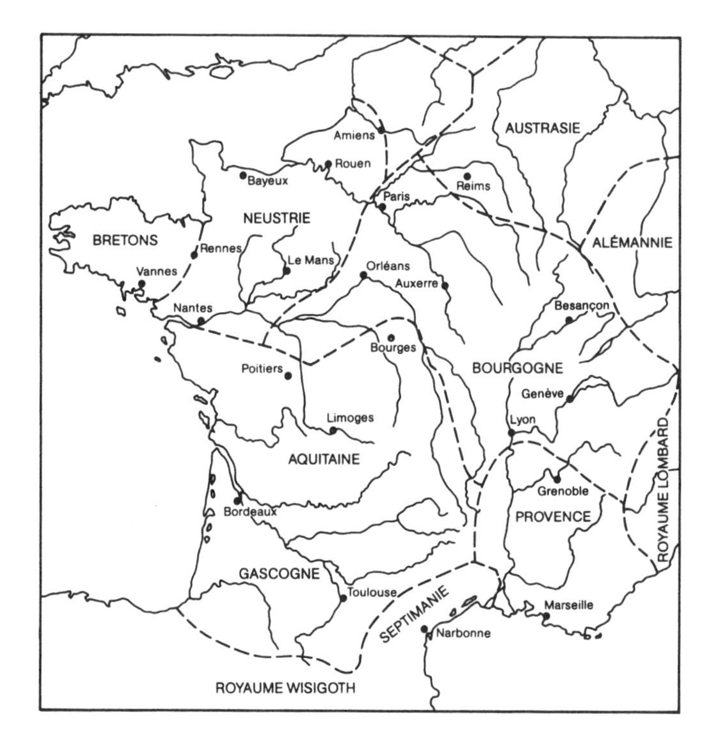

LA GAULE SOUS DAGOBERT.
(D'après G. DUBY, *Histoire de France.*)

Burgondes, Ostrogoths d'Italie, Wisigoths d'Espagne – qui reproduisent même sur leurs monnaies l'effigie des empereurs de Byzance.

Voilà la preuve, si nécessaire, de la survie d'une économie méditerranéenne. D'ailleurs Marseille, Narbonne et même Bordeaux restent en liaison avec le Levant, d'où continuent à arriver du poivre, des épices, des papyrus, des drogues, ainsi que des soieries, voire des pièces d'or de Byzance. Une découverte récente, dans la baie de Fos, a permis de retrouver un navire destiné à l'Orient, chargé de blé en vrac, d'amphores remplies de poix, de céramique estampée [205]... De même, les marbres pyrénéens ne voyagent pas seulement à destination de la Gaule du Nord et des églises qui s'y construisent, ils s'expédient aussi vers l'Espagne et Constantinople. Enfin des *Syri*, marchands syriens et juifs de langue grecque, se rencontrent dans les villes et au long des routes marchandes : ils sont les agents actifs du grand commerce. C'est eux qui procurent aux princes les étoffes précieuses, les épices, les drogues, qui achètent des lingots d'or et des esclaves. En 585, le roi Gontran, faisant son entrée à Orléans, était reçu par la colonie des marchands syriens qui le saluèrent dans leur propre langue. Il est vrai qu'Orléans est Orléans : avec Paris, devenue capitale depuis 502, c'est le cœur de la Gaule. Mais des marchands syriens sont aussi à Narbonne, en 589 [206].

Nous sommes donc en droit de parler d'une économie ouverte sur le dehors et qui n'a pas renoncé à l'attrait des trafics de Méditerranée. Toutefois, d'autres impulsions s'y ajoutent, qui l'attirent vers le nord, sous l'effet d'une évolution à la fois intérieure et extérieure.

D'entrée de jeu, la Gaule mérovingienne s'était cassée en morceaux, du fait des partages entre les fils des souverains, mais ces cassures ont correspondu souvent à des réalités sous-jacentes. Ainsi se creuse davantage la ligne décisive au long de la Loire, ou mieux au long des pays de Loire, sorte de zone frontière assez large. Cette charnière très tôt en place (le *limes* intérieur tel que le dessine l'enquête historique et géographique de Robert Specklin) coupe plus profondément que jamais l'espace français en deux (voir tome I, carte p. 97). On pourrait dire vérité au nord, erreur au sud de la Loire. Jusqu'au milieu du VIIIe siècle, les Francs désigneront les Aquitains du nom de *Romani* [207]. Et ce n'est pas tout. Au nord, d'est en ouest, s'individualisent l'Austrasie – dont on dirait, en exagérant un peu, qu'elle est une sorte d'avancée de la Germanie –, la Neustrie – qui correspond à une bonne partie du Bassin Parisien –, enfin l'Armorique, notre Bretagne, que colonisent aux VIe et VIIe siècles des Celtes partis d'Angleterre et particulièrement du pays de Galles. Il s'agit là d'une véritable invasion qui receltise, si l'on peut dire, linguistiquement, ethniquement et religieusement, la péninsule bretonne : dès lors les Mérovingiens auront plus que jamais, vers l'ouest, une frontière difficile à déplacer et qu'il faudra sans cesse surveiller et défendre. Vers le sud, quatre blocs se distinguent ; la Bourgogne, la Provence, la Septimanie, occupée par les Wisigoths d'Espagne, l'Aquitaine. Cette dernière et la Bourgogne, que les Mérovingiens ont davantage à leur portée, sont très attentives à maintenir coûte que coûte leur autonomie, à rester spectatrices d'une histoire mouvementée qui, heureusement pour elles, a tendance à se dérouler dans le Nord.

Mais je ne vais pas vous conter par le menu ces luttes fratricides, ou les querelles sauvages de Frédégonde et de Brunehaut, les reines acharnées l'une contre l'autre – la première agissant en Neustrie, la seconde, qui fut probablement une personne de haute qualité, gouvernant l'Austrasie. L'important, pour notre propos, c'est qu'au départ, tout ce Nord houleux était la partie la moins prospère, la plus barbare, la moins civilisée de la Gaule. Aussi bien Neustrie et Austrasie ne cesseront de recruter des lettrés et des ecclésiastiques dans le Midi. Cependant, c'est le Nord qui, finalement, allait donner le ton à l'ensemble.

En effet, un mouvement de bascule, lent mais efficace, dont on ne saurait bien marquer les débuts, fait pencher la Gaule vers le nord, la soustrayant, en partie, aux influences méditerranéennes. Celles-ci sont, il est vrai, en régression d'elles-mêmes. Marseille et Arles déclinent au VIIe siècle, tandis que se développent les régions de la Basse-Meuse et du Bas-Rhin – les Pays-Bas – à la faveur d'un commerce qui va de l'Atlantique à l'Angleterre, à la mer du Nord, à la Scandinavie et à la Baltique. A côté de Boulogne qui décline, la fortune de Quentovic, à l'embouchure de la Canche, en est le signe majeur. De même que la diffusion des monnaies d'argent, spécifiques du commerce nordique, au détriment des pièces d'or du Sud, qui tendent de plus en plus à s'effacer et disparaîtront finalement.

Tout cela bien mis en lumière dans un article de

Léopold Génicot, déjà ancien (1947), mais qui n'a rien perdu de son poids [208].

Comme tout se tient, avec les progrès du Nord s'y accentue l'évangélisation, s'y multiplient les constructions d'églises, les fondations de diocèses et d'abbayes. Que l'on songe au rayonnement de l'abbaye de Luxeuil, fondée en 590 par saint Colomban, et qui, dès 620, adoptera la règle bénédictine. Bref, « il n'est pas ... téméraire d'affirmer que le Nord de la Gaule est traversé, au VIIe siècle, de courants commerciaux relativement animés et qu'au VIIIe siècle, il est, dans l'ordre économique, la partie la plus vivante » [209] des royaumes francs.

Ne voyons tout de même pas la Gaule mérovingienne sous des couleurs trop favorables. Les villes se sont reprises à vivre, c'est vrai, elles bâtissent des églises à l'intérieur de leurs enceintes et voient s'élever des monastères dans leurs propres banlieues, mais elles restent de taille, d'activité modestes. Les campagnes sont encore soumises à la dure exploitation des grands domaines. Mais ceux-ci, signe patent du recul démographique, souffrent d'une pénurie chronique de main-d'œuvre [210]. Enfin, il est certain que de très vastes forêts recouvrent le territoire, presque jointives des Alpes, par le Jura et les Vosges, jusqu'aux immensités boisées des Ardennes. Et si les hommes et leurs troupeaux vivent aussi de l'exploitation de ces étendues sauvages, il n'en est pas moins vrai que la forêt ne reconquiert le sol que pour autant que le paysan l'abandonne. Des historiens peuvent avancer que l'agriculture, par rapport à l'époque gallo-romaine, a régressé dans son ensemble, qu'il s'agit d'une « campagne discontinue », de « villages qui sont autant d'enclaves à l'intérieur des bois. Les arbres dominent... le paysage » [211]. La Gaule est trouée de vides [212].

Si donc la Gaule mérovingienne semble favorisée, c'est par comparaison avec les affreux siècles qui l'ont précédée. Et il faut un peu se garder du jugement de Henri Pirenne à son sujet : ne valorisait-il pas la Gaule mérovingienne pour mieux déprécier la carolingienne, celle-ci, par son retrait, devant porter témoignage sur la fermeture de la Méditerranée et sur le marasme économique qui en aurait résulté ? Le plus amusant de ses arguments, qui n'est pas sans valeur, était de comparer l'écriture mérovingienne, la cursive, sous le signe de la vivacité – pas une belle graphie sans doute, mais précisément une écriture courante, vivante – à l'écriture carolingienne, compassée, moulée, lente, dépourvue de tout dynamisme : « Celle-là était faite pour l'administration et les affaires, celle-ci était faite pour l'étude » [213], pour l'écriture à main posée.

En fait, nul ne croit, parmi les historiens, que l'euphorie relative de la Gaule mérovingienne ait dépassé le milieu du VIIe siècle. Après le règne de Dagobert (629-639), qui, à la suite de hasards dynastiques, aura réuni sous son autorité la Gaule entière, la situation se gâte, « un renversement progressif de la conjoncture » se marque, pour reprendre les mots mêmes de Pierre Riché [214]. Cette régression durera jusqu'à la fin du VIIe siècle. Tant qu'à choisir une date, j'aimerais retenir celle de la bataille de Tertry (687) qui assure la victoire de l'Austrasie et des Pippinides et met fin, pratiquement, au règne des rois dits « fainéants » – traduisons, pour être plus justes, impuissants –, les derniers représentants de la dynastie mérovingienne [215]. Une date qui a eu une valeur politique, mais à laquelle j'ajouterai une valeur économique, celle d'une reprise probable, temporaire et relative, avec l'entrée en scène des Carolingiens.

Finalement, l'essentiel de l'épisode mérovingien – deux siècles de notre histoire – n'est-ce pas le lent, le silencieux processus qui entraîne la fusion des sociétés gallo-romaines et franques ? Ces sociétés se mêlent « à la Cour, aux sièges des comtés ou des évêchés et à travers les campagnes... » [216]. Dans les cimetières, les tombes ne se distinguent plus les unes des autres. Cette homogénéisation, peu à peu acquise, de deux cultures, de deux populations, est un élément indéniable de progrès. Le christianisme, qui a du mal à pénétrer les masses, mais les pénètre, a sans doute été l'autre grand fait de ces siècles, assez gris dans leur ensemble.

Dans le jeu favori des historiens, savoir ce qui a été le plus ou le moins important, préférons sans hésiter les abbayes, au milieu des forêts, aux palais ou aux villas des rois.

Y a-t-il eu un Empire carolingien ?

Que le lecteur me pardonne le titre, tout de même abusif, de ce paragraphe – mais je m'en expliquerai dans un instant. Je veux seulement par là annoncer un premier problème, même si ce n'est pas, à mon sens, *le* problème essentiel du destin de la Gaule carolingienne.

Cette Gaule carolingienne se définit, en première instance, par la succession d'événements considérés traditionnellement comme importants : 687, la bataille de Tertry (victoire de l'Austrasie), alors les jeux changent de main ; 732 ou 733, sur le champ de bataille de Poitiers, le vrai fondateur de la dynastie nouvelle des Carolingiens – Charles Martel (né vers 688, mort en 741) – oblige au retrait la cavalerie légère des envahisseurs musulmans ; 751, son fils, Pépin le Bref, se fait élire et sacrer roi ; de 768 à 814, se déroule le règne éclatant de Charlemagne qui, à distance, nous éblouit encore ; à la Noël 800, n'est-il pas couronné empereur d'Occident ? Mais cette gloire, cette puissance, certes pas factices, s'effacent vite avec les années calamiteuses du règne de son fils, Louis le Débonnaire (814-840) que l'on peut aimer – comme Michelet qui voulait voir en lui une sorte de Saint Louis avant la lettre ; mais sa faiblesse, sa piété aberrante ont porté des coups terribles à l'Empire à peine construit, déjà difficile à défendre et non moins à consolider. La querelle, que sa succession entraîne entre ses fils, avant même qu'elle ne soit ouverte, a accumulé des ruines et des désastres irréparables auxquels le partage de Verdun (août 843) n'a certes pas porté remède [217]. D'autre part, depuis une vingtaine d'années déjà, les raids normands, qui, d'année en année, vont s'intensifier, avaient commencé leurs destructions au long des côtes et des fleuves de l'Empire.

L'Empire, cependant, continua d'exister, au moins dans la mesure où des empereurs se succédaient. Ainsi

L'EMPIRE CAROLINGIEN

Charles le Chauve (838-877), qui ne manquait ni d'énergie ni d'intelligence, se rendait en Italie en 875, passait les Alpes pour se faire couronner empereur à Rome. Le malheur, c'est qu'en abandonnant la « France », il avait changé la proie pour l'ombre : il dut, en toute hâte, repasser les Alpes et, par le capitulaire de Kiersy-sur-Oise (877), multiplier les concessions aux grands de son royaume. Mais n'était-il pas né, comme nous dit Jean Dhondt [218],

« à une époque et dans un milieu où l'utopie impériale était encore forte » ? Si bien que l'Empire se survivra longtemps encore : comme dit Jacques Madaule [219], si sa « réalité... s'évanouit, il n'en va pas de même de son fantôme qui aura la vie dure », jusqu'au jour où Otton le Grand s'emparera de la Couronne d'or, en 962, et créera le Saint Empire Romain Germanique, qui devait durer jusqu'en 1805. Vingt-cinq ans après ce transfert de la dignité impériale à la Germanie, en 987, Hugues Capet devenait roi de France et fondait la dynastie capétienne. L'événement, en soi insignifiant,était le premier anneau d'une très longue chaîne – ce qui est la définition d'un *événement long* [220].

De ces trois siècles, la période la plus importante est, sans conteste, celle que domine la forte personnalité de Charlemagne, son œuvre la plus spectaculaire étant, assurément, la fondation de l'Empire d'Occident. Or, si nous laissons de côté le mot assez gratuit d'Ernst Curtius [221] saluant Charlemagne comme « le premier représentant du monde moderne », il apparaît plutôt comme un homme d'autrefois, tel Dioclétien, *mutatis mutandis*, essayant d'établir et de rétablir la paix et la sécurité en Occident. Aujourd'hui – mais est-ce tout à fait juste ? –, il ne trouve guère d'indulgence auprès des historiens. Et c'est, précisément, par référence à ces jugements négatifs que j'ai formulé la question : *Y a-t-il eu un Empire carolingien ?* Si possible, vidons la querelle.

A tout seigneur, tout honneur : Nicolas Iorga aura le premier la parole puisqu'il n'hésite pas, pour une fois, à s'engager dans la polémique et le paradoxe. En fait, écrit-il, « cet Empire n'a jamais existé, ni du point de vue territorial, ni du point de vue administratif... les villes avec leurs garnisons ne doivent pas nous tromper. Il existait un empereur, mais point d'Empire ; or un Empire sans empereur est irréalisable, mais non pas un empereur sans Empire » [222]. Il y a là, évidemment, plus que de l'outrance. Mais Nicolas Iorga n'est pas seul à refuser de se laisser impressionner par les gloires carolingiennes. Pour Pierre Bonnassié, l'Empire de Charlemagne est, « dès sa naissance, un anachronisme », passe encore [223] ; Robert

Fossier parle du « mort-né caroligien ». Et vienne le déclin de l'Empire, il notera : « Rapiécés par les Carolingiens, les oripeaux romains sont partis en lambeaux. »[224] Jean Dhondt, dans le livre le plus vigoureux que je connaisse sur le haut Moyen Age occidental[225], est à peine moins pessimiste. N'imaginons pas, dit-il, « un vaste Empire homogène et cohérent, vivant dans la sérénité et la sécurité ». Il s'agit plutôt « d'une nébuleuse, avec un noyau solide et une autorité de moins en moins consistante sur les franges ». Alors que, « à toutes les frontières, se pressent des ennemis... »

Bien sûr, l'Empire de Charlemagne, sur tous ses rivages et sur toutes ses frontières, est battu par la marée furieuse des « Barbares ». Bien sûr, il n'est pas cohérent, formé qu'il est de morceaux divers, de peuples divers, fidèles les uns, indifférents ou franchement hostiles les autres. Mais la France n'était-elle pas, déjà sous les Mérovingiens, comme de tout temps, un assemblage de peuples différents ? L'Europe aussi, que le Carolingien tend à prendre dans son filet, n'est-elle pas diversité irréductible ? Le problème est que troubles, attaques du dehors, troubles, attaques du dedans se succèdent. L'Empire ne donne une certaine impression de force que de 800 à 840 (et encore) : dès la mort de Charlemagne, le navire est en détresse. Au total, on pourrait, en ne considérant que le processus impérial, parler d'*épisode* carolingien – pas même un demi-siècle.

Naissance de l'Europe ; naissance, affirmation de la féodalité

Mais faut-il ne considérer que cette brève histoire politique ? Et peut-on la condamner en quelques sentences rapides ? Les jugements cités plus haut font mouche, c'est vrai, mais sont-ils tout à fait justes ? La France dite carolingienne, de la bataille de Tertry (687) à l'élection de Hugues Capet (987), a traversé trois siècles d'histoire ; ces trois siècles n'ont-ils rien eu d'important ?

En fait, l'expérience carolingienne est à l'origine – ou,

si vous préférez, elle a confirmé la naissance – de la Chrétienté et aussi de l'Europe, les deux termes étant alors identiques, comme deux figures géométriques qui, exactement, se recouvrent.

Le choc électrique de Poitiers aura été décisif, plus que fondamental, symbolique. Forçons les termes d'une façon que nous reprocherions à un tout jeune élève d'histoire : n'est-ce pas la vraie première croisade, le vrai premier heurt à forte répercussion ? La Chrétienté, débusquée en partie de la Méditerranée par l'Islam, s'étend vers le nord et l'est de l'Europe ; saint Boniface et les armées de Charlemagne ont *christianisé* la Germanie, l'ont fait entrer dans l'Europe. Au temps des Mérovingiens, la Germanie n'avait pas été aussi largement ajoutée à la Gaule et mêlée à elle. Et peut-être la Gaule, avec les conquêtes carolingiennes – la *dilatatio regni* –, s'est-elle perdue dans un vêtement trop large pour elle, tandis que le loup entrait dans la bergerie. La voilà en tout cas encerclée. Flanquée vers l'est d'un Tiers Monde. Mais qui nierait l'importance de ce premier rapprochement, si imparfait a-t-il été, des morceaux de l'Europe ?

Les Carolingiens n'ont pas seulement accouché l'Europe, ils ont accouché la féodalité, autant dire la diversité, la division, le morcellement, le *pluriel* foisonnant. Dès les temps mérovingiens, il est vrai, l'Etat, à court de numéraire, s'était trouvé condamné à récompenser les services dont il avait besoin avec cette lourde et incommode monnaie qu'est la terre, c'est-à-dire aux dépens d'anciennes terres du fisc [226] ou de larges fragments du domaine royal. Le tort des Mérovingiens avait été de distribuer ces terres à titre héréditaire. A ce jeu, ils s'étaient ruinés eux-mêmes. Mais, au lendemain de Tertry, les futurs Carolingiens, pour assurer leur situation, accéléreront l'évolution tout en reprenant les choses en main. Certes, ils n'y vont pas de main morte : ils changent les *comtes* [227] comme nous changeons nos préfets ; ils peuplent l'Eglise de leurs créatures. Charles Martel dispose à sa guise de l'énorme fortune de l'Eglise sous le prétexte (et même sans le prétexte) qu'il faut lutter contre l'Islam. Confisqués, les biens d'Eglise sont par la suite concédés à des bénéficiaires qui deviennent vassaux de l'Eglise – pauvre compensation pour celle-ci.

Les trois premiers Carolingiens – Charles Martel, Pépin le Bref, Charlemagne – sont assurément des hommes remarquables, énergiques : ils n'hésitent pas à récupérer les terres ; elles ne sont plus concédées qu'à titre viager (ou comme l'on dira plus tard, en tant que « bénéfices »), non à titre héréditaire. Les comtes, qui sont les agents essentiels de l'autorité royale, sont surveillés par les *missi dominici* : à l'occasion, ils sont déplacés d'un comté dans un autre pour éviter qu'ils n'étendent, sur place, leurs biens propres et ne s'y enracinent. On n'hésite pas, non plus, à révoquer les « honneurs »[228] qui leur ont été concédés. Plus encore, les Carolingiens imaginent, modèlent une hiérarchie sociale : les fidèles et les vassaux sont liés directement au souverain, par serment. Ces liens descendent jusqu'aux hommes libres qui, tous, doivent servir à leurs frais dans les armées du roi ; les riches fournissent les cavaliers légers ; les très riches, les 2 000 ou 3 000 cavaliers lourds, équipés de la selle et de l'étrier, ces nouveautés techniques « qui en font la force combattante la plus redoutable de l'Europe »[229].

Cet édifice est cependant fragile : de la base au sommet, il repose sur l'autorité du souverain. Dès la mort de Charlemagne, il se lézarde. Avec Louis le Débonnaire, la débâcle s'annonce. Après lui, c'est pire encore. Ainsi, dès 843, au plaid de Coulaines, en « France », il est décidé que « le roi ne pourra reprendre le bénéfice par caprice ou sous une influence perfide ou par une injuste cupidité »[230]. On en est revenu aux dangereuses pratiques mérovingiennes, les souverains distribuent « à pleines mains » les domaines du fisc et des terres monarchiques ; « vers 880, il n'en restait presque plus rien »[231].

Mais est-il utile de détailler et d'expliquer longuement ce processus bien connu de détérioration de l'Etat ? A son terme, la féodalité sera en place. Un peu de patience : nous la retrouverons bientôt.

Les dernières invasions barbares

Cette détérioration « endogène », venue du dedans de l'édifice carolingien, semble bien plus responsable de sa décadence, à partir de 840 ou 850, que les dernières invasions barbares – phénomènes « exogènes », qui frappent alors tout l'Occident et que je considère comme des conséquences, des signes de conjoncture, autant, si ce n'est plus, que comme des causes efficientes. Ne surestimons donc pas le rôle des invasions des Normands, des Avars, des Hongrois, des Sarrasins...

Sous le nom de Sarrasins sont alors désignés les Musulmans et les Arabes, y compris ceux installés dans l'Ifryqya, la Tunisie actuelle, qui fut le point de départ de la conquête de la Sicile et de raids en direction des côtes chrétiennes de la Méditerranée occidentale. Les Sarrasins ont été, pour l'Italie, une tout autre calamité que pour la Gaule. Ne grossissons pas les méfaits des pirates et ceux des aventuriers sarrasins installés à La Garde-Freinet, sur la côte de Provence, non loin du golfe de Saint-Tropez.

Les Avars et les Hongrois étaient des cavaliers venus de l'Asie centrale. Les premiers furent exterminés, en 779, par Charlemagne, n'en parlons plus ; les seconds poussèrent longtemps leurs pillages jusqu'au cœur de la France où ils laissèrent d'atroces souvenirs. Ils furent rejetés tardivement, mais définitivement, dans le pays auquel ils donneront leur nom – la Hongrie – par la victoire éclatante qu'Otton le Grand remporta sur eux, le 10 août 955, à la bataille du Lechfeld.

Pour l'Europe et la France, les Normands ont représenté un danger autrement redoutable. Sur leurs bateaux légers, ils frappent à leur gré les points mal gardés des interminables côtes européennes. Par l'eau des fleuves, ils remontent impunément à l'intérieur des terres. Rouen, Nantes ont été pillés par eux. Paris, assiégé en 885-887, n'a été sauvé que par la résistance courageuse d'Eudes, *dux Francorum*, fils de Robert le Fort, ancêtre des Capétiens. La Bourgogne a été razziée ; au cœur de l'Auvergne, Clermont mis à sac, détruit, brûlé [232] trois fois, la Loire et l'Allier ayant conduit jusque-là les pillards...

Ces invasions dévastatrices, est-ce la bonne explication du recul carolingien ? Les historiens ne le croient plus aujourd'hui. « De même, écrit Paul Rolland, que nous avons fait justice de la légende relative à la "cassure" du monde antique lors des occupations barbares du ve siècle. » [233] Anne Lombard-Jourdan est du même avis ; elle remarque que ces raids et ces dévastations « n'ont jamais arrêté le commerce » [234]. Jakob van Klaveren soutient même que les pillages normands ont remis en circulation les métaux précieux thésaurisés par les Eglises et les monastères et, par là, ils auraient réanimé l'économie de l'Occident [235]. D'ailleurs, ces Normands n'avaient-ils pas, avant leurs raids, accumulé déjà des métaux précieux, grâce à leurs échanges à travers ce qui sera la Russie ?

Cette thèse rejoint celle que soutenait Maurice Lombard [236], à savoir que les conquêtes musulmanes ont remis en circulation les « trésors » du Proche-Orient et redonné force et vigueur à l'économie méditerranéenne. Mais faut-il se laisser vraiment séduire ? En fait, ce n'est jamais l'or ou le métal blanc qui réanime une économie, c'est le retour à la croissance et à l'activité de l'économie mise en cause qui attire et fait circuler la monnaie. C'est la conjoncture qui commande et qui, chaque fois que nécessaire, crée, trouve, puis utilise sa monnaie.

Economie et population

Revenant à la conjoncture longue, je voudrais traiter de la Gaule carolingienne, comme j'ai essayé de le faire de la Gaule mérovingienne. Je la vois touchée par un mouvement long qui la soulève, la soutient, de la fin du VIIe siècle jusqu'au voisinage des années 840-850 (dates grosses), puis qui l'entraîne dans un repli, comme toujours plus rapide que la montée, de 850 à 950 (autre date *grosse*). Un repli où Michel Rouche reconnaît « une série de crises multiformes. Un nouveau *cycle* [dit-il et je souligne le mot au passage] de détériorations paraît s'amorcer » [237].

Sans doute est-ce le genre de discussion où l'on n'avance qu'à coups d'hypothèses ? Mais cette fois, nous sommes mieux servis par la documentation que nous ne l'étions en ce qui concerne les Mérovingiens. Jean Dhondt a comme déminé le terrain où nous nous hasarderons sans gros risques. Et les arguments qu'il a réunis nous conduiront à peu près – bien que pas tout à fait – aux mêmes conclusions que lui.

Classons les explications :

1. D'entrée de jeu, il faut écarter les images, souvent mises en avant, hier, d'une Gaule carolingienne formée, *à la base*, d'unités territoriales minuscules, encloses en elles-mêmes, prises dans « une avance massive des forêts, des friches agressives, des landes, des espaces incultes » [238]. Bref sous le signe de l'autosuffisance. Il est certain que l'administration carolingienne recommande, à qui dirige les villas royales, de « veiller autant que possible à ce qu'il ne soit pas nécessaire de demander ou d'acheter quoi que ce soit à l'extérieur » [239]. Mais cela ne veut pas dire que les villas ne produisent pas de surplus et qu'elles ne portent pas ce surplus sur le marché. En fait, le pays – ses villes, ses forteresses, ses bourgs, voire ses villages – est parsemé d'innombrables marchés dont parlent abondamment les documents [240]. Dans un diplôme de 864 [241], on lit : « *Similiter per civitates et vicos atque per mercata, ministri reipublicæ provideant ne illi, qui panem coctum aut carnem... aut vinum... vendunt, adulterare aut minuere possint.* » (« Dans les villes et les bourgs, on surveillera les paysans qui apportent sur le marché le pain cuit, la viande ou le vin... on les empêchera de tromper l'acheteur. »)

Ces marchés locaux, partout présents, n'excluent pas un commerce à longue distance qui anime les villes, les foires et les ports – dont les plus actifs sont ceux du Nord, de Quentovic sur la Canche jusqu'à Duurstede en Frise –, ports à éclipse parfois et dont certains, nés avec le VIIIe siècle, s'éteindront au Xe, à tel point « qu'on a du mal à déterminer leur emplacement » [242]. Mais leur prospérité évidente signale que l'économie de la Gaule continue, accentue le mouvement de bascule amorcé à l'époque mérovingienne vers le commerce du Nord, y compris les trafics qui se mêlent aux incursions normandes, pas toujours sous le signe du pillage. A travers la Gaule s'opèrent des transports à longue distance pour le blé, le sel, le bois, les marchandises de luxe, y compris les épices... Qu'il soit bien entendu, une fois pour toutes, qu'aucune économie d'une certaine étendue, d'un certain volume, ne peut vivre sous le régime mortel de l'*autarcie*. Il est franchement absurde de parler d'une Gaule carolingienne qui serait immobile, faites de petites unités bien cloisonnées, alors qu'elle est pleine d'itinérants, de prêtres divagants, de moines que les abbayes pauvres forcent un beau jour à émigrer, de serfs insoumis – car la Bagaude continue –, de pèlerins, de soldats, de marchands. « La société carolingienne [est] littéralement mouvante à la base. » [243]

Ajoutez, pour que le tableau soit complet, que la monnaie d'or disparaît vers 700, mais qu'au-delà la monnaie d'argent prend la relève et qu'elle circule, comme Dhondt l'a démontré, par masses beaucoup plus importantes qu'on ne l'aura supposé jusqu'ici, qu'il faut la « compter en millions et non en dizaines de milliers » de pièces [244]. Enfin, il y a les marchands : les *Syri* ont sans doute disparu, mais les Juifs restent, dont on retrouve les colonies actives aussi bien à Arles ou à Nîmes qu'à Mayence (centre du commerce du blé) ou à Verdun, spécialisé dans le commerce des esclaves en provenance des pays slaves et qui s'exportent vers l'Espagne musulmane. L'Empire byzantin s'est plus ou moins fermé à ces marchands juifs, mais ils le contournent par l'Egypte ou la Syrie, et vont même jusqu'en Inde et en Chine. A côté d'eux surgissent de nouveaux marchands, italiens, frisons, scandinaves [245]. Dans Paris, après le siège de 885-887, s'étonnera-t-on de trouver des marchands normands ?

2. La Gaule de Charlemagne est, *grosso modo*, aussi peuplée que la Gaule des Mérovingiens. Il y a même eu probablement progression de la population à partir du VIIIe siècle et jusqu'au milieu du IXe, avec la descente vers les plaines d'immigrants montagnards, avec l'extension des défrichements dont parlent les documents [246], avec l'arrivée dans le Sud-Ouest de *Mozarabes* [247] chassés d'Espagne

par la brusque conquête musulmane (711). Les polyptiques[248] des abbayes de Saint-Germain-des-Prés, de Saint-Bertin, de Saint-Rémi signalent, sur des terres évidemment fertiles, des densités de 50 habitants au kilomètre carré. Evidemment aussi, les zones pauvres, les *saltus*, les régions franchement désertiques existent toujours.

Sur le volume de la population, la spéculation des historiens s'est exercée à partir de documents rares, mais suggestifs. Je crois qu'il faut rejeter les chiffres donnés par J.-C. Russel (5 millions au milieu du IXe siècle)[249], évidemment trop bas : il faut sans doute que la densité du peuplement soit d'un niveau assez faible pour laisser les chemins ouverts aux raids des envahisseurs ; mais il lui faut aussi un certain volume pour assurer les activités que nous avons trop rapidement évoquées. Avec toutes les réserves qui s'imposent, l'Empire de Charlemagne (1 200 000 kilomètres carrés) aura peut-être compté de 15 à 18 millions d'habitants, ce qui donne pour la Gaule (dans ses anciennes limites, la moitié de cet espace) de 7,5 à 9 millions d'habitants. C'est le chiffre que proposait, il y a fort longtemps, Karl Julius Beloch : un peu plus de 8 millions, disait-il, un peu moins que la Gaule romaine au sommet de sa prospérité[250].

Une seule chose est certaine : au témoignage unanime des historiens d'aujourd'hui, il y a eu (et c'est le plus important) « arrêt de... l'augmentation démographique après 840 et probablement jusqu'en 950 »[251], à cause d'une rétraction du monde paysan, repoussé avec plus de force que jamais vers le servage. Ce qui était libération, amélioration pour des esclaves, était aggravation insupportable pour des hommes libres, la majorité encore, probablement, du monde rural.

3. La discussion la plus spectaculaire concerne l'histoire monétaire. Pour s'en expliquer, Jean Dhondt s'engage dans un long discours que j'abrégerai en le transposant selon le langage actuel des *économies-mondes*[252] (notre guide, disparu en 1957, ne le connaissait pas). Je ne crois pas que cette simplification de sa pensée la déforme substantiellement.

Donc, supposez que je trace un cercle. A l'intérieur, je place l'Empire byzantin, plus la Syrie, l'Egypte et l'Arabie. Au IXe siècle, il s'agit d'une zone où dominent les monnaies d'or. Hors du cercle, placez la Perse, la Russie des Varègues, les Scandinaves, la Gaule carolingienne et, enfin, l'Espagne et l'Afrique du Nord musulmanes – tous pays où la monnaie est d'argent. Cette énumération vous montre trois choses :

a) l'Islam est divisé, ce que l'on oublie souvent de constater ;

b) au centre de l'économie-monde, il y a partage de la puissance économique entre deux zones, l'Empire byzantin et l'Islam oriental, proche de la Méditerranée, deux univers économiques liés puisque Byzance, peu riche en métal jaune, est sous la dépendance de l'Islam, maître et producteur de métaux précieux. Ce qui dessine une situation analogue à celle que connaîtra plus tard l'Europe moderne – l'Espagne par Séville et Cadix ravitaillant le monde en métaux précieux tirés d'Amérique ;

c) au IXe siècle, cette rivalité, ce dualisme *au centre* est pour l'Islam, comme pour Byzance, une cause de faiblesse.

Il est bien entendu que ce schéma ignore et efface beaucoup de faits et de renseignements connus, pour dégager une vue d'ensemble claire. Je n'ai pas indiqué ainsi que l'Islam (dinars d'or, dirhems d'argent) est, en fait, bimétallique ; je n'ai pas indiqué davantage que, là où l'or domine, l'argent – le métal blanc – circule, au moins sous forme de lingots ou même de petite monnaie ; que les Carolingiens, dès la fin du IXe siècle, paient aux Normands des tributs en or pour arrêter leurs incursions ; bref, qu'il y a un jeu constant entre or et argent, l'équilibre étant (surtout devant être par la suite), à poids égal, de 1 pour l'or à 12 pour l'argent.

Cela dit, je voudrais m'en tenir à un critère unique, grossier mais valable. Là où l'or l'emporte dans une économie-monde (c'est-à-dire dans un ensemble qui regroupe des économies liées entre elles, agissant les unes sur les autres), là se trouvent le cœur, le centre, la zone dominante de l'ensemble. On s'émerveille des raids des

Varègues – des Normands – à travers l'immensité russe, où ils ont fondé au passage la métropole de Kiev, aboutissant finalement à la mer Noire, à Constantinople et à l'Islam. Mais le chemin se faisait aussi dans l'autre sens. Les milliers de monnaies musulmanes (plus de 200 000) conservées dans les pays russes et scandinaves dessinent un « pointillé » qui révèle la liaison marchande la plus curieuse, presque la plus héroïque de ce siècle lointain, traversant tout «l'isthme russe», de la mer Noire à la Suède. Si ces monnaies se sont conservées telles quelles, par centaines de milliers, dans les pays scandinaves, c'est qu'ils n'avaient pas d'ateliers où fondre et refrapper les monnaies, à l'inverse de ce qui se passait en Occident [253]. Notons toutefois que ce « pointillé » de monnaies dont parle Pirenne n'est pas constitué de pièces d'or. Ce sont des pièces d'argent que les Musulmans exportent pour leurs achats à l'extérieur, dans ces régions encore primitives. Si l'or désigne les maîtres, le métal blanc signale les marges, les pays dominés. En veut-on une preuve ? Du jour où l'Espagne des Ommeyades – sorte de Far West de l'Islam – se procure, au xᵉ siècle, l'or en poudre du Soudan, et qu'elle passe donc de l'argent à l'or pour une longue période, elle devient la puissance dominante de l'Islam. Ou, exemple meilleur encore, quand les frappes d'or reprennent en Occident (à Gênes en 1250, à Florence l'année suivante), c'est le moment dramatique où la Chrétienté affirme sa supériorité matérielle sur l'économie-monde qui l'entoure et dont elle est devenue le centre.

Vous devinez où vont ces remarques. Si la Gaule carolingienne sort, vers 700, de la zone de l'or à laquelle la Gaule mérovingienne restait encore attachée, c'est qu'elle est alors en position marginale. Et d'ailleurs n'est-il pas vrai qu'elle paie son rattachement aux économies dominantes par des exportations de produits alimentaires, de bois, d'esclaves ? Ce dernier trait la marque de façon indélébile. C'est un trait de pays sous-développé, qui ne représente certes pas la civilisation, vis-à-vis de Byzance, ou vis-à-vis de l'Islam.

Notons d'ailleurs que les monnaies d'or musulmanes

ne sont plus signalées en Gaule au-delà de 870, que « les quelques monnaies d'or arabes récentes trouvées dans le sol auraient été enfouies vers 840 »[254]. C'est un faible argument, mais un argument tout de même, à l'appui du retournement, en ce milieu du IXe siècle, de la tendance « majeure ». Attentif au denier d'argent qui, au IXe siècle, augmente légèrement de poids (donc l'argent se dévaluerait), plus encore au fait que l'on frappe des demi-deniers, des quarts de deniers, Jean Dhondt se leurre probablement quand il pense que cette fragmentation des frappes rapproche l'économie de marché de la production et de la consommation populaires : « La vraie révolution économique, écrit-il, gît là et non ailleurs : le grand commerce, les relations économiques lointaines, c'est important évidemment, mais mille fois plus importante est l'introduction de millions de consommateurs et de producteurs dans le circuit des marchés. C'est bien là le grand fait irréversible, la grande révolution économique qui situe l'époque carolingienne au départ du monde économique moderne ! Désormais grands et petits producteurs vendent, grands et petits consommateurs achètent. »[255]

Mais n'en a-t-il pas été ainsi, vaille que vaille, dès que des *marchés* ont existé ? S'il y avait eu alors un tel *progrès*, il se placerait en une période où la « superstructure » économique se trouve déficiente, ce qui, théoriquement parlant, n'est pas impossible à concevoir, ce qui serait même séduisant. La rareté des travailleurs se ferait alors sentir – voilà qui nous obligerait à changer nos explications d'épaule, si l'on peut dire. Les malheurs de la grande histoire se transformeraient à la base, sinon en bénédictions, du moins en mieux-être. Pour en décider, il faudrait connaître la vitesse de circulation des monnaies, le mouvement des prix et bien d'autres choses que nous risquons d'ignorer toujours. Mais c'est beaucoup de pouvoir poser de tels problèmes.

Les cycles se renversent

En somme, un cycle très long affirmerait son repli au-delà du sommet de 850. Il s'inscrirait à la baisse jusqu'au large renouveau qui suit l'An Mille. Evidemment, ce cycle que je me risque à mettre en cause serait à expliquer en lui-même. Vers 1100, un peu plus tôt, un peu plus tard, le temps de l'économie occidentale tourne au beau, et pour plusieurs siècles. Il y a renversement. Or tout renversement appelé à durer pose les multiples problèmes de ses causes et de ses conséquences. Je dis causes *et* conséquences car nous ne pouvons classer les processus en cours dans l'une ou l'autre de ces catégories, exclusivement.

Le redressement, vers 1100, est sous le signe du renouveau, de l'essor général, de la détérioration de l'Etat, de l'effondrement de la société qui a perdu ses structures. Le renouveau, n'est-ce pas aussi le passage élargi à un servage qui aura été long à se développer et à relancer la vie économique si longtemps languissante ? Il y a eu là novation, stimulation de la production. Il n'est pas excessif de conclure par cette hypothèse.

CHAPITRE II

LA POPULATION DU Xe SIECLE A NOS JOURS

Il y a ce que l'on sait, et ce qu'on peut supposer.
Jan Dhondt [1]

Le présent chapitre voudrait dominer, rendre intelligible dans la mesure du possible l'interminable déroulement de l'histoire de notre pays durant une bonne dizaine de siècles. Même avec les perspectives accommodantes et exclusives de la longue durée, c'est une gageure, une entreprise plus que risquée. Cependant, elle en vaut largement la peine.

Dans cet interminable déroulement, ne se signale qu'un gouffre exceptionnel, visible dès la première observation – un « Hiroshima », dit Guy Bois [2] : le repli dramatique, l'effondrement de la population française et européenne de 1350 à 1450, sous le triple signe de la famine, de la Peste Noire et de la guerre de Cent Ans. A la France comme à l'Occident, il faudra au moins un siècle (1450-1550), voire deux siècles (1450-1650), pour que se guérisse cette blessure profonde, restée longtemps béante : le quart, le tiers, la moitié, parfois jusqu'à 70 % de la population ayant disparu [3].

Cependant, de 1450 à nos jours, aucune catastrophe de cette fabuleuse ampleur ne se produit plus. La différence est incalculable, la vraie clef d'une explication d'ensemble : 1450 est une coupure comme il n'en existe ensuite aucune autre de pareille signification, dans tout ce que nous connaissons de notre histoire.

Le millénaire à observer se divise donc, de façon nette, brutale, en deux parties sensiblement égales. Il y a, de 950 à 1450, un long cycle « biologique » autonome, multiséculaire, à nos yeux le mieux dessiné qui soit de cette nature dans toute notre histoire, avec une dissymétrie caractéristique qui l'authentifie en quelque sorte et qui ne surprendra personne : montée lente, compte tenu d'avantages divers, de 950 à 1350, et régression *rapide* (du moins par comparaison), coupée d'étapes successives [4], de 1350 à 1450 : la chute a été, en gros, quatre fois plus rapide que la montée. De telles dissymétries sont la règle : on perd toujours plus vite que l'on n'a gagné.

Pourtant, l'interminable seconde moitié, de 1450 à nos jours, se situe sous le signe obstiné d'une montée plus ou moins hâtive, plus ou moins régulière, avec ses poussées et même ses régressions momentanées, mais qui, en gros, ne s'interrompt pas pour ouvrir les portes à de *vraies* catastrophes. Si bien que, si cycle séculaire il y a de 1450 à notre époque (comme je le pense), nous sommes en présence seulement d'une branche ascendante et les prospectives actuelles des démographes (plus de 10 milliards d'hommes au milieu du XXIe siècle dans le monde) promettent une hausse longue : impossible de prévoir de sitôt un repli démographique quelconque qui donnerait à cette interminable montée de la vie un caractère cyclique qui lui manque encore – ce que nous ne déplorons certes ni pour la réalité, vécue ou à vivre, ni pour la justification éventuelle d'un schéma théorique. La théorie résume les faits mais ne les commande pas.

Ces considérations mettent au premier plan le contraste essentiel entre les cinq premiers et les cinq derniers siècles de notre vaste observation. Bien entendu, ce contraste en accompagne d'autres, en explique d'autres. Et leurs enseignements, leurs multiples aspects sont à notre disposition. Restera à expliquer – mais est-ce possible ? – ces mécanismes lents et à la longue décisifs qui transgressent l'histoire et lui donnent un sens intelligible.

I

UN CYCLE MULTISECULAIRE PRESQUE PARFAIT OU LA PREMIERE MODERNITE DE LA FRANCE ET DE L'EUROPE (950-1450)

Du xe siècle à la fin de la guerre de Cent Ans, les historiens parlent du haut (les Allemands) ou du bas Moyen Age (les Français). J'aime mieux carrément parler d'une première modernité qui entraînera l'Occident dans une fantastique transformation. Alors commencent à émerger une certaine France, une certaine Europe. Cette modernité *première* se distingue de ce qui l'a précédée et de ce qui va la suivre. Vers l'amont, elle est issue d'une Europe carolingienne, encore romaine en profondeur, et vers l'aval surgit, cette fois, la *vraie* modernité – urbaine, capitaliste et royale – qui s'imposera au lendemain seulement des épreuves de la guerre de Cent Ans. Car notre première modernité n'aura pas résisté à sa propre croissance : une terrible régression a été, en quelque sorte, la conséquence de sa réussite.

Le xe siècle ou la fin de Rome

Nous sommes ainsi en face d'un cycle multiséculaire que nous apercevons dans sa continuité et sa plénitude. Dans sa plénitude puisque nous observons à la fois sa branche ascendante et sa branche descendante. Dans sa continuité puisque nous le suivons sans interruption du milieu du xe siècle au milieu du xve. Pas d'hésitation quant à sa limite finale, au voisinage de 1450. En revanche, moins de certitude en ce qui concerne ses débuts.

Il était tentant, avouons-le, le chiffre rond nous y aidant, de faire débuter l'essor neuf de l'Europe avec l'An Mille, avec ces temps souvent décrits de l'attente horrifiée de la fin du monde, bien faits pour signaler ce qui aurait pu être, par excellence, un *point bas* et sinistre à souhait. Mais, d'une part, il n'est pas sûr que les terreurs de l'An Mille, contre lesquelles l'Eglise avait d'ailleurs vigoureusement réagi, aient atteint profondément les masses. Les historiens d'aujourd'hui [5] pensent que ceux d'hier en ont exagéré l'importance, qu'ils ont cédé à cette fascination du drame qui transforme leur métier en celui du metteur en scène. Et d'autre part, le Xe siècle n'a pas été « ce sombre siècle de fer et de plomb » [6] dont ont parlé certains chroniqueurs.

En fait, des signes le caractérisent qui indiquent déjà, à son avantage, des équilibres, des résurgences, une meilleure santé, des essors, ou, pour le moins, les conditions premières de ces essors. Ainsi les dernières invasions – Normands, Hongrois, Sarrasins – s'interrompent. Ce n'est pas là un mince avantage. En même temps, les villes se réaniment, s'agrandissent, déplacent leurs fortifications, bâtissent des faubourgs, se couvrent d'églises. De grandes cathédrales se construisent, à Châlons-sur-Marne, à Sens, à Beauvais, à Senlis, à Troyes, destinées à disparaître dans la grande vague gothique des XIIe et XIIIe siècles [7]. Des centres de frappe monétaire s'activent. Des marchés s'ouvrent. Des foires sont mises ou remises en activité [8]. Des trafics au loin se précisent, s'amplifient. Les draps frisons [9] se répandent à travers toute la Chrétienté. Autant de raisons pour déplacer le début de l'essor des populations européennes vers 950, un peu plus tôt, un peu plus tard, en gardant en mémoire combien sont, en général, approximatives, les dates d'encadrement de tout mouvement de longue durée.

Ce qu'implique cette remontée d'une cinquantaine d'années, c'est que l'essor net du XIe siècle a été préparé par une accumulation préalable, plus longue qu'on ne l'aurait supposé. L'arrêt des invasions barbares explique sans doute beaucoup de choses : les Normands ont été à moitié fixés sur les bords de la basse Seine en 911 ; les

Hongrois victorieusement bloqués par les Allemands à Mersebourg (933) et à Augsbourg (955) ; les incursions sarrasines restreintes, avec la régression des activités générales de la Méditerranée. Voilà qui semble pour l'Europe et pour la France une chance capable de changer leur destin, une grâce en apparence tombée du ciel. En apparence au moins, car si l'Occident avait été, des siècles durant, ouvert à l'étranger, c'est qu'il était insuffisamment peuplé, insuffisamment défendu. Or sa population a peu à peu augmenté, ses villes se sont fortifiées. L'expérience a enseigné les façons de lutter contre les cavaliers hongrois, ou contre les barques normandes remontant ou descendant les fleuves. Bref, ce qui nous a été souvent présenté comme une cause – et à juste titre – est aussi, à non moins juste titre, une conséquence. L'arrêt des invasions barbares s'explique, en partie, par une puissance nouvelle de l'Occident.

D'ailleurs, n'imaginons pas une France qui, désormais, coulerait dans la paix retrouvée des jours tranquilles. La guerre intérieure y est toujours présente, qu'il s'agisse des luttes entre seigneurs rivaux, de la remise au pas de vassaux rebelles ou pillards, des efforts du roi pour étendre son autorité à de nouvelles provinces, ou de la longue guerre qui s'instaure déjà entre France et Angleterre, sur le sol français, à partir de 1109, début de ce qu'on a appelé parfois la « première guerre de Cent Ans » [10]. Pillages, tueries, brigandages, insécurité font partie du quotidien. Ce qui explique l'intervention répétée de l'Eglise, parfois aussi de l'Etat, pour prêcher « la paix de Dieu », « la trêve de Dieu », pour organiser des associations dont les membres s'engagent par serment, pour tant d'années, ou telles périodes de l'année, ou même tels jours de la semaine, à traiter pacifiquement leur prochain. « Que dorénavant, dans les évêchés et dans les comtés, aucun homme ne fasse irruption dans les églises ; que personne n'enlève des chevaux, des poulains, des bœufs, des vaches, des ânes, des ânesses avec leurs fardeaux, des moutons, des chèvres, des porcs. Qu'on n'emmène personne pour construire ou assiéger un château, si ce n'est ceux qui habitent sur votre terre, votre alleu [11], votre bénéfice [12] ;

... que nul ne fasse tort aux moines ou à leurs compagnons qui voyagent sans armes ; ... qu'on n'arrête point le paysan ou la paysanne pour les contraindre à se racheter » [13]. Tel était le premier texte de ce genre de pacte, proposé, vers 990, par l'évêque du Puy, Gui d'Anjou. Encore faut-il ajouter que chevaliers et paysans n'acceptèrent de conclure cette première « trêve de Dieu » qu'après avoir été encerclés par des groupes armés, réunis par les neveux de l'évêque ! Alors, ne parlons pas trop vite de paix dans la France d'après l'An Mille. La paix, bien sans pareil, tardera à s'épanouir jusqu'en 1250 [14]. En fait, la guerre est une industrie comme les autres ; elle se nourrit de l'essor général comme les autres activités des hommes.

Donc l'essor du xe siècle et des siècles qui vont suivre coexiste avec des processus qui, souvent, le contredisent. Il est un mouvement, une histoire des profondeurs, un élan de vie capable de guérir sinon toutes les plaies et blessures, au moins un certain nombre d'entre elles.

De cette transformation profonde, un fait essentiel, rarement mis en lumière, est sans doute la progressive disparition des encadrements et des structures matérielles de Rome. L'Empire romain, au maximum de son extension, avait été une *économie-monde* puissante, un ensemble cohérent vivant avant tout de la Méditerranée, surface privilégiée de transport. Les rivages, les bordures de la mer Intérieure étaient annexés, liés par la vie économique envahissante dont Rome était le centre – Rome et l'Italie. Avec le transfert de la capitale de Rome à Constantinople (324), le centre de l'économie-monde s'est déplacé vers l'est, au bénéfice de cette *Pars Orientis*, de cet Empire d'Orient qui naît lors du partage de Théodose (395). Mais ni cette cassure ni la suppression, en 476, de l'Empire d'Occident n'ont détruit l'encadrement économique du monde romain : l'économie-monde qui en assurait la base matérielle se maintient, bien qu'amoindrie. Byzance, avec sa monnaie d'or, ses soies somptueuses, ses flottes, ses avances à la reprise, ses nombreux paysans libres, continue à dominer l'Occident des Barbares à l'ouest, voire, avec un moindre succès, les pays conquis par l'Islam. L'Occident, la Gaule de Clovis, la France de

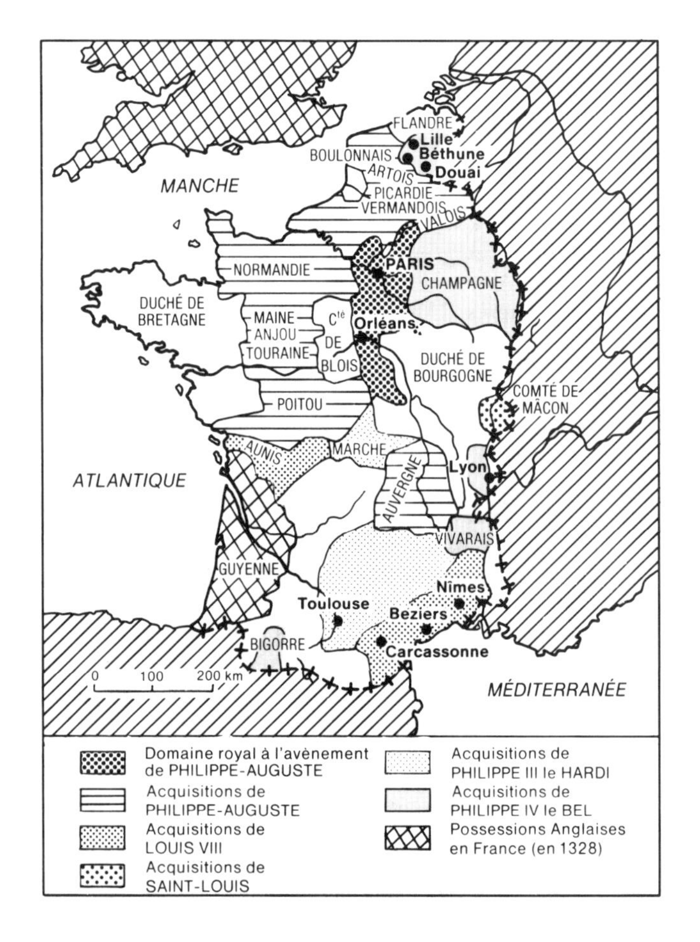

LA FRANCE DES CAPETIENS.

Hugues Capet regardent encore vers la mer Intérieure. Ce sont des économies marginales. Pour elles, il y a liaison, fascination, domination.

L'autre héritage durable de Rome a été l'esclavage. Il faut retenir la thèse récente de François Sigaut [15] : au temps de la république, la paysannerie romaine et italienne a conquis l'espace où s'est installé l'Empire de Rome. Mais c'est l'esclavage, en Italie, qui accompagne, qui lance la supériorité de la péninsule, crée les grands domaines, les *latifundia*, et les surplus de la production. Avec les difficultés du ravitaillement en esclaves (plus de conquêtes, plus de prisonniers), le régime des *latifundia* régresse en Italie, mais trouve pour le continuer l'Afrique du Nord, l'Espagne, la Gaule. Il y a sinon relance, au moins continuité. La Gaule romaine passe peu à peu, pas totalement mais largement, sous le régime esclavagiste de la villa gallo-romaine. Là aussi, cependant, il y a eu par la suite détérioration, mutation. Pour que le régime se maintienne, il faut un gouvernement fort et des guerres qui procurent l'esclave. Or, les guerres continuent bien à l'intérieur de la Gaule, à ses frontières, mais le pouvoir fort s'évanouit. Crée-t-il la féodalité ou celle-ci le dévore-t-elle ? Le résultat est le même.

D'autre part, un paysannat libre, qui n'a cessé d'exister, se maintient. N'est-ce pas sur lui que s'appuie la conquête carolingienne, laquelle en use sans ménagement [16] ?

En conséquence, si la terre, ici ou là, reste encore peuplée d'esclaves comme au temps du Bas-Empire [17], la situation générale bascule dès avant le xᵉ siècle. Le servage progressivement s'installe, se met en place. Aux dépens parfois de petits propriétaires libres sans doute. Mais remplaçant l'esclavage, il sera aussi l'outil d'un progrès, d'une certaine libération paysanne. Le serf, d'une large façon, possède la terre, s'il lui est attaché. Cette possession stimule son travail, crée les surplus de la production sans quoi les superstructures de la société, de l'économie, de la politique et de la culture seraient impensables. Est-ce le moment d'avancer, en faveur du servage, outil d'une productivité accrue, une thèse analogue à celle de François Sigaut pour l'esclavage antique ?

Mais la grande novation, à travers le xᵉ siècle et les siècles qui vont suivre immédiatement, c'est aussi qu'une économie-monde *nouvelle* se substitue à l'encadrement romain. La Méditerranée n'est plus prioritaire, mais bien l'Occident, la terre d'Europe. La reprise de l'Italie, l'essor accentué des Pays-Bas constituent les deux pôles de ses activités, avec, au centre, la force attractive des foires de Champagne et de Brie [18]. Une Renaissance s'annonce, la « vraie », si l'on en croit des médiévistes hors pair comme Armando Sapori et Gino Luzzatto [19]. Mais le mot de Renaissance, qui suppose la reprise d'un outil ancien, convient-il ? A mes yeux, il s'agit d'une création, d'une indéniable innovation. La naissance de l'Europe.

L'essor de la première Europe

1. *La population.* Le premier facteur de cet essor, c'est la montée de la population. Le nombre grandissant des hommes est une sorte de ciment : les hameaux, les villages, les villes grandissent, les échanges se multiplient ; une certaine cohérence s'ensuit. Mais, pour juger de cette exubérance démographique, nous sommes le plus souvent en face de « sondages » locaux ou d'estimations générales, donc dans l'à-peu-près. J. C. Russell estime la population de la France, vers 1100, à 6 200 000, soit près de cinq fois celle de l'Angleterre (celle-ci assez bien connue grâce au *Domesday Book*, 1 300 000 en 1086) [20]. Or, en 1328, l'*Etat des paroisses et des feux* indique une population française au voisinage de 20 millions [21]. Si le chiffre initial de 6 200 000 habitants, vers 1 100, était exact (il me semble, pour ma part, trop bas), le progrès serait de plus du triple. L'Angleterre qui comptait 1 300 000 habitants en 1086, en compte, vers 1346, 3 700 000, soit aussi une augmentation du triple [22]. Se fondant sur ces chiffres et quelques autres concernant l'Italie, le Danemark, etc., Wilhelm Abel conclut que la population s'est à peu près multipliée par trois dans l'ensemble de l'Europe [23].

En tout cas, un vif progrès est de la partie. Vers 1300, l'espérance de vie « se situait entre trente et trente-cinq ans en Angleterre. Elle était donc nettement supérieure à celle de la Rome antique (environ vingt-cinq ans), à peu près égale à celle de la Chine en 1946, à peine inférieure à celle de l'Angleterre des années 1838-1854 » [24]. Cette montée de la population s'étale, en vérité, sur trois siècles, peut-être au rythme annuel de 0,4 %. Un rythme de longue durée, auquel les hommes qui le vivent ne sont pas toujours sensibles. Alors, ne parlons pas trop vite de marée montante, de bouleversement. Il y a eu accumulation, déformation, transformation. Tout ne s'est pas construit en un jour. Et le mouvement ne s'est pas marqué partout au même moment – il y a eu des décalages, des précipitations dans les zones riches, des lenteurs, des stagnations, voire des reculs dans les régions pauvres.

L'essentiel, c'est que partout le paysan est en cause. Tout part des campagnes, en ordre dispersé. La France est diverse et la féodalité est éparpillement, amas de vérités locales. Mais partout c'est le monde paysan qui va peupler ou repeupler les villes. L'exubérance démographique, il en est la cause. Le mot de féodalisme essaie de s'introduire dans le débat, il pose aux historiens marxistes bien des difficultés si on veut le définir. Le trait essentiel, laissé trop souvent de côté, c'est le rôle de la base, l'action tumultueuse, inorganisée d'un paysan encadré, tenu en main, qui achève son enracinement, qui s'acharne à produire pour lui-même et pour ses maîtres. Le mot de *servage*, que l'on ne saurait éviter, met trop exclusivement l'accent sur le statut personnel du paysan, lequel statut compte moins que son métier, son aisance, la superficie et la qualité de ses terres. « Entre statut juridique et niveau de vie, il n'y avait nullement correspondance : des paysans libres (il y en avait encore) étaient pauvres, des serfs riches. »[25] Le mouvement paysan qui crée la première Europe est un mouvement vers les franchises et libertés rurales, vers une émancipation imparfaite, mais évidente.

2. *La terre et les défrichements.* L'Europe qui s'esquisse, qui prend figure, est donc fille des défrichements, de l'agriculture, de l'élevage. Elle part de la terre que l'on défonce, que l'on pioche, qu'on laboure, qu'on arrache à une nature hostile, de la terre nourricière qui s'étend – qu'elle soit ou non le miracle du servage et de l'acharnement paysan – au détriment des landes, des forêts, des bords de rivières, des marécages, même de la mer envahissante, et aussi de terres autrefois cultivées. Au total, une fabuleuse colonisation intérieure, à partir de villages

anciens qui récupèrent leurs terroirs à moitié abandonnés, qui même en dépassent les bornes et, comme dit Marc Bloch, « bourgeonnent » ; ou encore, à la suite d'opérations systématiques, peut-être tardives, menées par des seigneurs, quelquefois associés entre eux, ou par des abbayes, ou par le roi lui-même.

La mise en valeur de vastes terres nouvelles réclame sans fin des travailleurs « à bras », maniant la pioche et la houe. Souvent, faute de mieux, le recrutement de ces « colons » se fait par racolage, à son de trompe et à grand renfort de promesses : en 1065, l'abbaye de Saint-Denis s'engageait à accueillir et protéger tout nouveau venu sur les terres en voie de création de la Chapelle d'Aude, en Bourbonnais, « fût-il un voleur ou un serf fugitif ». Les migrations d'hommes se multiplient du coup [26].

D'ordinaire, les champs nouveaux commencent par s'étendre aux dépens de déserts où « il n'y avait ni homme ni femme », d'« espaces incultes, jusque-là occupés par les buissons ou les herbes folles. C'est contre les broussailles, les tribules, les fougères et toutes "ces plantes encombrantes attachées aux entrailles de la terre" que la chronique [des moines] de Morigny ... nous montre les paysans acharnés à lutter, avec la charrue et la houe » [27].

La guerre contre la forêt prime cependant toutes les autres, c'est la grande, la pathétique aventure. Quelques forêts seulement, en Sologne par exemple, restèrent à peu près intactes. Partout ailleurs, ou presque, elles reculèrent, quand elles ne disparurent pas, comme en Ponthieu ou en Vimeu. Au sud de Paris, les masses boisées de la Bièvre, de l'Iveline, de la Laye, de la Cruye, de la Loge furent attaquées sans relâche par les défricheurs. C'est ainsi qu'à travers la masse compacte de la Cruye, depuis Rueil jusqu'à la vallée de Sèvres, au long du couloir central qui la coupait, appelé Val Crison, Suger, abbé de Saint-Denis, installa 60 familles : ce fut l'origine du village de Vaucresson [28]. En Dauphiné, les vallées une fois conquises, les défricheurs montèrent, une fois de plus, faute de mieux, « à l'assaut des forêts alpestres » [29].

Détruire la forêt – *essarter* comme on disait dans le Nord de la France, *artiguer*, dans le Sud –, couper les arbres, dessoucher, c'est un labeur épuisant qui acheva de donner à la France rurale le visage qu'elle conservera des siècles durant, souvent même jusqu'à nous. Le tout dicté par une nécessité inéluctable : augmenter les labours pour nourrir une population en progression. Peut-être, au total, cette extension des terres arables aura-t-elle fait disparaître, au bas mot, la moitié des surfaces forestières : soit, selon un calcul très approximatif, 13 millions d'hectares sur les 26 millions de l'An Mille [30].

Non sans danger au demeurant, car, entre la forêt et la terre cultivable, ces deux sources de la vie paysanne, il importait de maintenir un équilibre. Impossible donc de trop détruire la forêt, zone de pâturage, réserve de bois de construction et de bois de chauffage. La civilisation du Moyen Age n'est-elle pas une civilisation du bois, destinée d'ailleurs à empiéter largement sur les temps modernes ? Ne la voit-on pas s'épanouir jusqu'à nous à travers la Champagne humide, au moins à travers le petit pays du Der, au nord de la Haute-Marne : toutes les maisons et même les églises y sont en bois de chêne [31]. Songez aussi et partout au monde sauvage des bûcherons et des charbonniers, aux charpentiers, aux constructeurs de navires, aux tonneliers, aux cercliers, aux sabotiers, aux industries à feu et, pour finir, aux villes, bâties entièrement de bois (Troyes est encore rebâtie en bois après le grand incendie de 1524), chauffées au bois [32].

Cette vaste colonisation ne s'est pas accomplie d'un seul élan. Et surtout les formes du peuplement, de la mise en œuvre des terroirs nouvellement exploités, ont été d'une extrême variété. Par exemple, sur les plateaux tertiaires coiffés de limon qui séparent l'Oise de la Seine, dans le Valois, le Soissonnais, le Multien [33], l'Orxois [34], la Brie, le livre magnifique de Pierre Brunet [35] décrit une série d'expériences différenciées comme à plaisir : villages disposés en arête de poisson ; villages en toiles d'araignée ; villages linéaires ; terroirs assolés, agrandis à l'occasion par les « quartiers » enlevés aux finages d'anciens villages disparus ; hameaux issus d'une ancienne villa gallo-romaine qu'ils ont à la longue phagocitée [36] ; mais aussi hameaux collés à une grosse ferme à laquelle ils fournissent la main-d'œuvre indispensable ; sans compter une série de « villeneuves », nullement identiques les unes aux autres et qui poussèrent chacune à sa façon. Sur la Brie, relativement élevée, gorgée d'eau, largement forestière, les documents sont plus nombreux qu'ailleurs, probablement parce qu'elle a été mise en valeur plus tardivement. Ils permettent d'apercevoir les propriétaires : seigneurs, ecclésiastiques, bourgeois de Paris, eux surtout, ou de Coulommiers, ou de Meaux (grosse place bientôt pour le commerce des grains) [37]. Et pour changer de localisation : quelle enquête ne faudrait-il pas mener sur les terrasses cultivées de Provence ou des Pyrénées !

Les conditions de la colonisation changent selon qu'elle est seigneuriale, ecclésiastique ou paysanne. Cette dernière, évidemment, la plus difficile à identifier. Et pourtant, parmi les historiens, l'explication se fait jour qui met de plus en plus l'accent sur l'action première des communautés villageoises. Je ne dis pas qu'entre Seine et Oise il n'y ait pas eu de défrichements animés par les seigneurs, ou d'essartages réalisés par les Cisterciens, les Prémontrés et, en retard sur eux, par les Templiers et les Hospitaliers. Mais si saint Norbert fonde, en 1120, Prémontré « dans une solitude affreuse de la forêt de Saint-Gobain, marécage fétide, lande inculte et stérile, séjour de la fièvre et des bêtes sauvages », le nouvel ordre s'est installé aussi sur de bonnes terres du Soissonnais, déjà cultivées, qu'il lui a suffi de récupérer, de compléter, d'organiser : pas moins de cinq « granges », dont l'étendue est impressionnante, 275 hectares, 195, 235, 180, 143 [38]... C'est que les ordres religieux obtinrent souvent, sous forme de dons ou à la suite d'achats, des terres déjà en culture. Ils y apportèrent, il est vrai, une organisation, surtout les derniers venus – les Templiers et les Hospitaliers –, c'est-à-dire qu'ils ont capté, discipliné un essor paysan amorcé, sans doute, dès les temps carolingiens.

C'est ce que laisse à penser, pour l'Aunis et la Saintonge, le livre vigoureux de François Julien-Labruyère [39], quand il signale les établissements ecclésiastiques issus de legs pieux, aux XIe et XIIe siècles, aboutissant

« à une *seconde hiérarchie* ... parallèle à celle des fiefs seigneuriaux ».

C'est aussi ce qu'aperçoit et explique Guy Bois, à propos des moines de Cluny. « Une juste appréciation de leur rôle, écrit-il, devrait partir de l'observation suivante : l'essentiel, dans la mise en place de ce système agraire et dans la mise en valeur des campagnes du Clunysois, est antérieur à l'implantation du monastère. Il est à mettre à l'actif de ces communautés de paysans libres dont les textes montrent la grande vigueur, à l'orée du xᵉ siècle » [40]. Si cette constatation se vérifiait, comme je le pense, dans d'autres cas, une explication générale, que Guy Bois évoque au passage, gagnerait en probabilité : cette fermentation précoce des campagnes ne viendrait-elle pas, en ligne directe, de l'effacement préalable des villes ? Ce qui reviendrait à accepter, pour les derniers moments de l'expérience carolingienne, une image plus dégradée encore que d'habitude.

Toutefois, *suum cuique*, il faut reconnaître l'importance de la « fonction d'encadrement » des moines, de leur politique de remembrement, de l'efficacité de leur faire-valoir direct, de leur souci d'améliorer les communications, les routes, les ponts et les activités commerciales à large rayon...

Il faudrait aussi, pour en venir à un dernier ordre de considérations, signaler dans cet ordonnancement progressif de l'espace agricole, les améliorations de l'outillage : le fer qui ne remplace pas le bois, mais s'y ajoute ; la charrue à avant-train mobile, puis à soc métallique et à versoir, qui se répand dans la France du Nord (mais quand ? dès les temps carolingiens ou plus tard seulement ? on en discute [41]) ; le nombre grandissant des bêtes de trait, bœufs et chevaux ; le collier d'épaules se substituant pour le cheval au collier de poitrine ; la meilleure conception et la multiplication des labours ; l'utilisation ici ou là de la marne pour améliorer les terres...

3. *Les villes.* L'essor des campagnes s'accompagne de la montée spectaculaire des villes. A aucune autre époque, les créations urbaines n'ont été aussi nombreuses qu'alors. Partout elles surgissent à côté des villes anciennes qui se

maintiennent d'ailleurs et souvent mènent le jeu – ainsi les villes épiscopales telles que Reims, Châlons, Soissons, Noyon, Tours, Lyon, Vienne, Narbonne, Bordeaux, Bourges [42]... Suivant que vous serez attentif au redémarrage des villes anciennes ou à la naissance des villes nouvelles, poussées par l'essor des campagnes, le couronnant – vous serez en faveur de l'une ou de l'autre thèse : d'un ordre urbain qui aurait précédé l'essor rural ou qui serait au contraire à sa remorque. Précocité des villes, direz-vous avec Henri Pirenne ou Maurice Lombard [43] ; précocité des économies rurales avec Guy Fourquin ou Georges Duby, ou Lynn White [44]. Ou avec Jean Favier qui est péremptoire [45] : « Le développement urbain [en France], écrit-il, ne s'inscrit pas à côté de l'expansion agricole, et encore moins en concurrence avec celle-ci. Il en procède. »

La ville, c'est certain, ne commence à vivre, à se développer, que grâce aux surplus des campagnes, assurés par les redevances dues aux seigneurs ou par la dîme reçue au bénéfice de l'Église, ce qui revient à soutenir, ou peu s'en faut, une thèse que Werner Sombart aura défendue avec passion, à savoir que la ville naît du fait de la présence chez elle des privilégiés, les nobles, les gens d'Eglise, les gens du roi, bientôt les bourgeois, tous possesseurs de propriétés et de redevances en nature. Peut-être faut-il voir dans cette priorité du rural sur l'urbain une caractéristique de la « première » Europe par rapport à la seconde, celle de la vraie Renaissance du XVe et du XVIe siècle, qui a été, elle aussi, un retour à la bonne santé économique, avec les suites que comporte tout remuement de cette nature. Mais alors ce sont indubitablement les villes – une civilisation supérieure – qui mènent le jeu ; elles ont traversé mieux que les campagnes les épreuves et horreurs de la guerre de Cent Ans, elles dominent, du haut de leur capitalisme à la hausse, de leur économie déjà sophistiquée, les plats pays qui les entourent : le démarrage se fait cette fois de haut en bas, non comme au temps des Capétiens de bas en haut. Guy Bois a noté, à propos de l'exemple normand, combien, alors, « le poids des activités industrielles et commerciales

[qui] grandit subitement, réagit avec force sur le secteur agraire »[46].

Encore faudrait-il ne pas trop simplifier. Car on imagine aisément que, même aux XIe et XIIe siècles, les grandes villes de foires, les places de commerce importantes, les ports, ne tirent pas le meilleur de leur développement de leurs campagnes nourricières mais plutôt du négoce, y compris du négoce au loin. Celui-ci, contrôlé par la royauté, est actif dès les temps carolingiens, en direction de l'Angleterre, de l'Espagne, des marchés de l'Est par Strasbourg[47]...

En tout cas, la ville de la « première » Renaissance – quel que soit son mode de développement – va jouer son rôle, recruter ses habitants dans le pays qui l'entoure, animer les trafics autour d'elle ou loin d'elle. Il y a essor accentué de certaines agglomérations qu'avantagent les routes, une rivière, la mer, un gué, un port essentiel. Autour de ces privilégiées, des faubourgs se construisent où les marchands s'installent de préférence. Au gré de leur croissance, certaines éclatent, se divisent en noyaux urbains différents pour répondre aux tâches diverses qui s'imposent à elles. « Toulouse compte trois agglomérations : la cité de l'évêque, le bourg Saint-Sernin de l'abbé, le Château Narbonnais du comte ». Poitiers se divise, quant à elle – est-ce un record ? – en six noyaux urbains[48].

Bref, les villes auront poussé au milieu, sous le couvert d'institutions diverses, souvent rivales, hostiles les unes aux autres. Quand elles parviendront à s'émanciper, au prix d'un effort patient, parfois violent, c'est en jouant des oppositions entre ces divers pouvoirs. Acquérir des garanties, des « libertés », réduire les impôts qui les frappent, s'assurer le droit de se gouverner elles-mêmes, ou comme l'on dit de « se muer en seigneurie », tels sont les buts que s'assigne le mouvement dit communal (la première conjuration pour se transformer en seigneurie se situe au Mans, en 1070)[49]. Mais je n'ai pas l'intention, pour l'instant, d'aborder cet immense et classique problème que je rencontrerai dans la troisième partie de cet ouvrage à propos de l'Etat.

L'essentiel, c'est d'indiquer présentement que la

logique même des villes – qu'elles soient ou non les filles de la révolution agricole – est bien d'assumer la supériorité, l'état de superstructure. Exister, pour elles, c'est dominer. Donc, à un moment ou à un autre, avec plus ou moins de force et d'éclat, elles s'imposent aux campagnes, leur servent de « modèles », elles les assujettissent et, plus elles grandissent, plus elles pèsent sur les bourgs et villages du plat pays. Les trois traits forts des processus urbains, c'est l'absorption par la ville de la majorité de l'artisanat des ateliers seigneuriaux ; l'entrée en scène des artisans citadins qui ouvrent boutique et, bientôt, le marché urbain se développant, se spécialisent, divisent leurs métiers (soit, à l'intérieur de leurs cités, des microcapitalistes, monopoleurs en vérité) ; enfin la présence de marchands qui seront vite intéressés par le commerce au loin.

La ville est donc responsable de la diffusion d'un art de vivre nouveau, d'une économie supérieure qu'elle diffuse autour d'elle. L'outil de cette économie qui presse le pas, c'est la monnaie. Je m'expliquerai sur ce point dans un autre chapitre. Le lecteur peut s'y reporter. Il me suffisait, en ce point de mon explication, de signaler cette mutation décisive.

4. *La révolution industrielle.* Accompagnant le mouvement général de l'économie, les innovations techniques se multiplient : le navire à gouvernail d'étambot et à mâts multiples [50], les « chariots aux roues... protégées par des lames de fer et tirés par des chevaux ferrés », les outils et instruments de fer... Fort de ses services, le forgeron établit sa curieuse et persistante prééminence : « Le cheval et plus généralement les animaux de trait, dont on change périodiquement les fers, ramènent régulièrement le paysan à la forge où se réparent aussi les outils de fer. » [51]

Mais ces détails comptent relativement peu dans ce que l'on appelle la « première révolution industrielle » qui s'épanouit avec l'invraisemblable *multiplication* des moulins à eau, repris au stock inventif de Rome, puis des moulins à vent. Au début, et longtemps par la suite, ces moulins construits en bois « abritaient un mécanisme coûteux [la meule, des tiges de fer] qui, ... en cas de guerre, était démonté pour être mis à l'abri » [52]. Aussi précieux et important que ces instruments était le metteur en œuvre, le meunier, lui-même un spécialiste : « Le revenu qu'il ... tire [du moulin] est parfois décoré du nom de fief et il lui arrive même d'être reçu à l'hommage-lige par son seigneur. »[53]

Des esclaves, des robots entrent ainsi au service des hommes, pas moins de 20 000 moulins à eau en France, dès l'aube du XIIe siècle. De calcul en calcul, on peut estimer que le pays a reçu l'équivalent de 600 000 travailleurs[54]. Un immense effort.

A la fin du XIIIe siècle, tournent 40 000 moulins hydrauliques ; 70 000 à la fin du XVe siècle, contre 20 000 moulins à vent dont l'installation a été plus tardive : le moulin à eau « féodal », a-t-on dit, le moulin à vent « capitaliste » déjà[55]. Beaucoup de ces moulins ont tourné jusqu'au début de notre siècle[56]. Au chapitre de nos oppositions Nord et Midi, ajoutons ce détail : la France « connaît deux modes de construction des moulins à vent, sur pivot au Nord-Est, en forme de tour au Sud-Est, la limite correspondant à peu près avec celle des tuiles rondes et des tuiles plates »[57].

Resterait à peser le poids relatif de ces esclaves mécaniques dans l'activité générale du pays, ce qui n'est pas commode[58]. Mais ce que l'on peut imaginer à coup sûr, c'est le succès de ces inventions après tout élémentaires. J'en veux pour preuve indirecte mais parlante, ces souvenirs d'un Italien arrivé à Gondar, en 1936, lors de la conquête de l'Ethiopie. Il est stupéfait de constater que le grain s'y écrase encore au pilon. Un vieux moteur lui permet de faire tourner une meule sur une autre meule. Il construit bientôt, avec des moyens de fortune, un autre « moulin », puis un autre, vingt au total, judicieusement répartis géographiquement. Du coup, la mouture baisse de coût, de 100 à 10, peut-on avancer. Le promoteur n'en gagnait pas moins largement le prix de sa peine, faisant même presque aussitôt fortune : les paysans s'agglutinaient en des files d'attente aux portes de ses « moulins »[59]... N'en a-t-il pas été de même jadis ?

D'autant que, presque d'entrée de jeu, les moulins des XIe, XIIe et XIIIe siècles ont été adaptés à des tâches

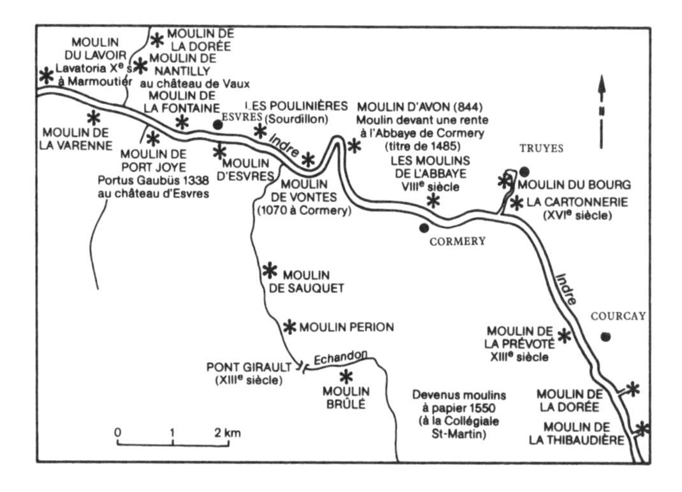

VIEUX MOULINS SUR L'INDRE

A partir du VIIIe siècle, la multiplication des moulins. Sur ce tronçon de l'Indre – d'une quinzaine de kilomètres – et ses affluents, on en compte 19.

multiples : écraser le grain, animer des martinets, des marteaux de forge, des moulins à papier, à tan, à foulons, à huile, à teiller le chanvre... « Sur la foi » de H. C. Darby, l'éminent spécialiste de la géographie historique anglaise, Robert Philippe croit pouvoir dire que « notre XIIe siècle est un XIXe siècle » [60]. C'est, *mutatis mutandis,* l'opinion de Wilhelm Abel [61]. Miracle, à ses yeux, les salaires montent alors à la même vitesse que les prix ! Pierre Chaunu prend à W. W. Rostow sa formule du *take off* [62], du « décollage », et c'est vrai qu'en proie à une série de « multiplicateurs », la Chrétienté occidentale *décolle* et la France au milieu d'elle... Même l'eau alternante des marées a été mise à contribution en Normandie à la fin du XIe siècle [63].

Resterait à savoir si les moulins sont la cause ou la conséquence – sans doute les deux à la fois – de la transformation de la première Europe. Transformation si puissante qu'elle appelle le rapprochement avec la révolution de la vapeur au XIXe siècle. A cette différence près que le moteur à vapeur s'installe où l'on veut, tandis que le moulin est immobilisé au bord de l'eau. Donc, que ce soit dans les villes ou dans les villages, il est impossible d'éloigner des rivières ces sources d'énergie et les industries qui en dépendent. Cette immobilisation, appelée à durer des siècles, caractérise la première modernité européenne et la limite.

Autre limitation, mais plus grave, cette révolution – quelques petites modifications mises de côté – reste prisonnière d'elle-même, elle se répète indéfiniment. La vraie Révolution industrielle, celle qui commencera en Angleterre au XVIIIe siècle, ouvre au contraire une série de révolutions en chaîne, chacune d'entre elles engendrant directement ou indirectement la suivante. Dans la mise en place et les succès de la première modernité, les moulins ont tenu un grand rôle. Mais si elle échoue finalement, c'est pour cent raisons et aussi parce que ladite révolution n'a pas eu de suites différentes d'elle-même, qu'elle n'a pas engendré l'invention de solutions nouvelles en matière d'énergie.

Une chance française : les foires de Champagne et de Brie

C'est à Troyes, à Provins, à Bar-sur-Aube, à Lagny, que se centralisent l'Europe du XIIe siècle et l'économie-monde nouvelle qui se forme à travers son espace. Cet espace porte très tôt la marque du quadrillage de toute économie-monde, c'est-à-dire région centrale, régions moyennes et périphérie. D'où des niveaux différentiels et des décalages, bien que la cohérence économique de l'ensemble le fasse vibrer comme un seul bloc selon des rythmes contraignants, à la montée ou à la descente. Voilà bien des raisons pour que la *première* économie-monde installée sur l'*Europe* retienne notre attention [64].

Je place à l'origine de ce premier ensemble coiffant l'Europe trois préalables décisifs : le réveil précoce d'une économie motrice en Italie, ouverte très tôt sur la

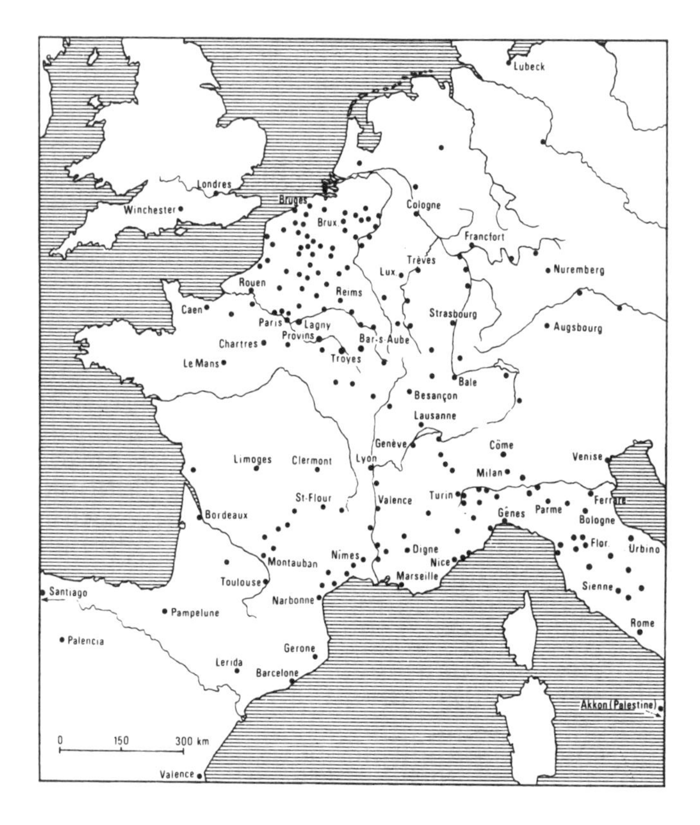

LES VILLES EN RAPPORT AVEC LES FOIRES DE CHAMPAGNE (XIIe-XIIIe).

Cette carte met en lumière l'ensemble économique et la bipolarité de l'Europe du XIIIe siècle, Pays-Bas au nord, Italie au sud. (D'après H. Ammann).

Méditerranée (Amalfi, Venise, Pise, Gênes) ; l'émergence, au triple débouché du Rhin, de la Meuse et de l'Escaut, d'une zone économique vivace, rayonnante, artisanale, marchande, s'étendant peu à peu jusqu'à la Seine ; enfin, la mise en place d'un rendez-vous entre ces deux pôles économiques, sur les cours moyens de la Seine, de l'Aube et de la Marne, aux foires de Troyes, de Provins, de Bar-sur-Aube et de Lagny.

Selon Félix Bourquelot et Robert-Henri Bautier [65] qui suit le jugement de son prédécesseur, les foires de Champagne et de Brie initient leur rôle international durant les années 1130-1160, ainsi, remarquez-le, avec un retard notable par rapport au point de départ, tout de même significatif, de la première croisade (1095). A-t-il fallu, pour que l'assemblage se mette en place, que se fasse sentir comme un puissant choc en retour des croisades ? En tout cas, le retard est patent.

C'est au cours de ces années (1130-1160) que les deux pôles – Pays-Bas et Italie du Nord – se sont *vraiment* connectés, le courant passant entre eux, en gros, par les routes de « l'isthme français » qui traversent l'Europe du sud au nord. Les mesures libérales et constructives des comtes de Champagne, à commencer par Thibaud II en 1125, ont contribué au triomphe des célèbres foires. Les produits du Levant, les épices, les soies, plus les crédits des marchands italiens, s'y échangent contre les draps écrus produits dans une vaste zone industrielle, étendue du Zuyderzee jusqu'à la Seine et à la Marne.

Petit détail : comment s'expliquer la préférence donnée à Troyes, Provins, Bar-sur-Aube et Lagny, à des routes qui, problème supplémentaire, n'étaient pas d'anciennes routes romaines, au détriment de l'itinéraire nord-sud par Reims, Châlons et Langres [66] ? Cette « capture » routière serait-elle due à l'hostilité des comtes de Champagne à l'égard des villes épiscopales (qui leur échappent) de Reims et de Châlons ? Ou à l'obligation, à la tentation, pour les marchands méridionaux, de se rapprocher des acheteurs de produits orientaux – et donc du cœur du Bassin Parisien et de la capitale du royaume, Paris ?

En tout cas, c'est dans les foires successives, se relayant l'une l'autre sans interruption, de Troyes, Provins, Bar-sur-Aube et Lagny, que s'établit, pour plus d'un siècle, le centre de cette nouvelle économie-monde qui, encadrant l'Europe, en supervise la première vie d'ensemble.

On n'insistera jamais assez sur la signification, pour la France, de ce centrage. Comment serait-il sans importance, en effet, que le cœur de la nouvelle économie-monde se trouve à peu de distance de Paris, autre cœur monstrueux ? Si la ville devient ce monstre urbain, avec au moins 200 000 habitants vers 1300 [67], chiffre que n'égale aucune autre ville d'Occident ; si elle « craque dans la ceinture de murailles, pourtant spacieuse, qui date de Philippe Auguste » [68] ; si son Université rayonne sur l'Europe entière ; si la royauté française y pousse comme un chêne de justice, y laisse se décanter ses institutions centrales ; si l'art gothique, *né en France*, se répand au-delà de ses frontières, les foires de Champagne, prospères jusqu'à la fin du XIIIe siècle, y ont été pour quelque chose. A Paris et autour de Paris, une série de cathédrales commencent à sortir de terre : Sens, en 1130 ; Noyon, en 1131 ; Senlis et Laon aux environs de 1150 ; Notre-Dame de Paris en 1163 ; Chartres en 1194 ; Amiens en 1221 ; Beauvais en 1247. « En moins d'un siècle, nos aïeux ont planté ... ces prodiges de pierre. Et ils ont multiplié les performances. La voûte de Senlis a dix-huit mètres ; celle de Beauvais quarante-huit. On n'ira jamais plus haut. » [69] (Notre-Dame de Paris, en effet, n'a que trente-cinq mètres de hauteur.) Comme ces cathédrales se construisent lentement, elles sont, par excellence, des témoins de la longue durée. Commencée en 1163, Notre-Dame ne sera achevée qu'en 1320.

Tout se tenant, rien d'étonnant que Paris devienne, dès le XIe siècle, « le centre culturel de l'Occident » [70], que plus tard son Université, en quête fiévreuse de nouveauté, introduise l'étude révolutionnaire de la logique formelle d'Aristote – en somme de ce que l'on tient alors pour la *science*. Du coup, la poésie et la littérature, jusque-là matières primordiales, sont éclipsées par la philosophie et la scolastique. Dans tel poème acerbe, le philosophe – Michel de Cornubie – s'en prend au poète – Henri d'Avranches : « Moi, je me suis consacré au savoir ... tandis que tu préfères des choses puériles, telles que

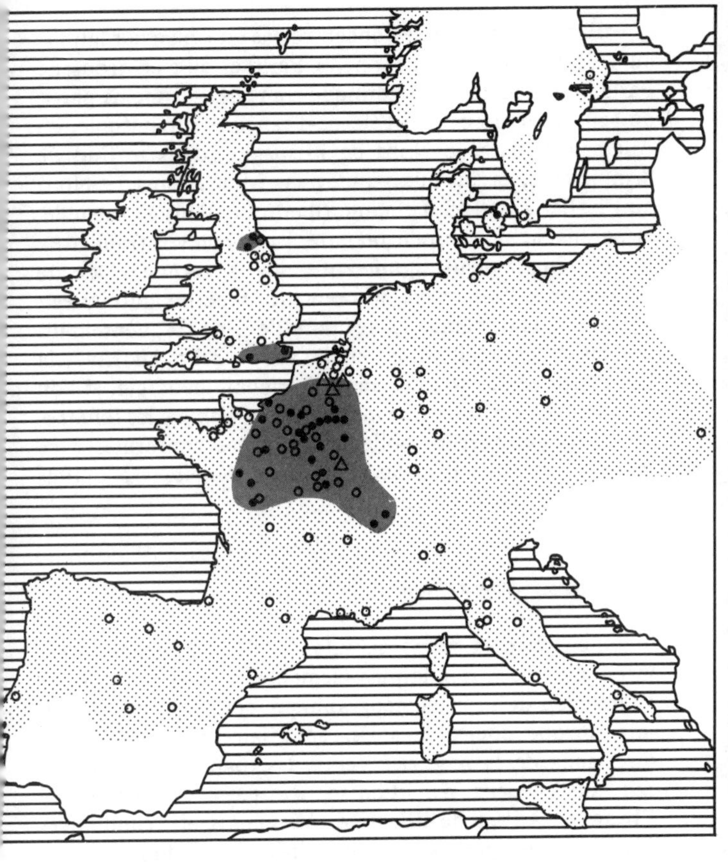

LA CARTE DU GOTHIQUE.

La trame foncée donne l'ère du premier art gothique au XIIᵉ siècle (cercles noirs), la trame plus claire montre l'expansion, de l'art gothique au XIIIᵉ siècle (cercles blancs). Les triangles localisent les monuments détruits.

proses, rythmes ou mètres. A quoi sert tout cela ? On peut bien dire à rien ... Tu connais la grammaire, mais tu ignores la science et tu ne sais rien de la logique. Pourquoi te gonfler puisque tu es un ignorant ? » [71]

Et tout l'éclat ne se concentre pas au « quartier latin », au voisinage de la Sorbonne, à Paris et aux environs de Paris. Je le répète : l'art gothique français essaime. A partir de son foyer premier – l'Ile-de-France – il fait école, en Allemagne, dans le Nord de l'Espagne, dans le Sud de l'Angleterre, et jusqu'à Cracovie... Même dans le Nord de l'Italie, à Milan, à Sienne (bien que, dans l'ensemble, la péninsule se soit peu ouverte à cette mode française). Petit exemple mais significatif : sur la grande place de Sienne, quelques palais arborent des fenêtres gothiques : les grands marchands qui les possèdent ne fréquentent-ils pas les villes de Provins ou de Troyes ? Et, en 1297, la Commune ordonne que, pour l'harmonie générale, si l'on reconstruit ou répare une maison sur le *Campo*, les fenêtres de sa façade devront obligatoirement se conformer à ce modèle, *a colonnelli e senza alcuno ballatoio*, « à petites colonnes et sans aucun balcon » [72].

L'expansion géographique : les croisades

Peut-être la responsabilité de l'essor européen revient-elle à la forme la plus élémentaire de la croissance : l'extension de l'espace géographique conquis par l'économie européenne qui, alors, se dilate dans toutes les directions de la rose des vents. L'expansion anglaise se fait aux dépens de l'Ecosse, du pays de Galles, de l'Irlande ; à l'est de l'Europe, Allemands et Scandinaves pénètrent les pays slaves et baltes ; les Polonais et les Hongrois se convertissent au christianisme avant l'An Mille ; vers le sud, progresse la Reconquête chrétienne de l'Espagne (1212, la grande, la décisive victoire de Las Navas de Tolosa) ; en Méditerranée, sont reconquises les Baléares, la Sardaigne, la Corse ; les Normands s'installent en Sicile et dans le Sud de l'Italie. Plus encore, avec les croisades, la Méditerranée est acquise à l'Occident, dans le déploiement complet de ses routes.

Les croisades, comme chacun le sait, sont un test immense pour le destin de l'Europe et au premier chef – *Gesta Dei per Francos* – pour notre pays. L'Occident devient très tôt (1094) agressif. A son tour d'envahir, après avoir, des siècles durant, été envahi, de jouer les Barbares dans les pays qui se dressent en face de lui – l'Islam et Byzance. A son tour de subjuguer, de faire souffrir, d'exploiter ; les rôles sont renversés. La passion religieuse bouillonne qui ne se refroidira que des siècles plus tard. L'impérialisme, le colonialisme sont en place, qui s'imposent autant et plus qu'ils ne sont choisis. Ferdinand Lot aimait marquer les ombres, les noirceurs de cette ruée répétée. A l'image même, disait-il, non sans raison, des conquêtes brutales du Nouveau Monde, avec des violences analogues. La seule différence – mais elle est d'importance – c'est que l'Amérique n'offrait aux coups de l'Européen que des civilisations encore primitives, ou matériellement mal défendues. L'Europe a pu provigner à travers le Nouveau Monde. Non pas en Afrique du Nord ni dans l'Orient musulman, ou dans l'espace byzantin, violé en 1204, certes pas réduit à néant. Mais ces jugements qui valent pour le long terme nous éloignent de notre sujet – l'expansion première de l'Europe, test brutal, mais test éclairant de l'économie et de la civilisation établies sur l'Europe et, au cœur de l'Europe, sur la France.

La branche descendante (1350-1450)

Ce titre sans panache est-il bien choisi pour annoncer le siècle tumultueux qui « partage avec le xᵉ et le xxᵉ siècle, selon Robert Fossier, la douteuse gloire d'avoir été l'un des plus violents de l'histoire d'Europe » et de l'histoire de la France ? [73] N'aurait-il pas mieux valu donner à ces années qui vont des malheurs de Philippe VI de Valois aux victoires de Charles VII, le Bien Servi, un titre ronflant : la grande dépression, la conjoncture diabolique ? Après sa formidable, dure mais longue ascension, l'Europe a été prise dans un recul massif, général, violent, un recul économique, dirions-nous, au premier chef.

Selon Robert Fossier, si « hochant doctement la tête, les disciples de Simiand [dont il est, qu'il le veuille ou non, et dont je suis plus sûrement encore que lui] y voient une dimension économique générale, une “phase B” [74], disent-ils, une phase de dépression, [cela] n’ajoute qu’un volet au retable » [75]. Pour ma part, je ne crois pas du tout qu’une explication à la Simiand soit un simple « ajout ». Au vrai, elle enveloppe les autres explications, les accompagne, les lie en un tout. Elle ne se limite pas à la « dimension économique ». Car, lorsqu’une économie est touchée dans son épaisseur entière et que, *durablement*, elle est impuissante à rétablir son équilibre et à imaginer des remèdes adéquats, il est forcé que l’économie ne soit pas seule en cause, que bien des motifs de désorganisation se trouvent à l’œuvre.

Hier, l’explication traditionnelle mettait en exergue la Peste Noire qui a frappé la France dès 1347, « sorte de coup de pied dans la fourmilière humaine », au terme de la montée démographique [76]. Mais la chronologie des épidémies est en retard sur la date des premières régressions économiques. De terribles hivers, de 1315 à 1320, avaient entraîné déjà des famines, d’épouvantables coups de semonce. D’autres famines frapperont encore par la suite : en 1340 en Provence, en 1348 dans le Lyonnais ... La pandémie qui surgit à ce moment-là « prolonge et accentue un mouvement de repli [démographique] amorcé depuis longtemps, d’où ses effets irréparables » [77].

Il y avait longtemps déjà, en effet, que la production agricole avait atteint un plafond, elle ne croissait plus au rythme de la population. Dans son merveilleux livre, André Chédeville [78] pense que dans le pays chartrain, « entre 1220 et 1320, c’est déjà la stagnation ». La conquête de l’espace rural s’est achevée et « les derniers défrichements importants sont signalés vers 1230. Le bon temps de monseigneur Saint Louis que l’on évoquera plus tard avec nostalgie n’est certes pas une époque de graves difficultés, mais... les contemporains du pieux roi [du moins en pays chartrain] ont déjà les progrès derrière eux ». La région de Chartres, évidemment, a pu être victime de sa position particulière : trop au nord pour disposer pleinement de la vigne, trop à l’ouest pour s’incorporer aux vastes régions de l’industrie textile, elle ne trouve pas, au penchant du XIIIe siècle, le second souffle qui aurait pu la préserver. Mais ailleurs aussi, bien avant la Peste Noire, les essartages se ralentissent : « Vers 1230 autour de Paris, vers 1250 au Poitou, en Picardie, Normandie, Provence ; 1270 en ... Sologne..., 1290 au Limousin, dans le Bordelais, les Pyrénées ; 1320 au Forez, ... au Dauphiné »[79], entre 1284 et 1350 autour de Bar-sur-Seine[80]...

L'arrêt précoce des essartages à lui seul est déjà un signe. De même l'arrêt de la montée de la population, qui ne dépasse guère la fin du XIIIᵉ siècle. « Entre 1310 et 1320, et parfois même plus tôt, 1280-1290, l'Europe chrétienne semble être à l'acmé de son gonflement démographique », selon Fossier[81]. C'est aussi l'opinion de Robert Philippe qui avance, d'après le pouillé du diocèse de Chartres, que le sommet de l'énorme vague démographique se situe vers 1280. Soit longtemps avant la Peste Noire. La décrue, « autant que nous en ayons pu juger,... s'amorce vers 1280 et se précipite [ensuite] à chaque impulsion conjoncturelle »[82]. Guy Bois situe « l'inflexion de la courbe démographique », en Normandie, « vers la charnière des deux siècles »[83]. Je ne dis pas que le mouvement de la population, « indicateur » primordial, ait tout déterminé, mais il signale au mieux les phases d'un long processus qui tourne au drame. Il est vrai que nous ne possédons sur le mouvement de la population française qu'un seul chiffre à peu près sûr, et encore : en 1328, l'année de l'avènement de Philippe VI de Valois, la France atteint le total (fabuleux à nos yeux) d'environ 20 millions d'habitants. De ces hauteurs, la descente a été forte et vive : peut-être faut-il, en 1450, avancer un chiffre au voisinage de 10 millions. Soit une diminution de moitié. Plus peut-être, si l'on en jugeait d'après les calculs faits en Normandie sur un nombre limité d'exemples : « L'étiage ... atteint, trois hommes environ vivent là où en demeuraient dix. »[84]

Mais cette chute ne s'est pas également répartie sur ce demi-siècle de régression absolue, elle s'est opérée par chocs, reculs successifs. Entre ces reculs, la population augmentant à nouveau, le choc suivant emportait l'acquis et une part du capital ancien. En Haute-Normandie – après une « première reconstruction », d'une quarantaine d'années, au lendemain des catastrophes qui ont accompagné la Peste Noire vers le milieu de XIVe siècle –, se succèdent ainsi une chute rapide, de 1415 à 1422, et une reprise assez longue, de 1422 à 1435 ; puis tout est emporté, de 1436 à 1450, par une crise épouvantable à propos de laquelle Guy Bois, à la recherche d'une expression à la hauteur du désastre, titre un de ses développements : « Hiroshima en Normandie » [85]. La mort se sera acharnée, elle aura recommencé impitoyablement son œuvre. Jakob van Klaveren soutient que la production des humains est leur seule industrie qui ne connaisse pas, par elle-même, de règle des rendements dégressifs. Mais face à cette puissance de vie, à ces potentialités, les circonstances se dressent, hostiles ou favorables.

Hostiles : la Peste Noire, la guerre de Cent Ans. Mais aussi l'impitoyable loi des rendements dégressifs qui s'oppose à la poursuite de l'élan antérieur. Des terres neuves sont encore à saisir, mais si pauvres que les cultiver ne nourrirait pas son homme. La population est désormais en surnombre et, en s'effondrant sur elle-même, elle déchaîne tout contre elle : le fisc royal exagère ses prises, impose à la paysannerie un « surprélèvement » qui la déséquilibre après 1337 ; le recours aux manipulations monétaires touche à la pure folie : « d'octobre 1358 à mars 1360, la monnaie d'argent n'éprouve pas moins de vingt-deux variations. » [86] Sous le choc répété de ces calamités, la société elle-même se détériore : la paysannerie, surprise dans son élan, s'effondre, les seigneurs voient décroître irrémédiablement leurs revenus et cèdent à la tentation de la guerre et du brigandage. Des historiens parlent de la crise, de la « fin de la féodalité », mais un ordre social ne s'effondre que pour céder la place à un nouvel ordre...

La Peste Noire et la guerre de Cent Ans

En 1347, la Peste Noire, double, triple calamité, surprenait une Europe qui avait totalement oublié ce fléau depuis les violentes, mais fort lointaines épidémies des VIe, VIIe et VIIIe siècles. Elle apparaît alors comme un mal totalement nouveau. Guy de Chauliac, célèbre chirurgien du pape Clément VI, à Avignon, écrivait qu'il n'avait jamais existé pareille épidémie. Car celles qu'on avait connues jusque-là « n'occupèrent qu'une région, celle-ci tout le monde, celles-là étaient remédiables en quelqu'un, celle-ci en nul »[87]. A la Peste Noire de 1347-1350 n'échapperont, en effet, et jusqu'à un certain point seulement, que quelques zones intérieures de l'Europe orientale et, en Occident, le Béarn, le Rouergue, la Lombardie, les Pays-Bas, c'est-à-dire des régions que protégèrent les unes leur isolement, à l'écart des grandes routes que suivit l'épidémie, les autres la prospérité exceptionnelle de populations mieux nourries, donc plus résistantes.

Les ravages furent sans commune mesure avec ce qu'avaient provoqué les maladies ordinaires, cependant amplifiées depuis plusieurs décennies par les difficultés économiques. En France, la première poussée (1348-1349), qui traversa le pays en son entier, du sud au nord, fut désastreuse : selon les lieux, le quart, le tiers, la moitié, parfois 80 ou 90 % de la population disparurent. La terreur submergea la France, submergea l'Europe. La peste n'allait plus quitter l'Occident ; elle ne cessera d'y aller et d'y venir, de s'effacer ici pour réapparaître là, puis revenir sur ses pas. Un nouveau cycle de sa virulence s'ouvrait, avec à peu près les mêmes traits que celui qui s'était amorcé un millénaire plus tôt.

Si l'on suit les relevés minutieux du docteur Biraben, il semblerait, au premier abord, que l'épidémie ait été quasi ininterrompue jusqu'en 1670, année qui marquera un arrêt complet (la cruelle épidémie marseillaise de 1720-1722, cinquante ans plus tard, ne touchera que le Sud de la France, réinfesté une fois de plus par voie maritime[88]). En réalité, c'est par poussées intermittentes, coupées d'arrêts et de rémissions, que la maladie frappe, tous les cinq, huit ou dix ans, et en se déplaçant. Sauf en 1629-1636, elle ne met plus jamais en cause, dans le même temps, l'ensemble de notre territoire. Mais elle y tourne

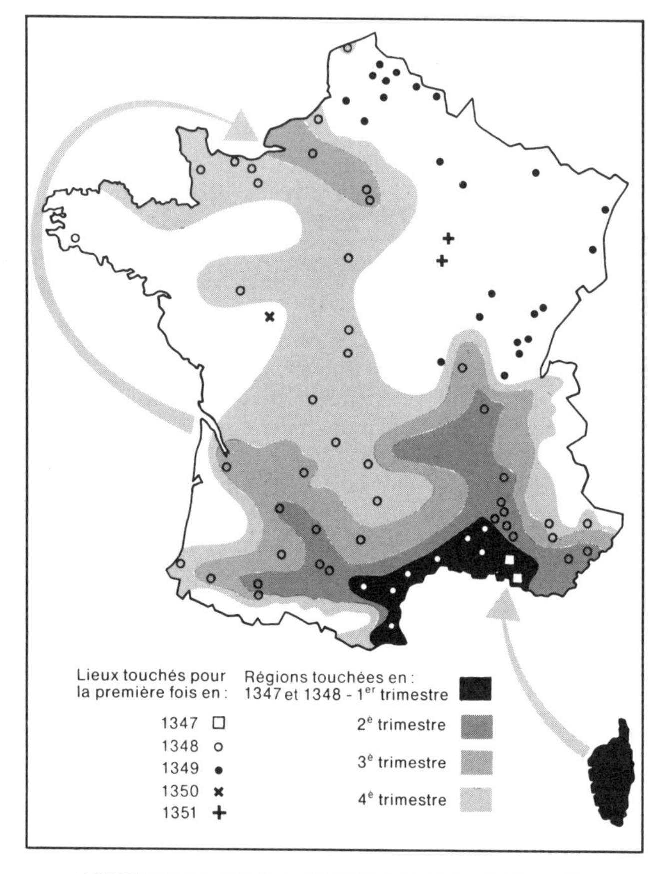

DIFFUSION DE LA PESTE NOIRE (1347-1351).
(D'après Jean FAVIER, *La France médiévale*, 1983.)

sans répit, comme bête en cage. Cependant, ses méfaits s'atténuent avec le temps : au cours du XVIIe siècle, en moyenne, elle n'aurait augmenté les décès que de 5 à 6 % [89]. Enfin, sans qu'on puisse expliquer pourquoi, elle disparaît *complètement* de l'Europe [90] au XVIIIe siècle, comme elle l'avait fait six cents ans plus tôt, après avoir sévi des siècles durant. Soit une répétition surprenante d'un même processus. Voilà qui incite à ne pas grossir à l'excès le rôle, pourtant efficace à nos yeux, des mesures sévères d'isolement des villes ou des régions contaminées. L'histoire de la peste semble bien obéir à un cycle biologique de longue durée.

Ces remarques situent l'incidence et le rôle de la « Peste Noire », c'est-à-dire le début atroce d'une phase morbide, longue de trois siècles. Toutefois, si violente qu'elle soit, si persistante aussi, la peste obéit aux règles mêmes de toutes les épidémies : certes des trous béants se creusent dans la population, mais, le fléau passé, la vie reprend ses droits, les blessures se cicatrisent, veufs et veuves se remarient en hâte (« les hommes et les femmes qui restaient se marièrent à l'envi », raconte Jean de Venette) [91] et il y a, de façon régulière, recrudescence des naissances. A Givry, en Bourgogne, 15 mariages d'ordinaire, bon an mal an ; 86 en 1349 [92].

Toutefois, aux méfaits de la peste s'ajoutent les destructions d'une guerre insistante, obstinée. Evidemment, la guerre dite de Cent Ans n'a rien à voir avec le modèle des conflits modernes. Il faut dire « cent ans d'hostilités, mais non une guerre de cent ans » [93]. Les conflits, autant sociaux et anarchiques que politiques, sont intermittents, coupés de trêves, de négociations. En moyenne, une année de guerre sur cinq. Cependant, les campagnes sont dévastées, ou par le pillage des troupes qui, toutes, vivent sur le pays, ou par les destructions tactiques qui visent à priver l'adversaire de ravitaillement. Quand ils le peuvent, les paysans réfugiés dans les villes, à l'abri de leurs murailles, reviennent à leur terre, le danger une fois passé. Ou bien, comme le raconte Thomas Basin, le chroniqueur de Charles VII, ils se contentent de cultiver quelques parcelles, « comme en cachette », « autour et à l'intérieur des villes », prêts à rentrer dans les murs à la moindre alerte [94]. Bien des champs restent ainsi abandonnés et la crainte de la guerre s'alliant à la diminution brutale de la population, les terres en friches se multiplient. Parlant de l'époque antérieure, « icelui pays de Xaintonge », écrit Philippe de la Boissière, prieur de la commanderie hospitalière de Breuil-du-Pas, en 1441,

« excepté les villes et les forteresses, estoit désert et inhabité... Là où souloient estre beaux manoirs, domaines et héritages, sont les grands buissons ». En 1472, il est encore question dans cette même région, des « déserts qui jadis furent vignes » [95].

A travers la France, on pourrait citer mille témoignages analogues. Sans doute, dans l'ensemble, « il est peu de régions que la guerre marque en profondeur et d'une emprise durable », sauf « celles où les combats s'éternisent, comme la région parisienne, [ou bien] celles où les "routiers" s'installent comme la Provence » [96]. Cependant, aucune région non plus n'a été tout à fait épargnée. Même le Massif Central, à l'abri généralement, où Charles VII dans sa lutte contre les Bourguignons trouvera des auxiliaires admirablement postés pour agir, est traversé par le Prince Noir en 1356 : les Anglais trouvèrent « le pays d'Auvergne où ils n'étaient jamais entrés..., écrit Froissart, si gras et si rempli de tous biens que c'était merveille à voir » [97].

A Paris, Armagnacs et Bourguignons, à qui mieux mieux, donnèrent la preuve de ce que peut faire la folie sanguinaire : assassinats, tueries ne désemparèrent pas. Quand les Bourguignons entrent dans la capitale, en mai 1418, elle est jonchée de cadavres armagnacs, « en tas comme porcs au milieu de la boue » [98]. Les Parisiens vivent le cauchemar de « temps de langueur et de damnation », d'un « monde... bien près de sa fin », comme dit le poète Eustache Deschamps [99], né vers 1346. Pétrarque qui visite la France à la fin du règne de Jean le Bon, vers 1360, est stupéfait : « Je pouvais à peine reconnaître quelque chose de ce que je voyais. Le royaume le plus opulent n'est plus qu'un monceau de cendres ; il n'y avait pas une seule maison debout, excepté celles qui étaient protégées par les remparts des villes et des citadelles. Où donc est maintenant ce Paris qui était une si grande cité ? » [100].

Paris a pourtant survécu aux désastres et reste jusqu'à la fin du XIVe siècle et au-delà « le foyer où s'élaborent les modes, où s'inventent les rites sociaux, où se définit le style de vie et où se forme le goût de tous ceux qui, en Europe, prétendent vivre noblement » [101]. Une capitale, donc ; mais pourrie, pourrissante, installée dans la guerre et ne s'y adaptant que trop bien, un peu comme Anvers après l'arrivée du duc d'Albe, en 1567, qui en fit la capitale de la guerre des Pays-Bas ; ou comme Saigon, lors de « notre » guerre du Vietnam, hier.

Au terme de ce calvaire, la population française est terriblement amoindrie. Si, en 1328, le royaume comptait de 20 à 22 millions d'habitants, acceptons qu'en 1450, il en compte au plus 10 à 12, chiffre supérieur, *probablement*, à ce qu'il était à l'époque de Charlemagne. Mais quel recul !

Revenir à l'économie-monde

Ce reflux de 1350 à 1450 – dates l'une et l'autre approximatives, « grosses », comme l'on dit – ne concerne pas seulement la France. Vous avez sûrement remarqué, en parcourant les excellentes histoires générales dont nous disposons, ou en lisant les lignes qui précèdent, que les explications sur l'essor, comme sur le repli, mettent en cause l'Europe dans toute son étendue. L'histoire de la France est largement *induite* par cet enveloppement. La guerre de Cent Ans, qui s'installe de préférence dans notre espace, ne nous est pas – comment dire ? – personnelle. C'est une épidémie qui a envahi le continent, qui y végète, y bourgeonne à l'aise, y étale ses forces partout les mêmes, ou peu s'en faut. Partout des groupes armés pillent sans vergogne, n'obéissant qu'à leur capitaine, à leur *condottiere* : « Celui-ci peut se mettre plutôt au service d'un prince que d'un autre, mais c'est pure affaire de solde. Jean Chandos, Robert Knowles, John Falstaff sont aux côtés des Anglais, Du Guesclin, Gressart et Cervolle servent le Valois, Hawkwood travaille pour le pape de Rome, Colleone pour Venise, Campobasso et Villandrando pour n'importe qui, François Sforza pour lui seul. » [102]

En conséquence, n'avons-nous pas, nous historiens français, grossi les événements de notre guerre de Cent Ans comme pour nous en approprier les malheurs ? Comme si la France était seule en cause, et non la France plus l'Europe. Comme si ne se retrouvaient pas partout les mêmes signes de crise : la pénurie tragique de monnaie [103] ; les variations inopinées et fréquentes de la *ratio* or-argent ; la chute des prix du blé et, en général, des revenus agricoles, seigneuriaux ou paysans, face à des salaires et à des prix « industriels » qui, partout, restent relativement hauts. Et partout cette disparité qui donne aux villes un avantage grandissant : elles traversent mieux la tourmente. De la Pologne à l'Atlantique, de la mer du Nord à l'Espagne, s'affirme une histoire *une*.

Mais il ne peut y avoir de régression unitaire à l'échelle européenne que s'il y a déroutement, cassure, *décentrage* de l'économie-monde qui la sous-tend. Or il y a bien eu un tel décentrage.

Durant la période d'euphorie, le centre s'était fixé, pour un bon siècle, dans le quadrilatère remuant des foires de Champagne. Autour de ce centre oscillait le fléau d'une balance essentielle : dans un plateau, les Pays-Bas ; dans l'autre, l'Italie du Nord avec ses villes, vraies *multinationales*, Venise, Milan, Gênes, Florence. Le Nord, c'est l'industrie drapante ; le Sud, le commerce et la banque – ce dernier plateau plus lourd assurément que l'autre. Par suite, le déclin des foires de Champagne marquera un tournant : leur prospérité, en ce qui concerne les marchandises, ne dépassera pas la fin du XIIIe siècle ; les paiements de foire en foire, c'est-à-dire la machine du crédit, se maintiendront au plus tard jusqu'en 1320. Dès 1296, on voit des négociants florentins émigrer à Lyon [104]. « Le revenu des foires [pour le fisc] serait passé de 6 à 8 000 livres, au XIIIe siècle, à 1 700 au début du XIVe siècle, pour remonter péniblement à 2 630 livres en 1340. » [105]

Au total, un tournant décisif pour l'Europe et pour la France. En 1297, l'Italie a réussi, en effet, sa première liaison directe et *régulière* par Gibraltar jusqu'à Southampton, Londres et Bruges, grâce aux grosses caraques de Gênes que vont suivre, plus ou moins vite, les autres navires de Méditerranée (les galées de Venise inaugureront leur liaison directe seulement en 1317 [106]). En même temps, les routes terrestres les plus actives à travers les Alpes se déplacent vers l'est : au Mont-Cenis et au

L'ECONOMIE-MONDE EUROPEENNE EN 1500.

Les trafics internationaux font le tour de la Méditerranée (avec prolongement vers l'océan Indien) et de la péninsule Ibérique jusqu'à la mer du Nord et la Belgique. La liaison terrestre (pointillé) emprunte les routes d'Allemagne à l'est de la France.

Grand-Saint-Bernard se substituent le Simplon, le Saint-Gothard, le Brenner. L'isthme français ne tombe pas en panne, mais se trouve concurrencé et, au vrai, déclassé. Le métal des mines d'argent allemandes a été, sans doute, un des moteurs de ces déviations [107].

Finalement, la France que le trafic des foires de Champagne vivifiait – du moins en partie, ainsi dans la vallée du Rhône, dans l'Est et le Centre du Bassin Parisien – se trouve déconnectée, à peu près hors des routes principales du *capitalisme* européen. Et cette mise à l'écart sera de longue durée. Les pays que favorisera le capitalisme à venir sont curieusement situés sur un cercle qui entoure la France à bonne distance : routes d'Allemagne, itinéraires des navires méditerranéens qui touchent à Marseille, à Aigues-Mortes, mais surtout à Barcelone, à Valence, à Séville, à Lisbonne, et prennent ensuite, vers le nord, la route directe du golfe de Gascogne – laquelle gagne Southampton, Londres et Bruges sans toucher, sauf accident, les ports français (sauf peut-être La Rochelle où des marchands florentins, qui protègent la ville, sont en place durant la guerre de Cent Ans) [108]. Ainsi se ferme le cercle qui nous entoure.

Ces nouvelles liaisons ont été lentes à s'organiser, comme le veut ce genre de processus. Cependant, avec le mouvement de bascule qui se produit alors, c'est l'Italie qui l'emporte. Si bien que, dans les temps gris et plus que maussades qui s'instaurent, elle se trouvera relativement « à l'abri », comme disent les économistes.

Du coup, la lutte pour la primauté devient serrée, dramatique, entre les grandes villes de la péninsule qui sont chacune, déjà, de grands centres liés à l'économie internationale. Florence qui, jusque-là, avec l'*Arte di Calimala,* se contentait de teindre les draps écrus achetés dans le Nord, naturalise chez elle la fabrication des draps avec l'essor rapide de son *Arte della Lana* [109] ; elle est à la fois victorieuse sur le plan industriel et sur le plan plus risqué, mais qu'elle pratique depuis longtemps déjà, de la banque, de la finance. Elle aura joué, contre la France, la carte anglaise. Gênes, la première comme toujours à flairer le vent, a ouvert la nouvelle (et dès lors régulière) route du Nord, par Gibraltar. Milan, en pleine activité, s'approche de ce qui aurait pu être, des siècles à l'avance, la Révolution industrielle [110]. Est-ce la crise (elle existe, même pour les privilégiés) qui l'a privée de ce succès, seulement frôlé et pourtant étonnant, sensationnel aux yeux des historiens ?

Finalement, c'est Venise qui l'emporte sur toutes ses rivales, et grâce à un capitalisme marchand – et non bancaire – que je qualifierai de capitalisme vieux jeu, traditionnel. Certes, mais le moteur de l'économie, dans ce qu'elle a d'international et de plus fructueux, n'est-ce pas alors, à l'Est de l'Europe, la mer Noire et la route de la soie, jusqu'à l'invasion mongole de 1340 ? Et ensuite le Levant, particulièrement l'Egypte (qui draine le poivre et les épices de l'océan Indien, plus l'or en poudre du Niger), dont Venise s'ouvre à nouveau la porte vers les années 1340 ? D'ailleurs, c'est sur mer et sur les marchés du Moyen-Orient et de la mer Noire que Gênes et Venise se livreront leur guerre sans merci. Le combat restera longtemps indécis puisque ce n'est qu'à la fin du XIVe siècle, après sa victoire à l'issue de la guerre dramatique de Chioggia (1383), que Venise sera enfin débarrassée du rival génois et s'installera dans sa primauté, dès lors tranquille [111]. Et cette primauté déclasse la France qui, pour longtemps, est bel et bien hors jeu. Qui le restera lorsque, finalement, l'Europe sortira du tunnel.

L'Europe et le destin de la France

Ai-je montré, comme je l'aurais souhaité, que du Xe ou XIe siècle jusqu'au milieu du XVe, le destin de la France et de l'Europe s'est joué de façon irréversible ? Que ces siècles sont au cœur de notre histoire ?

Première raison : l'Europe alors se constitue et s'affirme. Or, justement, il ne peut y avoir une France sans qu'il y ait une Europe. L'Europe est notre famille, notre condition pour être. Nous vivons au milieu d'elle, mieux encore que nous n'aurons vécu dans l'enveloppe de l'Empire romain. L'Europe s'est consolidée, cimentée autour de nous. Nous sommes ses prisonniers, au centre de voisins qui nous regardent et nous gardent.

Seconde raison : l'Europe n'est *une* que parce qu'elle est, en même temps, la Chrétienté ; mais la Chrétienté et, avec elle, l'Europe ne peuvent affirmer leur identité que face à l'*autre*. Aucun groupe, quelle que soit sa nature, ne se forme mieux qu'en s'opposant à un tiers. A sa façon, l'Islam aura participé à la genèse de l'Europe. D'où l'importance des croisades.

Troisième raison : l'essor économique, politique, démographique et culturel a donné à l'Europe ses assises, ses bases, son épaisseur, sa force de frappe, la santé dont elle eut ensuite besoin pour traverser ses épreuves.

Quatrième raison : la plus importante. J'ai montré que la première fortune de l'Europe a été centrée sur la France. Pour elle, les foires de Champagne furent un siècle de prospérité relative mais, quand le siècle s'achève, la mer a gagné la partie contre l'espace des terres et la France ne participe plus à plein à la fortune la plus avancée de l'Europe. Elle se trouve enfermée au centre d'un cercle, comme je l'ai dit, qui lui est étranger, qui part de l'Italie du Nord, passe par Gibraltar, gagne les Pays-Bas, puis des Pays-Bas par l'Allemagne et les routes des Alpes rejoint l'Italie du Nord. La France sera désormais spectatrice des réussites d'autrui et, à deux reprises au moins, elle en subira la fascination. En septembre 1494, Charles VIII franchit les Alpes à la conquête de l'Italie, mais l'Italie lui échappera. En 1672, Louis XIV et Colbert poussent l'armée française contre la Hollande, mais la Hollande leur échappera. L'Europe qui enveloppe la France a tracé et limité son destin. Mieux aurait valu en 1494, ou même plus tôt, traverser l'Atlantique. Mieux eût valu, en 1672, ne songer encore qu'à l'Amérique... Rêverie que tout cela ! Mais en refaisant l'histoire, en l'imaginant autre, ne la comprend-on pas mieux dès lors, telle qu'elle s'est irrémédiablement écrite ?

II

1450-1950 : UNE COURBE ASCENDANTE, ET QUELLE COURBE !

Considérer comme un ensemble vécu d'un seul mouvement les cinq siècles qui se succèdent de 1450 à 1950, en les prolongeant d'un coup de pouce supplémentaire jusqu'au temps présent, ce sera au moins se condamner à oublier les avatars multiples, certes effarants, de notre passé et à saisir, si tout va selon nos vœux, une histoire en profondeur que les habituelles chroniques nous occultent. La durée multiséculaire offre la meilleure des perspectives, la seule qui soit valable pour un bilan constructif de l'histoire.

Il reste entendu que la réalité démographique demeurera au premier plan de l'observation à conduire. Non que je la croie à elle seule déterminante, je le répète, mais c'est, finalement, l'enregistrement par excellence de toutes les forces aux prises avec l'histoire, les fugaces, les permanentes, les fragiles, les fortes... Elle est synthèse, classement. Pierre Chaunu a raison de dire : « Pour l'historien, l'indicateur démographique constitue la jauge, la ligne de vie, la ligne de flottaison... Il n'y a d'histoire que d'hommes. » [112]

Alors supposez l'impossible, supposez qu'aient été réunis tous les chiffres, toutes les courbes dont nous aurions besoin : population, production, circulation, mouvements des prix, et distinguées à bon escient chacune de leurs phases. De toute façon, une constatation s'imposerait : en dépit de tous les accidents vérifiés, la France n'a plus *jamais* connu de régression catastrophique analogue à celle qu'elle a traversée de 1350 à 1450. Aucun accident *mortel* n'est dès lors à retenir, aucun gouffre de sinistre ampleur ne s'est creusé où le tiers, la moitié de la population française aurait pu disparaître. Aujourd'hui, pour une telle horreur, il faudrait imaginer – et l'on ne s'en fait pas faute – une catastrophe nucléaire aux frontières de l'apocalypse.

Par rapport au processus diabolique de 1350-1450, on classera sous la rubrique de catastrophes et calamités de second ordre, nos guerres de Religion (1562-1598), toutes nos guerres extérieures, celles de Louis XIV, de Napoléon Ier ou du Second Empire. Si j'ajoute la première et la seconde guerre mondiale, beaucoup d'historiens ou de polémologues protesteront, crieront au blasphème, au scandale. Je les comprends. Mais je persiste. Ne sont-ils pas trop nombreux, par habitude ou facilité, à penser que la guerre est le rythme majeur de l'histoire du monde ? Toutes les guerres sont des blessures, des sacrifices inouïs de vies humaines. C'est malheureusement exact et la note à payer n'a fait que croître, à mesure que nous nous rapprochons du temps présent. Toutefois, ces blessures, si graves soient-elles, se cicatrisent. La guerre de Cent Ans, en s'achevant, ouvre les portes à l'essor du « long XVIe siècle » (1450-1650), qui rétablira le volume ancien de la masse vivante des hommes, en France comme hors de France. Encore faut-il se rappeler que, si la dépression de 1350 à 1450 a été une descente aux enfers, la guerre ne fut pas alors le seul fossoyeur. L'Anglais ne porte pas sur ses épaules toute la responsabilité du désastre : il y a eu, comme je l'ai dit, perte sous-jacente de vitalité, famines, effondrement économique, reflux, et la peste pour finir.

Rien de comparable avec nos guerres de Religion : d'abord elles durèrent moins longtemps, non pas un siècle et davantage, mais trente-six ans (1562-1598) – qui d'ailleurs ne furent pas occupés sans arrêt par la guerre. D'autre part, les hostilités n'ont jamais mis en cause tout le royaume à la fois (voir cartes du volume I, pp. 106-107). Et l'Espagnol (accusé avec trop de générosité) n'a pas joué le rôle diabolique des Anglais, lors de la guerre dite de Cent Ans. Enfin, la santé économique du pays est restée bonne, ou assez bonne, ce que Frank Spooner [113], Henri

Lapeyre et moi-même [114] avons signalé depuis longtemps, sans que l'historiographie en ait tenu compte. Il y a des mythes que l'écriture historique respecte, quoi qu'il arrive. En tout cas, le père Roger Mols, exceptionnel connaisseur de l'histoire des populations européennes, a tout de même écrit, dans son grand livre (1954) : « Démographiquement parlant, [les guerres de Religion] semblent avoir fait plus de bruit que de mal. » [115]

Je ne minimise pas, pour autant, l'impact de ces guerres intestines dont, personnellement, j'ai parfaitement horreur. J'imagine sans peine les destructions, les souffrances qu'ont signifiées ou la prise de Lyon par les protestants en 1562 ; ou l'héroïque « tour de France », « la déroute en avant », de Coligny lors de la troisième guerre, d'octobre 1569 à l'été 1570 : « Quelques milliers d'hommes qui semaient sur les routes leurs chevaux efflanqués » et pillaient pour se « refaire » [116] ; ou les deux raids d'Alexandre Farnèse à partir des Pays-Bas, qui obligèrent Henri IV à lever les sièges de Paris (1590) et de Rouen (1592). Mais le critère de vérité auquel je me reporte est le suivant : la population du royaume *ne semble pas avoir* diminué au cours de nos trente années de guerres religieuses, donc nullement comparables à la vraie guerre de Trente Ans (1618-1648) qui va laisser derrière elle, en Allemagne, d'affreuses traces sanglantes.

Mêmes constatations pour les guerres de Louis XIV, extérieures au territoire de la France, ou pour les guerres de la Révolution et de l'Empire : la population française, une fois de plus, compense ses pertes et va à nouveau de l'avant. C'est même vrai au lendemain de la première guerre mondiale, si meurtrière, qui a coûté à la France entre 1 500 000 et 1 800 000 morts, tous hommes jeunes et actifs, et de la seconde guerre mondiale qui a laissé derrière elle un passif qu'on estime à 600 000 morts. En 1911, la France compte 39,6 millions d'habitants ; en 1921, 39,2 (mais y compris l'Alsace et la Lorraine : 1 710 000) ; en 1936, 41,9 millions ; en 1946, 40,5 et en 1983, 54,6.

Si le lecteur, au vu de ces chiffres, laisse de côté des objections sentimentales, difficiles sans doute à écarter, il constatera qu'indépendamment des guerres et des autres accidents et chausse-trappes de l'histoire, des forces profondes, depuis le XVe siècle, animent, soulèvent, nourrissent la population française, comme toutes les populations du monde, et lui ont permis, fleuve pérenne, de traverser victorieusement contraintes, épreuves, catastrophes. « Le véritable "secret" d'une population, dit justement Pierre Goubert, ce pourrait bien être son aptitude à survivre » [117]. C'est le problème que je voudrais mettre en avant.

Des phases successives

En simplifiant, quatre mouvements se distinguent : de 1450 à 1600, la population française retrouve plus ou moins (plutôt moins que plus) son niveau antérieur à 1350 ; de 1600 à 1750, il y a, au plus, légère progression, plutôt stagnation ; de 1750 à 1850, la montée est nette, puis son mouvement s'atténue peu à peu, mais sans s'annuler. Après 1850, la montée se poursuit mais les problèmes changent, du fait des progrès de la médecine et de la santé publique, du fait de la contraception et de l'immigration étrangère. Nous traiterons à part cette période ultime, nous contentant, pour le moment, d'examiner les trois premières.

a) De 1450 à 1550-1600

Le premier essor, très vif, débute avant ce que nous appelons les Grandes Découvertes : le débarquement en Amérique (1492), le retour de Vasco de Gama (1498). De même, en Méditerranée, il n'attend pas le moment tardif où la Chrétienté, bousculée par les Turcs, aura repris sur eux l'avantage, après la victoire éclatante de Lépante, en 1571. Ne retenez pas non plus, comme facteur capable de déclencher la progression démographique, le rôle éventuel de l'Europe de l'Est, de la Baltique et de ses expéditions de blé et de seigle vers l'Occident, puisque Amsterdam ne devient un puissant marché de redistribution des grains de la Baltique qu'avec les années 1540. C'est après la forte hausse de sa population que l'Occident aura eu besoin d'autrui pour se nourrir.

Conclusion : la France et l'Europe occidentale (qu'anime une même progression) ont tiré d'elles-mêmes les raisons et moyens de leur renouveau. Nous voilà confrontés à l'*endogène*.

Alors, dira-t-on qu'arrivée au plus bas de sa régression, la population française serait repartie comme d'elle-même, la paix aidant ? La chute avait été brutale et ses conséquences considérables. L'homme était devenu rare au point que les arbres, les broussailles avaient ressaisi de vastes espaces, appartenant autrefois aux terres nourricières. La désolation se présentait partout, plus ou moins grave. En Normandie, un député aux états généraux de 1484 déclare que « de Dieppe jusqu'à Rouen ... on ne saurait reconnaître la trace d'un chemin ; on ne rencontre ni fermes, ni hommes, à l'exception de quelques brigands qui infestent encore la campagne » [118]. Entre l'Oise et la Marne (où la guerre a particulièrement sévi), des villages, des hameaux, des fermes ont disparu. Pour reconstruire, il faudra de l'argent, encore de l'argent, des hommes, encore des hommes, et du temps, encore du temps. Parfois un siècle. Très souvent, la terre inculte a été reprise en main par le seigneur, mais il ne trouve pas aisément de nouveaux *censitaires* pour remettre les choses en ordre, relever les maisons et leurs dépendances, reconstituer les champs. Alors force lui est d'offrir des baux avantageux, de longue durée, à des paysans, ou à des groupes de paysans.

Même scénario dans le Languedoc dépeuplé : la lèpre des garrigues a recouvert d'innombrables collines caillouteuses, les bêtes sauvages pullulent, « l'ours brun des Cévennes revient s'installer en masse sur les pentes de l'Aigoual et de l'Espérou ; des hardes de cerfs sillonnent les garrigues et les bois de chênes verts ; le Causse est plein de loups ; les perdrix deviennent aussi communes que les poules ; et, jusqu'au début du XVIᵉ siècle, la chasse paysanne demeure totalement libre, tant les réserves de gibier paraissent illimitées » [119]. La récupération des terres se fait lentement, grâce au travail de familles nombreuses, regroupées sous l'autorité de l'ancien : « On vit à feu et à pot, mangeant et buvant même pain et même vin. » [120] Et puis, divine surprise, la population se remet à croître, avec bientôt une vivacité qui frappe les contemporains. Dans le Languedoc, vers le milieu du XVIe siècle, « les hommes, dit l'un d'eux, se multipliaient comme des souris dans une grange » [121].

Ainsi en fut-il partout en France. Autour de Bar-sur-Seine, entre 1477 et 1560, « les ronces, les épines et les buissons reculent devant le soc des charrues ou les dents de la pioche » ; des champs de blé, des vignes, des prairies recouvrent les terres reconquises [122]. Et les constructions, autant que les cultures, signalent la conjoncture favorable. Des églises se réparent, d'autres se construisent. A Bar-sur-Seine, l'église Saint-Etienne, commencée en 1505, s'achève en 1560. Moins conséquente, l'église proche de Rumilly se construit de 1527 à 1549 [123]. Très loin de là, à Saint-Antonin, dans les Causses, une véritable renaissance architecturale s'épanouit à la fin du XVe siècle et au début du XVIe [124]. Eglises et maisons neuves se multiplient ainsi, comme les hommes. Vers 1572, Brantôme estime que la France « est pleine comme un œuf » [125]. Une marée humaine s'étale à travers l'Europe entière, Angleterre, Italie, Espagne. En Allemagne, un humaniste bavarois, Aventinus, de rapporter qu'alors, si nombreux sont les hommes, qu'on croyait « qu'ils poussaient sur les arbres » [126]... Même l'Empire turc des Osmanlis est en proie à une poussée démographique générale [127].

Pour en revenir à la France, la hausse y a été plus forte en ses débuts ; ensuite se marquent des ralentissements, voire des coups d'arrêt. Le « printemps du XVIe siècle », pour reprendre son mot à Richard Gascon, se calmerait au-delà de 1520. A partir de cette date, en effet – les hommes sont-ils déjà trop nombreux ? –, les prix se sont mis à monter, et comme les salaires ne suivent pas le mouvement, le bien-être se détériore. Par un paradoxe apparent seulement, durant la grande dépression des XIVe-XVe siècles, tant que s'était fait sentir la pénurie des hommes, les bas prix agricoles et l'abandon de vastes terres aux troupeaux, il y avait eu abondance des nourritures, pour le paysan comme pour le citadin [128]. Désormais, il y eut moins de pain, moins de vin, surtout moins de viande aux repas. Et avec le milieu du siècle, entre 1550 et 1560, une dépression décennale se creuse qui correspond, *en gros*, au sombre règne de Henri II (1547-1559).

A un moment ou à un autre, impossible à fixer, la pleine récupération démographique est en voie d'achèvement. Il y aurait autant d'hommes, *en gros*, vers 1550 ou 1570, que deux siècles plus tôt. Pierre Chaunu aura parlé à ce propos de compensation, de récupération, d'un retour à l'ancien équilibre. Qu'on ne voie pas là une simple clause de style, mais bien l'amorce d'une explication. C'est admettre, en effet, que le retour à l'équilibre s'est fait de lui-même, qu'il a été la conséquence d'une force vive, spontanée, qu'avaient contrariée les désordres et calamités de l'époque précédente.

Mais quelles forces vives ? C'est la question essentielle. Peu importe de savoir si l'ancien niveau de la population a été atteint, ou non, et exactement, ou avec défaut, en 1550, ou en 1600, voire plus tard. Comme nous connaissons mal, ou pas du tout, le niveau exact de la population au voisinage de ces dates-là, la discussion reste ouverte [129]. Au vrai, c'est le moteur de cette hausse qui fait question puisque, en tout cas, hausse il y a eu. Réparation, guérison il y a eu de la blessure purulente de 1350 à 1450. Les hommes ont eu raison de l'histoire. Du fait, peut-être, d'un ralentissement des calamités (pestes, épidémies, disettes, famines), du fait de la découverte de sources alimentaires nouvelles (les pêcheries inépuisables de Terre Neuve, les céréales de la Baltique, la diffusion de la culture du sarrasin), de l'élan général de la vie économique (toute blessure au XVIe siècle, répétait Earl J. Hamilton – et Guy Bois dit la même chose [130] – se guérissait d'elle-même). Enfin, grâce à l'arrivée des métaux précieux d'Amérique qui anime les étages supérieurs de l'économie et sans doute en remue l'épaisseur entière.

b) De 1600 à 1750

A partir de 1600, la montée de la population est contenue, déjà freinée ; elle restera, pendant un siècle et demi, à pente faiblement ascendante, presque nulle. En même temps, la vie économique se ralentit, ne connaît aucune novation technique importante, subit une série d'épreuves : cinq grandes crises de famines et d'épidémies s'étendent au royaume entier et l'accablent, en 1630-1631, 1640-1652, 1661-1662, 1693-1694, 1709-1710 [131]. La dernière a laissé derrière elle une réputation effroyable, mais rien ne dit que la précédente – 1693-1694 – n'ait pas été plus grave encore. Toutes ont provoqué des coupes sombres dans la population.

Celle de 1640-1652, qui précède la Fronde (1648-1653) et la traverse presque en entier, n'a pas peu contribué à aggraver les méfaits de cette violente querelle civile. Je crois les misères de ces années-là plus cruelles pour les populations du royaume que celles de nos guerres de Religion, contemporaines d'une France prospère. Pendant la Fronde, la conjoncture économique est désastreuse. Les villes sont contraintes d'ouvrir leurs portes aux paysans en fuite devant les soldats pillards, en quête de vivres : à Reims, les paysans des environs, « en refuge dans la ville » avec leurs vaches, sortent chaque soir à la fermeture des portes pour ne rentrer que le matin, « à la porte ouvrante », profitant de la nuit pour se glisser jusqu'à leur ferme et en rapporter du fourrage [132]. A Reims, mais aussi à Corbie, à Saint-Quentin, à Péronne... Voilà des villes accablées d'hôtes encombrants, des campagnes ravagées, abandonnées, des récoltes perdues.

Tous souffrent de ces épreuves, adultes, enfants, même enfants à naître (la famine perturbe souvent les cycles hormonaux chez les femmes : on l'a constaté par exemple à Leningrad, pendant le siège de la dernière guerre). Emmanuel Le Roy Ladurie parle d'un rythme malthusien de la vie. La mortalité infantile exerce ses ravages. Comme dit Pierre Goubert, « il fallait deux enfants pour faire un homme » [133]. La mort est au cœur de la vie quotidienne, comme l'église au centre du village [134]. L'espérance de la vie à la naissance atteint-elle alors 30 ans ?

Si la symétrie jouait son rôle, on attendrait, vers le milieu du XVIIe siècle, une catastrophe, une chute à la verticale comme en 1350 : mêmes prémisses, mêmes conséquences. Or le processus ne se reproduit pas terme pour terme. Il n'y a pas d'effondrement. L'image d'*ensemble* (car il y a de grandes diversités selon les régions, parfois même, pour telle ou telle période, des tendances opposées, par exemple entre Cherbourg et l'Alsace ou la Provence) [135] est celle « d'une extraordinaire stabilité, avec des mouvements de flux et de reflux », vifs parfois, mais qui se compensent [136]. Il semble que l'équilibre se fasse autour d'un optimum démographique : chaque fois qu'il est dépassé (le taux des naissances étant toujours élevé), il y a crise, et « des centaines de milliers de pauvres sont emportés ». Après quoi, un net excédent des naissances par rapport aux décès se rétablit. Le « plancher » de la population se maintient finalement à un niveau relativement stable. Il résiste aux épreuves, celles des grandes épidémies de peste, des famines, de la Fronde, ou plus tard de la longue guerre de Succession d'Espagne (dont je ne crois pas d'ailleurs que les effets aient été catastrophiques). Celle aussi de l'exode protestant (200 à 300 000 personnes), après la calamiteuse révocation de l'Édit de Nantes (1685).

Pourquoi ce relatif équilibre ? Pour plusieurs raisons mêlées, très variables d'ailleurs selon les régions, ne serait-ce qu'à cause de la diffusion irrégulière des nouvelles cultures, importées du Nouveau Monde. Le maïs et la pomme de terre ne seront pleinement adoptés qu'au XVIIIe siècle et parfois même au XIXe. Mais certaines régions ont été plus précoces que d'autres. Le Sud-Ouest s'est ouvert très tôt au maïs : vers 1640, celui-ci est coté sur les marchés de Toulouse et de Castelnaudary [137] ; à la fin du siècle, il s'est étendu au Béarn au point d'y avoir pris « la première place, dans un système de culture de type intensif » [138]. N'y est-il pas la « céréale dont le peuple se nourrit » ? De même en Comminges, où il est à la fois la nourriture de l'ouvrier agricole, du brassier, et l'instrument d'une révolution de l'élevage des oies et des porcs.

Le rôle du maïs dans le Sud-Ouest, le sarrasin l'assure en Bretagne où il s'impose comme la nourriture des petites gens. Et c'est sans doute ce qui permet à la Bretagne d'être exportatrice de grains, tout au long du XVIIe siècle [139].

L'Est de la France, pour sa part, fait une très petite place au blé noir, c'est la pomme de terre qui va le conquérir. En Dauphiné, en Alsace, vers 1660, en Lorraine en 1680, la pomme de terre, connue depuis longtemps déjà dans les jardins, gagne les champs [140]. A la fin du XVIIe siècle, sa culture en Alsace est suffisamment étendue pour qu'on s'avise de la soumettre à la dîme. Au siècle suivant, à partir des années 1740-1750, une cinquantaine d'années avant le reste de la France, le « pain tout fait » y remplacera largement les céréales dans l'alimentation, sans pour autant diminuer la production du blé : en effet, la pomme de terre, peu exigeante en fumure, prend la place de la jachère. Toute terre arable est désormais cultivée chaque année. Pour Etienne Juillard, « cette généralisation de la pomme de terre [qui s'étendra peu à peu à la France entière] marque la fin des disettes périodiques » [141].

Autre raison de bonne santé pour la France, comme pour l'Europe, les arrivées d'argent – de métal blanc – en provenance du Nouveau Monde. Les historiens ont cru longtemps que cette manne s'était interrompue, ou pour le moins fortement réduite, à partir de 1600 – c'était la leçon des études novatrices d'Earl Jefferson Hamilton [142]. Les travaux qui suivirent, de Pierre et Huguette Chaunu, retardèrent cette date jusqu'à 1610 [143]. Récemment, Michel Morineau, d'après le témoignage des gazettes hollandaises, a fait reculer encore cette date fatidique jusqu'en 1650 [144]. Il y a donc eu un long répit et une interruption relativement courte : l'activité minière du Nouveau Monde se réanimera, en effet, au voisinage des années 1680, si bien que la panne américaine, même si ses méfaits ont joué, n'aura duré qu'une trentaine d'années.

Si donc l'on retient ces dates – 1650-1680 – comme coupure possible, la tentation est grande de diviser notre période en deux, de part et d'autre de ces trente années.

Un demi-siècle tout d'abord, 1600-1650, dont la vie économique, sans être éclatante, est soutenue. Puis un siècle plus morose, 1650-1750, qui dépasse en durée le règne personnel de Louis XIV (1661-1715).

Le premier XVIIe siècle n'a sans doute pas été cette période de dépression accusée dont on a parlé trop souvent. Autrement, comment, dans le cas précis de la France, expliquer cette énigme, à savoir qu'après sa seconde et franche arrivée aux affaires (1624), Richelieu augmente, double, triple les impôts ? On ne peut serrer aussi vigoureusement la vis fiscale que si le produit national (c'est-à-dire le nombre des contribuables et la somme de leurs revenus) est à la hausse, ou pour le moins se maintient.

Pour l'ensemble de la France, la situation matérielle se gâte à partir de la Fronde (1648-1653). Les oscillations des prix deviennent affolantes. Pierre Goubert a ainsi montré, de 1656-1657 à 1667-1668, l'extravagance du cycle dit « de l'Avènement », dont la courbe monte et descend en chandelle [145]. Toutefois ces mouvements désordonnés ont un peu la même incidence que l'épreuve répétée de mauvaises récoltes : le paysan, tel le colimaçon, rentre dans sa coquille, selon l'image qu'aime Witold Kula [146], puis en ressort quand tout se calme ou semble se calmer. En fait, à long terme, les prix sont à la baisse, mais une phase B, est-ce toujours défavorable au niveau de la vie des modestes ? Si les calculs de Frank Spooner sont justes, le revenu national brut se maintient à la même hauteur, entre 1 200 ou 1 500 millions de livres (1701-1760) [147]. La population, vers 1700, est d'environ 20 millions d'habitants : c'est plus que le niveau de la grande puissance que Karl Julius Beloch fixait, dans le monde d'hier, à 17 millions d'habitants [148].

c) De 1750 à 1850

Pour ce siècle d'histoire très mouvementée, coupé en sa zone médiane par les avatars violents de la Révolution et de l'Empire (1792-1815), nous disposons de renseignements plus explicites que pour les périodes précédentes et leur qualité s'améliore à mesure que coulent les années. Nous avons aussi, sur les problèmes démographiques, un excellent guide [149] et des mises au point magistrales [150].

Nous n'avons pas ici à entrer dans trop de détails (et notamment dans les discussions que suscitent à juste titre la valeur et l'utilisation de la documentation). Ni à distinguer avec trop de minutie entre les périodes : très rapide croissance de la population de 1743 à 1770 ; excédent marqué de 1770 à 1778 ; retour à un climat de crises de 1779 à 1787 (mais de crises larvées, atténuées, si on les compare à celles du XVIIe siècle) ; enfin, après l'intermède de la Révolution et de l'Empire – qui correspond à une croissance démographique médiocre, mais à une croissance tout de même – l'augmentation est soutenue jusqu'en 1850 (bien que beaucoup plus faible que celle qui emporte le reste de l'Europe : de 1801 à 1851, accroissement de 30 % en France, contre 50 % en Europe et 100 % en Angleterre).

Une fois de plus, de fortes différences régionales se marquent, mais on peut parler d'une relative bonne santé de la population française dont les chiffres arrondis sont les suivants : vers 1789, 26,3 millions [151] ; en 1801, 27,3 ; en 1806, 29,1 ; en 1821, 30,5 ; en 1826, 31,9 ; en 1831, 32,6 ; en 1836, 32,5 ; en 1841, 34,2 ; en 1846, 35,4 ; en 1851, 35,8. Cet essor, arrêté un instant à peine, entre 1831 et 1836 (le choléra en 1834), semble le fait majeur.

Au vrai n'a-t-il pas de quoi étonner ? N'y aurait-il pas eu bien des raisons à un dépérissement d'ensemble ? La crise de l'Ancien Régime ; les mauvaises récoltes de 1788 et 1789, qui ont joué un rôle dans la fin même de cet Ancien Régime ; plus les épreuves multiples qui se succèdent depuis la déclaration de guerre d'avril 1792 jusqu'à 1815 : émigration (peut-être 180 000 personnes) et pertes aux armées (1 200 000 personnes, plus 400 000 morts peut-être au cours des guerres atroces de Vendée). Le tout avec des « changements dans la répartition des fortunes, [des] perspectives nouvelles d'ascension sociale, [une] transformation des mentalités, [des] innovations juridiques, autant de facteurs qui eurent d'importantes répercussions démographiques, et dont l'effet devait se prolonger » au-delà de 1815 [152].

Toutefois, la population française aura surmonté tous ces obstacles accumulés. Elle traversera de même les années difficiles de la Restauration, de la monarchie de Juillet et de la Seconde République, celle-ci appelée à peu durer (1848-1852). Là encore, étonnons-nous. Car les historiens ont reconnu, de 1817 à 1851, la branche descendante d'un cycle économique de Kondratieff, c'est-à-dire, à travers l'histoire de ces trois régimes, une dégradation constante, voire progressive, de la vie économique, jusqu'à la crise profonde de 1847-1848, exemple classique entre tous d'une « crise d'Ancien Régime », laquelle, issue d'une panne, si l'on peut dire, de l'agriculture, est capable d'exploser à l'intérieur de l'économie entière [153]. Cette crise est sans doute la dernière de ce type ancien, elle marque une limite. D'autres crises de nature différente surgiront, par la suite, à travers une France devenue industrielle et notre population en traversera pareillement les obstacles et les difficultés.

Pour les historiens traditionnels, le siècle 1750-1850 ne saurait être d'une même coulée, coupé qu'il est, politiquement, par la disparition de l'Ancien Régime et, économiquement, par les premiers pas de la Révolution industrielle. La leçon des historiens démographes c'est, au contraire, une certaine unité du destin de la population française, de Louis XV au prince-président Louis-Napoléon, futur Napoléon III. A les suivre, on pourrait affirmer que le XVIIIᵉ siècle finissant tend déjà vers une certaine modernité et que le XIXᵉ siècle, à ses débuts, relève d'un Ancien Régime. Un historien, André Rémond, avait l'habitude, dans nos discussions, hier, de répéter que Guizot était un homme du XVIIIᵉ siècle, le dernier à ses yeux, ce qui est une autre façon de dire la même chose. Je crois, pour ma part, que l'histoire de la population se trouve au-delà des considérations et récits habituels de l'histoire : les événements de la chronique mordent sur elle, mais ne la blessent au plus qu'à titre provisoire.

Y a-t-il, pour les processus démographiques d'avant 1850, une ou des explications possibles ?

Le mouvement de la population doit être compris dans sa totalité (1450-1950 et la suite). Il se pose en effet comme un vaste problème puisque la dominante ne fait aucun doute : il y a eu montée d'ensemble. Mais pour quelles raisons, les générales et aussi les particulières ?

Ces raisons relèvent pour l'essentiel des maladies et des nourritures. Que la peste disparaisse en France en 1720, ou que notre population y résiste mieux à partir de 1450, qu'il y ait eu adaptation, résistance au mal – voilà qui est important. Ou que la variole disparaisse lentement mais disparaisse peu à peu, avec le XIXe siècle, que l'hygiène fasse en ce siècle des progrès, que la médecine subisse, au moins à partir de 1850, une transformation décisive, que l'hospitalisation s'améliore, que la sécurité sociale apporte ses immenses bienfaits après la seconde guerre mondiale... Ce sont là des dates, des processus d'une importance capitale.

Mais ne convient-il pas, au second ou au premier chef, de marquer les transformations, décisives elles aussi, de l'alimentation ? Selon le quasi-proverbe allemand, « l'homme est ce qu'il mange ». Or il n'a cessé peu à peu de mieux se nourrir. L'évolution a été lente, mais elle s'est produite, elle sous-tend la progression ou le maintien des niveaux de la population. Des avancées lentes, c'est vrai, mais la France comme l'Europe est essentiellement agricole ; les champs, les cultures, les surplus vivriers ne se transforment guère du jour au lendemain. Pour 1 grain semé, les céréales rendaient en France 3 grains à la récolte, avant 1200 ; 4,3 entre 1300 et 1500 ; 6,3 entre 1500 et 1820. Ces moyennes, que je prends aux calculs plus que vraisemblables de B. H. Slicher Van Bath, sont très faibles à nos yeux, mais elles ont tout de même plus que doublé en trois siècles [154]. Elles signalent un mouvement de fond qui, sans doute, explique bien des choses. A quoi s'ajoute l'apport inattendu, mais capital, des cultures importées du Nouveau Monde – nous en avons déjà parlé – et l'accroissement aussi des nourritures extérieures : le blé de Méditerranée, confluant depuis longtemps à Marseille (au XIXe siècle, les céréales d'Ukraine prendront le relais de celles du Levant ou d'Afrique du Nord) ; le blé ou mieux le seigle de la Baltique à partir de la seconde moitié du XVIe siècle ; les pêcheries de la mer du Nord, plus encore celles de Terre Neuve ; le blé et les tonneaux de farine des Etats-Unis dès la fin du XVIIIe siècle ... Ajoutez que la France d'Ancien Régime a toujours été, sans doute, un pays où la vie a été moins chère, donc plus abondante, que chez ses grands voisins [155].

Le résultat de ces améliorations, c'est le progressif changement de l'espérance de vie, en d'autres termes le vieillissement de la population. Pour les démographes, 1750 représenterait le début de cette transformation qui s'est poursuivie, en constante progression, jusqu'à nos jours. Certains s'en inquiètent aujourd'hui, comme si ce triomphe sur la mort n'était pas le fait majeur et à bien des points de vue le plus délectable de la modernité. On nous dit, mais est-ce sérieux, que demain les classes actives ne seront pas assez nombreuses pour solder la retraite des classes âgées. Mais l'industrie de demain ne sera pas celle d'aujourd'hui. Puis nous ne sommes pas sûrs de la régression des classes actives et la limite entre activité et retraite ne se maintiendra pas forcément à l'âge actuel.

Je crois que l'on a tendance à penser que l'Europe, exploiteuse du monde des pauvres, des moins développés, a eu une position privilégiée. Qu'elle a vécu de ces privilèges, de ces avantages, qu'elle en a tiré sa grandeur. Je ne dis pas qu'en gros, cette explication ne soit pas juste. Mais il faut la nuancer. L'expansion européenne commencée avec les croisades, reprise avec les Grandes Découvertes, n'a pas abouti à une exploitation régulière et massive du jour au lendemain. Les migrations d'hommes hors d'Europe ont longtemps été d'une extrême modestie. Plus encore, si les calculs de Paul Bairoch sont justes, et je pense qu'ils le sont, le niveau de vie de l'Europe, encore en 1800, ne dépasse guère celui des grandes régions du monde – la Chine par exemple [156]. Ce n'est qu'avec l'industrie triomphante que l'Europe explose, s'acquiert un avenir privilégié. Or la Révolution industrielle est le fruit d'une transformation multiple et tardive de l'économie, de la technique, de la société, et aussi d'une agriculture de plus en plus savante et efficace, progrès primordial que beaucoup de pays du Tiers Monde tardent à réaliser, aujourd'hui encore, car il repose sur l'effort et le savoir accumulés de générations de paysans. Ce qui veut dire, en bref, que l'Europe, et la France au milieu d'elle, ont dû tirer d'elles-mêmes leur lente progression. La morale gagne un peu à cette rectification. Il y a eu réussite, effort de soi sur soi.

III

LES DERNIERS PROBLÈMES : TRIOMPHES DE LA MÉDECINE, RESTRICTION DES NAISSANCES, IMMIGRATION ÉTRANGÈRE

Ne croyez pas qu'en abordant, au-delà de 1850, l'époque vraiment *contemporaine*, on atteigne des facilités ou des clartés que refusait le temps antérieur. Nos connaissances sont dix fois, cent fois plus nombreuses. Mais elles rendent trop souvent peu claires les vraies perspectives.

De 1850 à 1985, la population française, la production française, la richesse globale de la France, le patrimoine des privilégiés, le bien-être des Français n'ont cessé d'augmenter. Il y a toujours eu, avec les années, plus de voitures, plus de routes, plus de voies ferrées, plus de hauts fourneaux, plus de fer, de fonte, d'acier, de draps, de tissus de coton, de soieries, et plus d'étudiants dans nos universités, et plus d'hommes dans l'hexagone... Une immense amélioration du niveau de vie s'est accomplie. Le revenu brut du pays, comme le revenu *pro capite*, n'ont cessé de croître. En *francs courants*, même dans la région la plus reculée de notre pays, le salaire des bûcherons, des ouvriers producteurs de charbon de bois, des scieurs de long n'a cessé de s'améliorer [157]. Je ne dis pas que tout se soit déroulé pour le mieux dans le meilleur et le plus juste des mondes : même à Paris, les masses populaires restent trop souvent misérables. Mais il y a amélioration évidente – les alertes et les épreuves, qui n'ont pas manqué, mises à part évidemment.

Sur ce progrès, sur notre appartenance à une humanité privilégiée – celle de l'Europe industrielle – j'ai pensé qu'il était superflu de s'expliquer longuement, d'autant que le lecteur pourra se reporter aux graphiques et tableaux qui, dans la suite de ce livre, marquent et résument les diverses mesures de cette indéniable progression. Ces tâches un peu fastidieuses écartées, il me sera plus aisé de privilégier trois problèmes, à mon avis essentiels, et qui nous jettent vers cette actualité que je voudrais rejoindre.

1. Quelles sont les améliorations miraculeuses qui, grâce à la médecine et aux progrès combinés de la société et de l'économie, ont changé sous nos yeux les conditions biologiques des populations françaises et des autres hommes privilégiés de cette terre ?

2. Quel rôle joue, dans nos sociétés, la diffusion, bien connue de tous, des pratiques contraceptives, si souvent mises en accusation ?

3. Comment peser chez nous le rôle grandissant et, à plus d'un titre, angoissant de l'immigration étrangère, dans l'équilibre présent et plus encore à venir de la population française ?

Mais avant d'aller plus loin, je tiens à dire, pour être plus net :

1. Que dans les pages qui suivent, je ne propose pas, au nom de l'histoire hésitante qui vient de se dérouler ou se déroule encore sous nos yeux, des *solutions* à des problèmes qui nous tourmentent. Je ne suis ni un homme politique, ni un responsable politique, ni un moraliste. Si la décision était dans mes mains, je sais qu'entre ce qu'il *faudrait faire* et ce que les circonstances me *permettraient de faire* (souvent presque rien), il y a d'énormes distances. La France subira, hélas, plus qu'elle ne construira son destin. Je le regrette à l'avance.

2. Méfiez-vous de ce que vous dira votre *conscience*, car elle est partie prenante en ces débats. Le présent relève d'une observation scientifique. Mais, à cause de nous-mêmes, le présent *objectif* tend à se dérober. D'autant que les « sciences » sociales sont encore imparfaites et risquent de le rester longtemps encore.

Alors comment tenir la morale à l'écart ? Elle intervient spontanément, logiquement, dans le champ même de l'observation. En mathématiques, pas de morale, évidemment. En physique, à peine quelques zones dangereuses – bien que très dangereuses. En biologie, la morale ne cesse de grogner et elle n'a pas fini de le faire. Dans les sciences sociales, c'est pire encore : elle hausse le ton, surtout si vous avez l'imprudence d'aborder l'actuel ou le « futurible ». L'histoire d'hier, passe encore ! L'histoire d'aujourd'hui, ou celle de demain, chacun, à son propos, pense qu'il a son mot à dire. La morale, nos morales sont donc au rendez-vous. Je ne réussirai pas à les faire déguerpir. J'essaierai, tout au plus, de les maintenir à leur place.

Médecine et santé publique

Assurément, il n'y a pas d'histoire plus passionnante que celle de la médecine. Plus sûrement encore, il n'y a pas d'histoire plus compliquée, plus enchevêtrée, plus difficile à décrire. Sans doute, comme je l'ai souvent avancé, parce qu'il n'y a pas, où que ce soit, d'histoire particulière ou partielle – celle de la médecine ou telle autre – qui ne mette en cause, à l'envi, l'espace entier de l'histoire générale.

Bien des médecins pensent, aujourd'hui, qu'il est sans importance, sans utilité pratique, de considérer la médecine d'hier. Aucun profit, lors d'un voyage rétrospectif, à dépasser l'année 1945, et encore. Pourtant, la découverte de la pénicilline, frôlée depuis des décennies, a été faite par Alexander Fleming en 1929 ; l'héparine, substance naturelle anticoagulante « qui a permis le développement des investigations et des traitements cardio-vasculaires, fut découverte en Suède » pendant la dernière guerre mondiale [158]... Mais tout cela fait partie d'une histoire récente et il est vrai que la coupure est fantastique, et chaque jour approfondie, entre la médecine d'hier et celle d'aujourd'hui.

M'étant passionné, jadis, à l'occasion d'un de mes cours au Collège de France, pour les travaux d'Ambroise Paré (vers 1509-1590), j'avais pensé que l'outillage chirurgical avait connu, du XVIᵉ siècle à nos jours, une certaine continuité. Apparemment, peut-être, mais il y a même des changements dans la seule façon d'utiliser des instruments quasi semblables, serait-ce une simple lame, comme le signale Jean-Charles Sournia, chirurgien et, par surcroît, historien averti de la médecine. « Le plus simple des gestes chirurgicaux, écrit-il, par exemple l'incision de la peau, ne se fait pas aujourd'hui comme du temps d'Hippocrate : la lame coupante n'a pas le même tranchant qu'autrefois, ni la même pointe, ni le même manche ; le chirurgien [d'aujourd'hui] connaissant mieux l'anatomie contrôle la pénétration de la lame, il évite le saignement inutile, il veille à toute échappée de l'instrument. Il ne tient donc son instrument ni comme Aboulcassis, ni comme Ambroise Paré, sans doute pas même comme Farabeuf, au milieu du siècle dernier. Le poignet n'a pas la même position, ni donc l'avant-bras, l'épaule, le corps. »[159] Quant aux instruments modernes de la chirurgie de pointe ou de la microchirurgie, sans cesse renouvelés, ils sont d'une ingéniosité, d'une précision sans précédent.

Il n'en est pas moins évident que l'histoire de la médecine, fleuve interminable d'idées et d'actes, est partie intégrante et utile de l'histoire générale. Comment les hommes étaient-ils soignés ? Comment les médecins abordaient-ils la connaissance des corps, des maladies, de la santé ? Comment les autorités, celles des villes notamment, concevaient-elles la protection, la surveillance et l'amélioration de la santé publique ? Tout cela a un prix inestimable pour l'histoire des sociétés.

En outre, ce long passé de la médecine, sans fin diffusé à travers l'histoire générale qui l'accompagne, n'est pas sans mettre en lumière certains traits et structures de sa nature, même actuelle. Qui lira les beaux livres de Georges Canguilhem, philosophe et historien des sciences, saura que la médecine d'aujourd'hui, qui se veut science et expérimentation, rien de plus, rien de moins, est encore traversée de concepts *a priori*, tout comme au temps du *vitalisme* de Marie-François-Xavier Bichat (1771-1802) – pourrait-on dire de « mythes », pour reprendre, une fois de plus, un mot du professeur Sournia ? N'empêche que les mythes, si mythes il y a, se remplacent aujourd'hui à vive allure et que l'étude des mécanismes de la vie et de la cellule progresse de façon accélérée et révolutionnaire.

La cassure, la mutation fondamentale date du milieu du XIXe siècle. En quelques années s'accomplissait alors une révolution profonde. Comme le remarque le professeur Jean Bernard, le médecin « n'a acquis l'efficacité rationnelle qu'au milieu du XIXe siècle, avec l'émergence, en seulement six ans (1859-1865), de découvertes aussi fondamentales que celles de Darwin, de Pasteur, de Mendel, de Claude Bernard, qui devaient donner naissance à la médecine moderne et à la révolution biologique qui s'opère sous nos yeux » [160]. Aux noms qu'énumère Jean Bernard, ajoutons au moins, en exergue, celui de François Magendie (1783-1855) qui fut le maître et le précurseur de Claude Bernard, au Collège de France. Au lendemain de la Révolution française qui avait entraîné dans ses ruines l'ancienne Faculté de Médecine, il s'abandonna à corps perdu à la passion absolue du nouveau et, de ce fait, à une polémique sans relâche et sans merci contre les uns et contre les autres. En fait, il aura ouvert la médecine et la physiologie sur ces sciences déjà formées qu'étaient alors la physique et la chimie. Acte salutaire : il a fondé, du coup, la médecine expérimentale. En raison d'un tel exploit, il s'affirme unique dans la chaîne des esprits novateurs, au même titre qu'Evariste Galois (1811-1832), plus jeune que lui, mathématicien génial tué en duel, à vingt ans, et qui eut seulement le temps de formuler, dans un ultime mémoire, la théorie moderne des fonctions algébriques.

Nul plus que Magendie – et, avec lui, Claude Bernard (1813-1878) – n'aura eu le sentiment de vivre une époque nouvelle, révolutionnaire de la médecine. De Magendie, Emile Littré (1801-1881) disait, au lendemain de sa mort : « Il était étranger, hostile même à toute histoire... Les systèmes du passé, le mode de raisonner, le mode d'expérimenter, les tendances, tout lui semblait indigne de l'attention d'un homme sérieux. Pour lui, la science n'avait pas de racines dans les âges antérieurs. » [161] Claude Bernard pensait à l'unisson, qui affirmait sans hésiter que « la science du présent est nécessairement au-dessus de celle du passé et il n'y a aucune espèce de raison d'aller chercher un accroissement de la science moderne dans les connaissances des anciens. Leurs théories, nécessairement fausses puisqu'elles ne renferment pas les faits découverts depuis, ne sauraient avoir aucun profit réel pour les sciences actuelles »[162].

Comprenons ces paroles injustes : Magendie et Bernard s'acharnent avec passion à construire une science médicale fille exclusive de l'expérience. Révolutionnaires au sens fort du terme, il leur faut lutter contre un Ancien Régime qui les entoure et colonise jusqu'à l'absurde les institutions, les hôpitaux, les chaires, les enseignements... D'ailleurs, après eux, leur révolution sera lente encore à se mettre vraiment en place, comme toute révolution en profondeur. D'autant que la physique, la chimie, la biologie – bases essentielles – sont elles-mêmes des sciences en train de se faire, avec leurs retards, leurs avances et leurs limites. La nouvelle médecine se fabriquera, s'imaginera au ralenti, grâce à la clinique hospitalière, ensuite grâce à la médecine de laboratoire. Et cette médecine ne sera efficace que reprise, épaulée par l'Etat et les institutions élargies de la Santé Publique.

Mon but n'est pas d'analyser, comme le permettent des livres admirables, ce lent épanouissement d'une révolution en elle-même aussi importante, si ce n'est davantage, que la conquête actuelle du cosmos. Je désire seulement marquer, et de façon rapide, les conséquences de ces miracles sur la vie des 54 millions d'hommes qu'a dénombrés le dernier recensement de 1982. Conséquences visibles il y a longtemps déjà. En novembre 1949, quand j'ai commencé mon enseignement au Collège de France, plus tout jeune moi-même, mais ayant devant moi des auditeurs souvent bien plus âgés, je leur disais : « Aucun doute possible. Au temps de François Ier, fondateur de notre maison, une réunion comme la nôtre, auditeurs et conférenciers compris, eût été impensable. Le prodige de l'histoire récente, c'est le prolongement inespéré de la vie. » La chute de la mortalité est bien, comme l'écrivait récemment Alfred Sauvy, « une victoire remportée contre l'ennemie multimillénaire qu'est la mort »[163].

Je ne dis pas que cette victoire ait résulté du seul fait de la médecine, alors que mille processus élargissent son impact : les progrès des communications, l'émulation internationale, les remèdes miracles fabriqués en série, les vaccins, le chloroforme découvert en 1831, appliqué en 1847, les rayons X, le laser, les applications de l'électronique, de l'optique, de la congélation, les greffes d'organes, les opérations à cœur ouvert, l'énorme campagne contre les maladies cardio-vasculaires, la lutte sans répit contre les cancers... Reconnaissons que cette guerre multiforme contre les maladies – soit des millions et des millions d'êtres à sauver – est pour l'espèce humaine autrement importante que nos misérables guerres politiques, même les plus désastreuses.

Un fait est là : l'espérance de vie à la naissance est chez nous, aujourd'hui, de 71 ans pour les hommes, de 79 ans pour les femmes. Elle était de 46 ans pour les hommes, vers 1900 [164].

Voilà qui oblige à voir de façon « prospective » les situations vers lesquelles nous allons, presque toujours, les yeux fermés. Or j'ai peur, à ce propos, que l'on ne fasse de la prospective qu'à partir de raisonnements unilinéaires, sans songer que l'avenir est une confluence de lignes, de mouvements, certains inattendus. En 1942, tel démographe pronostiquait qu'en 1982, nous serions dans l'hexagone 29 millions : nous sommes 54 millions. Tel démographe annonce aujourd'hui que nous serons – toutes choses égales d'ailleurs – 17 millions en 2100. Nous ne serons pas là pour constater son erreur, mais erreur il y aura. On nous dit aussi qu'au train où vont les choses, il n'y aura plus assez de jeunes au travail pour payer les retraites des vieux. Mais n'est-ce pas juger, imaginer imperturbablement demain d'après l'équation stricte d'aujourd'hui ou d'hier ? Le gouvernement actuel, enfermé dans une optique déjà ancienne, aux prises avec le problème du chômage, s'aperçoit-il qu'il y a « une contradiction entre l'accroissement continu de la proportion des vieux [dans la société] et l'idée ingénue d'abaisser l'âge de la retraite » ? Je vole au passage cette remarque à Alfred Sauvy [165].

En fait, toutes les coordonnées des économies et des

sociétés de demain sont à formuler en termes à la fois anciens et absolument nouveaux. Demain, les « jeunes » ne seront plus les moins de 30 ans, comme on dit aujourd'hui, mais les moins de 40, puis les moins de 50... L'espérance de vie à la naissance ne sera plus de 71 ans, mais de 80, 90... Que sais-je ! Et cette société à venir sera fantastiquement en proie aux loisirs, au non-travail. Un secteur à part devra s'organiser pour répondre à cette nécessité : distraire le public, l'occuper, le délivrer du rien à faire. De quoi dilater à l'extrême notre secteur dit tertiaire, déjà pléthorique. Surtout si la robotique entre puissamment en jeu et, en multipliant ses services, offre des suppléments de loisirs à la société soi-disant active. Pour John Naisbitt, ces robots ne sont-ils pas « les travailleurs immigrés de demain » [166] ?

La restriction des naissances

Aujourd'hui, tous les pays industrialisés sont en panne, biologiquement. Ils souffrent d'un mal profond, tenace, à vrai dire sans remède. Une restriction volontaire des naissances entraîne ou annonce, chez eux, de véritables désastres démographiques. S'ajoutant à l'augmentation de l'espérance de vie, elle provoque un vieillissement accéléré de nos sociétés et un déséquilibre croissant et dangereux entre population active et population inactive. D'où, partout en Europe comme en France, des avertissements véhéments, de sombres pronostics et une mise en accusation permanente des pratiques anticonceptionnelles.

Présentons l'accusé, ou mieux les accusés : les pratiques contraceptives, en effet, sont un éventail de mesures qui limitent, d'une façon ou d'une autre, le nombre des naissances à venir. Parmi elles, l'acte interrompu (le *coïtus interruptus*), l'*implexus restrictus* (caresse et étreinte sans émission de semence), les préservatifs, les méthodes soi-disant efficaces (Ogino, etc.), les spermicides, la pilule enfin, elle surtout, qui s'est diffusée chez nous depuis 1960 et aura été, à elle seule, une révolution des mœurs. Faut-il y ajouter la chasteté, le célibat, le mariage retardé, la sodomie ? Contrairement aux habitudes qui se prennent, je n'y joindrai pas tout de go l'infanticide – tel qu'il se pratiquait en Chine – ou l'avortement, dont l'incidence n'est certes pas négligeable mais qui n'est pas une méthode contraceptive, plutôt un moyen antinatal.

Hier, la mortalité infantile se chargeait de limiter la reproduction. Ce fléau a disparu aujourd'hui (la France sur ce point se place même presque en tête du tableau d'honneur) [167], mais il était autrefois d'une tragique ampleur, atteignant ses sommets avec les enfants trouvés, plus fragiles encore que les autres. « A Aix-en-Provence, du 1er janvier 1722 au 31 décembre 1767, sur 4 844 enfants exposés à l'hôpital Saint-Jacques [soit un tous les trois jours]..., il en est resté 2 224 », soit moins de la moitié [168]. Un exemple entre mille ! Pierre Chaunu, historien passionné qui ne cesse de protester à la radio, à la télévision, dans ses articles et ses livres contre la loi de janvier 1975 (confirmée le 31 décembre 1979) qui a légalisé en France l'avortement, va jusqu'à dire : « Aujourd'hui, on tue les enfants avant leur venue au monde ; autrefois la mortalité infantile se chargeait (à vrai dire infatigablement) de les faire disparaître après leur naissance. »

La contraception ne date certainement pas d'hier, elle n'est pas une invention moderne. Mais c'est récemment qu'elle est devenue épidémie, qu'elle a investi, pénétré, désorganisé l'Europe entière, qu'elle devient révolution des mœurs. Or, en ce qui concerne la France, cette révolution a été plus précoce que partout ailleurs. Dès le milieu du XVIIIᵉ siècle, elle est décelable. Impossible aux contemporains de ne pas la voir, de ne pas imaginer ses conséquences. Nous avons eu, sur cette voie, une avance d'un bon siècle par rapport à nos voisins d'Europe.

Une telle avance s'est révélée désastreuse, catastrophique pour l'essor de la population française. Celle-ci n'avançait plus qu'au ralenti, tandis que les populations voisines continuaient leur marche en avant et même, avec l'essor industriel, la précipitaient. Nous perdions de notre poids relatif dans le concert européen. La France, avec plus de 27 millions d'habitants (contre 18 millions d'Anglais et 24,8 millions d'Allemands), était encore en 1800 – la gigantesque Russie mise à part – la nation la plus peuplée d'Europe ; elle représentait 15,70 % de la population du continent ; en 1850, ce chiffre n'était plus que 13,3 % et 9,7 % seulement en 1900. La France a donc payé cher d'être entrée si tôt dans un engrenage dont elle ne s'est plus jamais dégagée, dont elle n'a pas été capable (ou n'a même pas essayé) de sortir avec l'énergie qui eût été nécessaire. Il est vrai que la même aventure est arrivée aux autres nations européennes, une fois qu'elles ont été touchées à leur tour par la restriction des naissances. Elles ne s'en libérèrent pas non plus.

Faut-il donc penser que ce n'est pas le 18 juin 1815, sur le champ de bataille calamiteux de Waterloo, que la France a cessé d'être une grande puissance, mais bien avant, dès qu'elle a refusé, quand régnait Louis XV, la multiplication naturelle des berceaux ? Au cours du XIXe siècle, explique Alfred Sauvy, il y avait un parallélisme dans le développement des pays de l'Europe occidentale. Tout allait à peu près de pair : évolution sociale, politique, industrie, médecine, etc., à quelques années près. Tout sauf en un point et pour un seul pays : c'est que, cent ans avant les autres, « la France a entrepris de réduire ses forces de jeunesse [et cela] au moment même où se donnait le départ de la grande course à l'expansion mondiale ». Toute la marche de la France est depuis lors influencée par cet événement qui s'est produit... au XVIIIe siècle [169].

Il importe en conséquence de cerner cette précocité, de rechercher ses causes. Et d'abord, à travers les commentaires des contemporains, économistes ou « démographes » avant la lettre (le mot de démographie ne sera inventé qu'en 1853).

Economiste et homme de plume, à mon avis talentueux, Ange Goudar accuse le luxe de son temps d'être, en l'occurrence, le mauvais conseiller : « C'est le même amour des aises et des commodités qui remplit aujourd'hui la France de célibataires... d'hommes qui disparoissent du monde avec toute leur postérité... On trouve malhonnête de ne pouvoir faire paroître une femme dans le monde avec un certain éclat ; et à cause de cela on conclut qu'il est plus séant de ne pas se marier. C'est quelque chose de prodigieux que le nombre de mariages qu'un carrosse uni ou doré, un certain nombre plus ou moins grand de chevaux, de domestiques, de coureurs, de laquais, empêche tous les jours. »[170] Plus encore, « la fécondité n'est nullement une suite de l'union conjugale : on la craint, et soit directement, *soit indirectement*, on travaille à en empêcher le progrès... le luxe fait regarder par le plus grand nombre comme une sorte de déshonneur la multitude des enfants. Plus un homme est riche, plus il a besoin de borner sa progéniture »[171]. Le pire est encore que « la contagion [du luxe] se répand et gagne insensiblement le petit peuple, sur le travail duquel est fondé tout l'édifice du Gouvernement civil »[172]. Ce jugement, ces paroles sont de l'année 1756, alors que commence la guerre dite de Sept Ans (1756-1763) et que Louis XV a encore devant lui dix-huit années de règne, jusqu'en 1774.

En 1758, un abbé du Midi, Jean Novi de Caveirac, parle de ces hommes qui renoncent « sans regret au doux nom de pères... les uns commandent aux désirs, les autres *trompent la nature* »[173]. En 1763, Turmeau de la Morandière, un « démographe amateur », signale le progrès des pratiques anticonceptionnelles : les ménages ne veulent plus qu'un enfant ou pas du tout. Cette « *profanation du sacrement du mariage*, cette infâme économie a gagné de proche en proche comme une maladie épidémique » et les confesseurs confirmeront que toutes les classes de la société, riches et pauvres, en sont atteintes[174]. Le chevalier de Cerfvol dénonce à son tour, en 1770, l'effet pernicieux sur la santé de cette « horrible conduite » contre laquelle la religion a lutté en vain[175]. Et Moheau, dont on connaît le renom, est aussi catégorique (1778) : « Les femmes riches... ne sont pas les seules qui regardent la propagation de l'espèce comme une *duperie du vieux temps ;* déjà ces *funestes secrets*, inconnus à tout animal autre que l'homme... ont pénétré dans les campagnes ; on trompe la nature jusque dans les villages. »[176] En Normandie, en 1782, si l'on en croit le père Féline, missionnaire de Saint-Jean-

Eudes qui travaillait dans cette province « au salut des âmes dans les villes et les campagnes », « le crime de l'infâme Onan... est très énorme et très commun parmi les époux ... surtout quand ils ne veulent pas avoir un grand nombre d'enfans, sans vouloir se priver du plaisir qu'ils goûtent dans l'usage du mariage ; cette malheureuse disposition est commune aux riches et aux pauvres : leurs motifs sont différents, mais leur crime est le même. Rarement ils s'en accusent ; aussi est-il la cause funeste de la damnation d'un grand nombre » [177]. Quelques années plus tard (1788), Messance dénonçait le « calcul » (donc un acte qui implique une décision et une responsabilité) « qui porte l'homme à ne vouloir qu'un ou deux enfans ; la fausse grandeur qui [le] porte... à avoir un grand nombre de domestiques, un grand nombre de convives à sa table, au lieu de s'y voir entouré par ses enfants ; et *la plus grande dépravation*, celle qui met le comble à toutes, de *détruire en semant* » [178]. L'inquiétude gagne même le gouvernement : en 1785, Necker va jusqu'à craindre que cette corruption des mœurs ne fasse descendre le nombre des naissances au-dessous des décès.

Ces témoignages ne laissent aucun doute. La contraception se diffuse, gagne des adeptes, se transmet comme une maladie ; la pratique qui se répand est celle du coït interrompu. Mais le schéma explicatif généralement présenté est peut-être un peu trop simple : il imagine que les « funestes secrets », découverts et inaugurés par les hautes classes, auraient alors été transmis aux classes aisées, puis aux classes populaires des villes et des bourgs, enfin aux populations des campagnes, tardivement « déniaisées ». « Le débarquement contraceptif au village, dit un historien d'aujourd'hui, c'est l'achèvement d'une perversion que la ville aurait inventée. » [179] Mais les campagnes étaient-elles aussi « innocentes » et ignorantes qu'on veut bien le dire ?

Une étude de Guy Arbellot, sur cinq agglomérations de la Haute-Marne, voisines de Joinville, montre que, dans ces villages, au XVIIe siècle, les enfants naissaient, selon l'occupation des parents, soit après la moisson, soit après la vendange [180]. Passe pour le premier enfant, qui dépend de la date du mariage. Mais les suivants ne sont-ils pas bel et bien programmés ? Que cette programmation implique des pratiques contraceptives – et non une improbable chasteté – il est facile de l'imaginer lorsqu'on sait qu'à la même époque, en Basse-Normandie, un pays « où très tôt la fécondité des couples s'est révélée médiocre » [181], la contraception est régulièrement dénoncée par les confesseurs. Y compris dans les campagnes : en 1650, dans le diocèse de Coutances, une mission révèle que « le péché déshonnête s'y commettait dans les espèces les plus monstrueuses et avec une ignorance si crasse... que [souvent même ils] ne croyaient pas qu'il y eût de péché » [182].

On ne s'étonnera pas, dans ces conditions, d'une remarque tardive (1754 – mais présentée alors comme une vérité générale) du pseudo-chevalier John Nickolls, en réalité un Français né au Mans et qui se cache sous un nom d'emprunt pour parler en toute liberté de la France et de l'Angleterre. « Pour ce qui est des Laboureurs, avance-t-il, les campagnes fournissent dans cette classe d'aussi grands prodiges en misère que les Villes en peuvent montrer en richesses. C'est sur eux que le poids des charges de l'Etat tombe le plus durement. Un Laboureur qui n'a pas le nécessaire à la vie, craint comme un malheur le grand nombre d'enfants. La crainte d'une misère insupportable empêche plusieurs de se marier ; et jusqu'en cette classe, les mariages sont devenus moins féconds. » [183]

Ce sont des constatations du même genre que nous apportent les recherches récentes des démographes et des historiens, en milieu rural et citadin, selon les critères et les méthodes de Louis Henry (d'après les registres d'état civil). Elles permettent en gros de calculer le taux de fécondité des femmes mariées, selon les intervalles réguliers ou irréguliers entre la naissance de leurs enfants. Quelques résultats sont acquis : la contraception a pénétré les mœurs françaises particulièrement tôt, si l'on songe à la chronologie des mêmes processus en Europe. Aux historiens de l'expliquer comme ils voudront, l'évolution des pratiques se précipite littéralement avec la Révolution française si, de toute évidence, elle n'a pas commencé avec elle.

Ainsi à Meulan, petite ville sur la Seine, à 47 kilomètres de Paris, jusque vers 1740, 90 % des couples paraissent ne pas avoir limité les naissances ou très peu ; les autres étaient ou stériles ou volontairement peu féconds. A partir de 1740, la proportion de ces derniers augmente, passant de 10 à 17 % entre 1740 et 1764, tandis que la limitation diffuse des naissances se répand parmi une partie des autres couples ; de 1765 à 1789, la contraception atteint près du quart du total. Toutefois, la grande cassure se situe vers 1790 : la proportion des couples stériles ou pratiquant systématiquement la contraception bondit de 24,1 % à 46,5 % entre 1790 et 1814, et à 59,4 % de 1815 à 1839. [184]

Vérité à Meulan, et certainement ailleurs. Mais est-ce une vérité pour l'ensemble de la France ? Non, probablement. « A Rouen, écrit J.-P. Bardet, la prise de la Bastille n'a pas accéléré la contraception qui triomphait depuis presque un siècle. » [185] Poursuivant une argumentation convaincante, il affirme : « Huit enfants... en 1670 [par famille], à peine quatre en 1800. Les Rouennais ont acquis en moins de 150 ans une surprenante maîtrise des *funestes secrets*. Comment sont-ils parvenus en quatre ou cinq générations à réduire de moitié le nombre de leurs descendants ? L'analyse démographique ne révèle pas les recettes anticonceptionnelles, mais elle permet de suivre et de préciser les modalités de la contraception. » [186]

Au contraire, dans trois villages de l'Ile-de-France, Beaumont-les-Nonains, Marcheroux, Le Mesnil-Théribus (actuellement communes de l'Oise, arrondissement de Beauvais) [187], il semble que le processus se mette en place à la fin du XVIIIe siècle seulement. De même, à Châtillon-sur-Seine où, bien que les données soient courtes, la limitation des naissances se note entre 1772 et 1784 [188]. Tandis qu'à Sainghin-en-Mélantois, près de Lille, dans une France à part, marginale, extérieure, le mouvement, plus tardif encore, très modéré à ses débuts, ne s'affirmera qu'avec le milieu du XIXe siècle. Et la Vendée, vers 1830 encore, était à peine touchée par la « révolution malthusienne » [189].

Ce qui n'a rien d'étonnant, car la France, dans

l'évolution qui la traverse, reste diverse dans ses réactions. Les mêmes circonstances n'y produisent pas obligatoirement les mêmes conséquences. Telles explications qui semblent *a priori* évidentes se vérifient ici, non pas là. Ainsi, comme en Normandie, il y a en Bretagne « pour les roturiers un droit successoral égalitaire » et, comme en Normandie, un « souci attentif de l'enfant » [190], deux motifs qui en général peuvent pousser les familles à restreindre leur progéniture. Mais la Bretagne ne semble pas avoir été malthusienne comme sa voisine.

En fait, plus le cercle de la recherche s'élargit, plus le problème se complique. De nombreux facteurs sont reconnus, un à un : l'âge des parents au mariage, l'allaitement maternel ou l'envoi des enfants en nourrice, la situation de la famille dans l'échelle des activités, le statut social, le statut culturel qui commande, comme nous le savons, la forme même de la famille, le droit ou la coutume qui régit l'héritage (ils varient beaucoup de province à province), enfin l'efficacité de l'endoctrinement de l'Eglise, fortement impliquée dans le débat. Toute explication générale que l'on tentera aura bien des chances d'être boiteuse, ici ou là, selon les époques et les lieux, et de n'être valable qu'à condition d'accepter d'avance disparités et décalages. Soit. Mais il n'en vaut pas moins la peine de chercher à comprendre comment le phénomène de la contraception, appelé à se généraliser, s'est mis en place et pourquoi, en France, tellement plus tôt qu'ailleurs.

Rappelons qu'il ne faut pas, comme on le fait souvent, tout mettre au compte du siècle des Lumières, ou des années mouvementées ou déstabilisatrices de la Révolution française. Il ne s'agit pas d'une découverte qui se serait diffusée à la manière dont se propagent les biens culturels ou les épidémies. Ne croyons pas non plus que les pratiques anticonceptionnelles aient été inventées, comme on le dit parfois, par l'aristocratie française à l'époque de Louis XIV ou de Louis XV, que le mauvais exemple ait été donné par les ducs et pairs ou les contemporains de Madame de Sévigné, très soucieuse elle-même d'obtenir de sa fille qu'elle espace ses grossesses [191].

La contraception se perd dans le plus lointain des

âges. Ainsi, au dire des historiens, la restriction volontaire des naissances a porté le coup fatal au miracle grec ; à Rome, dès l'époque resplendissante d'Auguste, les enfants deviennent de moins en moins nombreux. Dans la Bible, Onan est le symbolique personnage du coït interrompu. Et les pénitentiels qui se succèdent au Moyen Age, dès le VIe siècle, laissent à penser que les « funestes secrets », depuis toujours, ont fait leur bonhomme de chemin à travers les civilisations d'Occident. Je suivrais volontiers J.-P. Bardet [192] lorsqu'il écrit qu'on ne peut guère imaginer des sociétés absolument « non contraceptives », celles qui sont dites telles abritant toujours « des couples aux usages suspects ». Déduire, par exemple, du très faible taux des naissances illégitimes, au XVIIe siècle, en milieu villageois, qu'une très longue continence était imposée aux jeunes avant le mariage, puisque la contraception était totalement ignorée, ou même impensable, comme le dit Philippe Ariès, jusqu'à des temps récents, voilà qui me paraît aussi aberrant qu'à J.-P. Flandrin. D'autant que, de l'aveu général, les prostituées, éternelles éducatrices sexuelles, pratiquaient toutes couramment la contraception. A propos de femmes qui accouchent sans cérémonies, Montaigne ne parle-t-il pas de « tant de garces qui desrobent tous les jours leurs enfans, tant en la génération qu'en la conception » [193]. Et le mot garce a bien ici son sens péjoratif actuel, puisqu'il est opposé ensuite à cette « honneste femme de Sabinus ».

D'ailleurs, si l'Eglise lutte avec tant de persévérance, et parfois de succès, contre cette atteinte au lien sacré et aux finalités du mariage chrétien, si les confesseurs s'inquiètent à ce sujet et demandent aux évêques des instructions sur la conduite à tenir envers les pécheurs, c'est bien qu'il y a problème et menace pour le couple, tel que le conçoit l'Eglise.

L'attitude de l'Eglise

Il faut préciser – tant elle est loin de ce que nous imaginerions aujourd'hui – ce qu'était l'image idéale du mariage chrétien, jusqu'à des temps relativement récents. Non pas un lien d'amour, encore moins d'amour physique. Tout sentiment passionné, lit-on dans les textes du XVIe siècle, met en péril « l'honnesteté du lit nuptial ». Celui qui, avec son épouse, « contente l'esprit désordonné de la chair » au point que, même si elle n'était pas sa femme, « il voudroit avoir affaire avec elle », celui « qui se monstre plustost débordé amoureux envers sa femme que mary, est adultère ». Le mariage a précisément été institué pour « se garder du péché [qu'est la recherche du plaisir en soi] et pour avoir lignée qu'on puisse nourrir en l'amour et crainte de Dieu » [194]. La fin de la « sainteté du mariage, c'est d'avoir « lignée en laquelle Dieu soit béni éternellement » [195], « d'avoir des enfants et les élever pour la gloire de Dieu » [196]. Malheur à qui oublie cette règle impérieuse. Le catéchisme du diocèse de Meaux, au temps où Bossuet en est l'évêque, enseigne que, dans le mariage, le péché essentiel, « c'est d'éviter d'avoir des enfants, ce qui est un crime abominable », sauf, bien entendu, si le moyen en est la chasteté mutuellement consentie. Ce crime abominable, pourchassé par l'Eglise, est un péché mortel, qui condamne le coupable à la pénitence et le prive des Saints Sacrements.

Qu'on n'imagine pas cette conception du mariage limitée aux cercles de la piété bigote. Montaigne tient des discours [197] que n'aurait pas désapprouvés son confesseur, sur « la religieuse liaison et dévote » qu'est le mariage, sur la nécessité d'en écarter toute « licence et desbordement ». « Les encheriments (lascivités) deshontez que la chaleur première nous suggère en ce jeu, écrit-il, sont, non indécemment seulement, mais dommageablement employez envers noz femmes. *Qu'elles apprennent l'impudence au moins d'une autre main.* Elles sont toujours assez esveillées pour nostre besoing. »

Curieuse phrase que celle que j'ai soulignée, dans ce discours moralisant. Hors du mariage, dans l'adultère par exemple, oui, l'impudence, la « licence » sont naturelles. Voilà qui précise le fossé recommandé, exigé, entre l'univers du mariage, de l'ordre familial, de la dignité, et cet autre univers qu'est la vie extraconjugale, où l'animal peut s'ébrouer, et s'ébroue. Il y a deux façons ainsi de vivre sa vie sexuelle, la dévergondée et la sage, et ce qui est admis dans l'une ne l'est pas, en principe, dans l'autre. Brantôme, si indulgent pour les gauloiseries et paillardises qu'il raconte avec amusement ou complaisance, a lui aussi rappelé que selon « nostre Sainte Escriture,... il n'est pas besoin que le mary et la femme s'entrayment si fort ... par des amours lascifs et paillards ; d'autant que, mettant et occupant du tout leur cœur en ces plaisirs lubriques, [ils] y songent si fort et s'y adonnent si tréstant qu'ils en laissent l'amour qu'ils doivent à Dieu » [198]. Il parle ailleurs de ces « vilainies » qui « souilleraient » le mariage. Mais ces mêmes vilainies – telles positions inédites du couple dans l'amour – lui paraissent un jeu charmant quand elles sont astucieusement présentées dans une Cour princière à un groupe de jeunes femmes, gravées au fond de la coupe où on leur offre à boire : « D'aucunes s'en desbauchèrent pour en faire l'essay : car toute personne d'esprit veut essayer tout. » [199]

L'étonnant, donc, est que ce qui est si grave dans le mariage le soit tellement moins, pour ne pas dire normal, hors mariage. Et, plus étonnant encore, que la conception de l'Eglise et celle du consensus social, ici encore, se rejoignent. Brantôme, par exemple, parle sans pruderie de l'acte interrompu que certaines femmes estiment de leur devoir de pratiquer dans l'adultère, « tant pour ne supposer des enfans à leurs marys qui ne sont à eux, que pour leur sembler ne faire tort et ne les faire cocus si la rosée ne leur est entrée dedans... Ainsi sont-elles consciencieuses de bonne façon » [200]. La conclusion pour nous est ironique, mais finalement c'est bel et bien la position de l'Eglise que, dans l'adultère, la fornication ou l'inceste, éviter l'enfant est une atténuation de la faute. Ceci depuis les pénitentiels du Moyen Age – qui doublent ou triplent l'année de pénitence punissant le fornicateur ou l'adultère quand il est à l'origine d'une naissance illégitime – jusqu'aux discussions des casuistes et des confesseurs du XVIIe siècle qui concluent que, dans toutes les amours coupables, l'acte incomplet est un moindre mal, une atténuation du péché.

Ce laxisme a été défendu par les casuistes au nom

d'une interprétation plus que spécieuse du péché. Mais sans doute s'est-il imposé aux confesseurs, aux prises avec la vie quotidienne, dans le simple souci d'éviter la montée des naissances illégitimes. En tout cas, il ne pouvait que favoriser la contamination qui s'est finalement produite entre les deux domaines artificiellement séparés de la vie sexuelle, conjugal et extraconjugal. Ce même père Féline qui s'effarait de l'énorme propagation de « l'abominable crime d'Onan », en 1782, constatait que les couples à qui l'Eglise et la médecine du temps interdisaient de procréer pendant toute la durée de l'allaitement, échappaient à cette longue pénitence à la façon des dames adultères de Brantôme, et avec la même bonne conscience [201].

Mais, bientôt, le couple refusera toute intrusion de l'Eglise dans son intimité. Ce sera l'aboutissement d'une lente détérioration du mariage chrétien, la fin d'un équilibre culturel, la rupture d'un ordre ancien, lentement accomplie comme tous les changements de ce type.

En principe, la doctrine de l'Eglise sur la contraception n'a pas changé. Mais elle est abandonnée par la grande masse des catholiques eux-mêmes. C'était chose faite en 1842. Mgr Bouvier, évêque du Mans, était alors obligé de constater que « presque tous les jeunes époux ne veulent pas avoir une nombreuse postérité et cependant ne peuvent moralement s'abstenir de l'acte conjugal. Interrogés par leurs confesseurs au sujet de la façon dont ils usent des droits du mariage, ils ont coutume habituellement d'être choqués gravement et, avertis, ne s'abstiennent pas de l'acte conjugal, ni ne peuvent être déterminés à une multiplication indéfinie de l'espèce... Tous admettent volontiers que l'infidélité envers le conjoint et l'avortement volontaire sont de très grands péchés. Et à peine quelques-uns peuvent être persuadés qu'ils sont tenus, sous peine de péché mortel, ou bien d'observer une chasteté parfaite dans le mariage, ou bien de courir le risque d'engendrer une nombreuse postérité » [202].

La levée progressive de cet interdit marque la forte accélération de la contraception, à partir des dernières années du XVIIIᵉ siècle. Mais elle n'explique pas les motivations du refus de l'enfant. Au XVIᵉ siècle, « la plus commune et la plus saine part des hommes tient à grand heur l'abondance des enfans » (Montaigne) [203]. Pourquoi, deux siècles plus tard, la trouve-t-on embarrassante ? Et pourquoi l'étonnante et évidente précocité de ce refus dans le cas particulier de la France ? C'est là, de toute évidence, le problème capital pour l'historien.

Le cas français

A priori, toute explication qui ne serait pas différentielle – France d'un côté, Europe de l'autre – sera probablement à rejeter. Ne dites donc pas que cette précocité vient de tel ou tel niveau économique de la France : elle est logée à la même enseigne que ses voisins. Ne dites pas que la France fut la première à découvrir la contraception : celle-ci est découverte depuis longtemps et les peuples d'Europe n'ont pas eu à en apprendre les règles. Ne dites pas non plus avec trop de conviction que l'amour grandissant des enfants, au XVIIIe siècle, a conduit les Français à en avoir moins pour les mieux élever. La fin du XVIIIe siècle a vu se multiplier durement chez nous les abandons d'enfants.

Je ne vois que deux explications acceptables : celle d'Alfred Sauvy [204] contre laquelle, hier, un peu vite, je me suis élevé ; et, en seconde position, celle que je lui opposais alors. Elles peuvent se concilier sans que, pour autant, elles se renforcent, car elles sont différentes : l'une est culturelle, l'autre économique ou, mieux, démographique ; et comme, en ces domaines, tout est surprise, Alfred Sauvy n'est pas, cette fois, l'homme de la démographie, mais l'avocat de l'explication culturelle, j'allais écrire idéaliste.

Pour Alfred Sauvy, la restriction des naissances en France, c'est la conséquence d'une libération des hommes de chez nous des contraintes, de l'enseignement et du joug de l'Eglise. Pour celle-ci, tenir les corps vaut pour mieux tenir les âmes. Le drame du XVIIIe siècle serait une sorte de revanche de la Réforme. La France a hésité, deux siècles plus tôt, entre Rome et Luther, ou mieux entre Rome et Calvin ; elle a choisi Rome, mais elle a subi un choc en retour. Est-ce possible à des siècles de distance ? Aujourd'hui, habitué aux perspectives de la longue durée, je dis oui, volontiers. Je note par exemple que, plus tard encore, avec Ferdinand Buisson [205] et quelques autres, l'école laïque, chez nous, a été une résurgence de la Réforme. Comme la Réforme a été tout de même, hier, dans les coulisses de Vatican II.

Toutefois, faut-il parler de « Réforme », sans plus ? N'oublions pas que l'enseignement laïque fait ses premiers pas chez nous au XVIe siècle, dans les nouvelles écoles fondées en si grand nombre et dans l'enthousiasme par cette élite privilégiée, socialement et culturellement, que George Huppert a étudiée avec prédilection. Elle réussira, un instant, à soustraire l'enseignement à la tutelle de l'Eglise, jusqu'à ce que les jésuites, au XVIIe siècle, reprennent fermement les choses en main. Pourtant ces hommes ne sont pas des protestants. Ils ont refusé cette tentation. Ils représentent à mes yeux ce que l'on pourrait appeler l'hésitation *originale* de la France entre Réforme et Contre-Réforme, et son effort, toujours présent dans les rangs au moins de ses intellectuels [206], de ses humanistes, de ses « libertins », pour échapper à l'une comme à l'autre. L'originalité culturelle de la France a été cette hésitation, ce va-et-vient, cette recherche d'une voie à part. Une incitation à l'indépendance d'esprit, de Montaigne jusqu'à Voltaire et au-delà. A l'avance un échec, une blessure grandissante de l'Eglise. Je crois qu'elle a joué son rôle dans l'attitude française vis-à-vis de la contraception.

Je crois plus facilement encore que la France, largement peuplée et mise en valeur depuis des temps lointains, a souffert de façon presque chronique d'être un *pays surpeuplé.* C'est ce que disent Marcel Reinhard et les collègues qui l'ont aidé à rédiger la troisième édition de son grand livre, *Histoire générale de la population mondiale* (1968). Il est vrai que la surpopulation, en tant que concept, appelle réserves et prudence. Elle n'entre en jeu que lorsqu'il y a déséquilibre, danger de déséquilibre entre la masse de la population et la masse des ressources vivrières. En 1789, avec ses 26 millions d'habitants et une densité kilométrique un peu supérieure à 50, la France est surpeuplée. Alors que l'Angleterre proprement dite, qui groupe alors 8 millions d'habitants pour une densité kilométrique légèrement supérieure à la France, n'est pas un pays surpeuplé. Son revenu national brut équivaut *grosso modo* à celui de la France ; autant dire que son revenu *pro capite*, le revenu de ses nationaux, est beaucoup plus élevé que celui des nôtres. La population anglaise se heurte à une limite moins rigide, son développement rencontre une barrière élastique en quelque sorte ; elle peut compter, l'avenir le démontrera, sur une agriculture de haute productivité, une industrie qui démarre, des villes industrielles qui grossissent et sont autant d'accumulateurs, de moteurs. Avec la Révolution, les villes françaises, au contraire, sont des moteurs en panne qui ne se remettront à tourner qu'avec le Consulat et l'Empire. Au moment décisif, en 1789-1790, quand les cadres culturels, minés depuis longtemps, s'effondrent, il y a panne, difficulté de la vie économique. La restriction des naissances se mêle à des circonstances qui facilitent sa progression, en aggravant la vie de tous les jours. A quoi s'ajouteront peut-être, pendant les guerres de l'Empire, un certain désarroi, une inquiétude vitale. Edgar Quinet [207] raconte les incertitudes de cette génération ; comment, par exemple, ses parents fort cultivés avaient jugé inutile de faire faire des études convenables à leur fils, promis sans doute à mourir jeune sur un champ de bataille. De telles inquiétudes sont-elles pour favoriser les naissances ?

Deux remarques s'ajoutent d'elles-mêmes à ces constatations. Marcel Reinhard et ses collaborateurs pensent que la surpopulation française s'affirme au XVIIe siècle. Je pense qu'il en est ainsi déjà au XVIe siècle, au temps de « la France pleine comme un œuf », formule de Brantôme que j'ai déjà citée. Soit donc une surpopulation de longue durée, une pression dont on ne retrouve pas l'équivalent sans doute à travers l'Europe. La contraception a été une réponse à cette nécessité pesante, comme l'avait été longtemps le retard au mariage ou le célibat, en particulier dans le Midi de la France où l'autorité du chef de famille pouvait l'imposer.

Seconde et dernière remarque : la France durant la première moitié du XIXe siècle voit sa population croître encore de 30 %, alors que l'Europe augmente en moyenne de 50 %, l'Angleterre de 100 %. En fait, la France aborde mal l'épreuve du premier XIXe siècle, marqué pour elle par un rattrapage industriel lent, difficile, incomplet. Et en ce moment où il aurait fallu développer la natalité en France, des voix autorisées s'élevaient pour encourager le pays dans ses habitudes malthusiennes. De ce point de vue, la palme revient au docte Jean-Baptiste Say, ce Mallet-Isaac de l'économie politique : « Il convient, disait-il, d'encourager les hommes à faire des épargnes plutôt que des enfants. »[208]

Résumons-nous : le mot de *contraception* est-il celui qui convienne le mieux au processus, au drame qui pénètre l'histoire vivante de la France ? Il s'est agi bel et bien, dans le cadre quotidien de notre pays, de la détérioration du mariage chrétien traditionnel, tel que l'Eglise aurait voulu le maintenir – une détérioration longue, préparée longtemps à l'avance : l'histoire culturelle, malgré quelques images étincelantes, n'est jamais, en profondeur, sous le signe de l'eau torrentielle. Ce qui s'est passé entre XVIIIe siècle finissant et XIXe siècle à ses débuts, c'est *mutatis mutandis* ce qui vient de se passer et se passe encore sous nos yeux, avec les ruptures de pratiques matrimoniales qui étaient la norme sociale. Ce qui s'affirme, cette fois, c'est le rejet du mariage devant Monsieur le Maire, avec ses cérémonies sans panache, mais avec toutes les contraintes, exigences et gênes que commande la loi – la loi, c'est-à-dire la société. Alors, comment la société va-t-elle demain se débrouiller pour encadrer, prendre dans son ordinateur l'union libre ? La culture ne peut résister au temps qu'en se délestant de certains héritages : le mariage chrétien, le mariage civil... De quoi va-t-elle vouloir se libérer demain ?

L'immigration étrangère : un problème récent

J'ai eu la chance de me trouver, ma vie durant, du côté de la tolérance. J'y suis à l'aise. Mais je ne me crois et ne m'accorde, à ce sujet, aucun mérite. Je n'ai découvert, par exemple, ce qui s'appelle découvrir, la question juive qu'en Algérie, en 1923. J'avais plus de 20 ans. Dix années durant, ensuite, toujours en Algérie, j'ai vécu en terre musulmane où j'ai appris à comprendre et à estimer Arabes et Kabyles. Plus tard (1935), au Brésil où j'ai enseigné plusieurs années, j'ai rencontré les Noirs, dans une atmosphère, pour moi, d'*Autant en emporte le vent.* Enfin, sauf d'étroites exceptions, je connais tous les pays européens et j'y ai vécu longuement, à l'aise, avec plaisir.

De la tolérance, encore de la tolérance ! Il en faut pour regarder avec lucidité l'immigration massive, prolétarienne dont nous sommes aujourd'hui le point d'aboutissement. Et essayer de comprendre pourquoi, cette fois, elle pose problème alors que, depuis des générations et des générations, la France a accueilli, absorbé des vagues diverses d'émigrants. Qu'elle s'en est enrichie, matériellement et culturellement.

Assimilation possible, acceptée, c'est bien, je crois, le critère des critères pour l'immigration sans douleur.

C'est le cas de tous ceux qui, individuellement ou par petits groupes, ont *choisi* de devenir français : réfugiés politiques, Italiens fuyant le fascisme, Espagnols rescapés de la guerre civile, Russes blancs de 1917, artistes, hommes de science et intellectuels de tous bords. Ces immigrés, accueillis de bon cœur, se sont confondus vite dans les tâches et les replis de notre civilisation. Leur origine ne les distingue plus guère de la masse française. Et ces Français d'adoption ont assuré souvent nos réussites les plus vives : Marie Sklodowska (1867-1934), née à Varsovie, devenue Marie Curie, qui découvre avec son mari le radium, en 1898, et sera prix Nobel en 1911 ; Pablo Picasso (1881-1973), né à Malaga ; Amedeo Modigliani (1884-1920), à Livourne ; Marc Chagall à Vitebsk, en 1887 ; Eugène Ionesco, en 1912, à Slatine, en Roumanie ; Chaïm Soutine (1895-1944), originaire de Lituanie et qui a laissé à Céret, où il séjourna assez longtemps, un souvenir joyeux ; il avait la bonne habitude d'essuyer ses pinceaux sur ses vêtements : le résultat était inoubliable. Au vrai, la liste serait trop longue de tous les étrangers de marque qui ont choisi de vivre chez nous. S'ils nous sont chers ce n'est pas seulement que, hommes illustres, ils nous honorent. C'est aussi qu'ils ont accepté de devenir des nôtres, Français au même titre que les plus brillants de nos compatriotes, et qu'ils ont apporté une nuance de plus à notre culture complexe.

Mais ce qui compte, statistiquement, ce sont les arrivées massives : les Italiens dès la fin du siècle dernier, les Russes blancs après 1917, les Polonais peuplant les mines et les fermes du Nord vers 1920, les Juifs fuyant l'Egypte nassérienne ou l'Algérie indépendante (où ils possédaient, depuis 1871 et le décret Crémieux, la nationalité française), les pieds-noirs d'Algérie, accueillis en 1962 sans les fanfares de rigueur : plus d'un million, hommes, femmes et enfants, Français bien sûr et qui faisaient retour chez eux, mais qui, ayant tout perdu, ont été le plus souvent abandonnés à eux-mêmes, tels des immigrés. Enfin la grande vague d'immigration ouvrière des années soixante-soixante-dix.

Chez nous, l'immigration massive a été relativement tardive : en 1851, à la veille du Second Empire, les étrangers ne représentent pas 1 % de la population ; ils sont 2 % vers 1872, au début de notre Troisième République. Les Belges travaillant alors dans les villes, les mines et les champs de betteraves du Nord représentent, à eux seuls, 40 % de ces immigrants, suivis par les Italiens. Assimiler ces étrangers, voisins proches, a été relativement rapide, d'autant que la loi du 26 juin 1889 facilita les naturalisations. Vers 1914, « le nombre d'étrangers se stabilisa autour de 1 100 000 [personnes], leur proportion demeurant un peu inférieure à 3 % » de l'ensemble [209].

Au lendemain de la première guerre mondiale, et même avant qu'elle ne se termine, dans une France en panne de main-d'œuvre (car c'est la population active, les hommes jeunes qui ont disparu sur les champs de bataille), une seconde vague s'organise, à partir cette fois des pays méditerranéens, avant tout de l'Afrique du Nord, incorporée (1830, 1881-1883, 1911) à notre Empire colonial. Les étrangers sont 2 700 000 en 1931, soit 6,6 % de la population française.

Il y a une chute avec la crise des années trente et la seconde guerre mondiale : seulement 1 700 000 étrangers en 1946 (soit 4,4 %).

C'est à partir de 1956 qu'une troisième vague se gonfle rapidement. En 1976, le nombre des immigrés *s'estime* à 3 700 000 (7 % de la population totale). Dans cette masse, les Portugais sont 22 %, les Algériens 21 %, les Espagnols 15 %, les Italiens 13 %, les Marocains 8 %, les Tunisiens 4 %, les Turcs 1,5 %, l'Afrique Noire 2,3 % (ces pourcentages d'après le recensement de 1975). Ces immigrants sont en majorité des adultes, des hommes sélectionnés (leur taux de mortalité est nettement inférieur à la moyenne des Français) ; pour les naissances ils sont des champions : les trois nationalités maghrébines comptent de 5 à 6 enfants par femme, les Portugais 3,3, les Espagnols 2,5, les Italiens 2. « En moyenne, en 1975, cet *indicateur* [des naissances] s'établissait à 3,32 pour l'ensemble des étrangers, contre 1,84 pour les Français et 1,93 pour l'ensemble de la population résidant en France. » Mais ces étrangers une fois enracinés en France, leur fécondité, quand le repérage est possible, « baisse parallèlement à la fécondité française proprement dite [210] ».

Avec la crise économique des années soixante-dix, cette troisième vague a atteint son plafond. « La pause qui a commencé en 1974... se limitera-t-elle à une phase de retour de certains étrangers, ou annonce-t-elle un renversement du sens des migrations ?... La considération de la situation démographique mondiale incline à pencher pour l'hypothèse d'une pause provisoire. » [211]

En tout cas, pour la première fois, je crois, sur un plan *national*, l'immigration pose à la France une sorte de problème « colonial », cette fois planté à l'intérieur d'elle-même. Avec des incidences politiques qui tendent à occulter la complexité de phénomènes de rejet – réciproque – qu'on ne peut nier, autant qu'on les déplore. Est-il possible de sérier les problèmes ?

Un problème économique

La masse des travailleurs étrangers représente chez nous, comme en Europe, 10 % de la *population active.* La crise économique actuelle, le chômage favorisent-ils une certaine hostilité des ouvriers français à leur égard ? Sans doute, parfois. Mais beaucoup moins que ne le suggère le slogan actuel d'un parti politique : « 1 500 000 chômeurs, c'est 1 500 000 immigrés de trop » !

Cette masse, dans sa très grande majorité, est utilisée en effet comme une main-d'œuvre mal payée, à laquelle on réserve les tâches ingrates ou jugées telles, et qui, neuf fois sur dix, ont la défaveur de la main-d'œuvre « française ». Les expulser ? On s'apercevrait vite que les chômeurs, en énorme majorité français, seraient peu nombreux à prendre, au rez-de-chaussée du travail, la place des étrangers refoulés... Ce qui me remet en mémoire ce mot ancien de l'archevêque de Valence, quand il fut question d'expulser d'Espagne les indésirables Morisques, en 1610 : « Qui fera nos souliers ? »[212] Expulser nos étrangers, alors qui ferait nos routes, assumerait les corvées des usines, les gros travaux du bâtiment ? Ces tâches ne seraient assurées par nos nationaux que sous un régime à poigne, capable d'en augmenter arbitrairement et intelligemment la rémunération. Ce qui a été récemment entrepris pour les éboueurs parisiens : l'amélioration du matériel, des horaires et des rémunérations a sensiblement augmenté la proportion des nationaux dans cette profession.

L'immigration, source d'emplois au bas niveau des salaires, est inhérente à toute société capitaliste. Ce qui se passe en France se passe dans tous les pays industriels d'Europe. Même dans la Belgique surpeuplée, importatrice de Marocains bien qu'exportatrice d'hommes vers la France. Même dans l'Italie qui, depuis plus d'un siècle, peuple régulièrement les Etats-Unis et l'Amérique du Sud et répond, aujourd'hui encore, à l'appel de l'Allemagne ou de la Suisse, mais admet chez elle des Tunisiens dans les pêcheries de Sicile, des Lybiens, des Erythréens... De même, aux Etats-Unis, au Canada, dans les régions industrialisées de l'Amérique du Sud ou de l'Australie, la main-d'œuvre non qualifiée, « un muscle seulement » [213], se recrute soit à l'extérieur (le prolétariat extérieur de Toynbee que l'on peut même exploiter de loin) [214], soit à l'intérieur. En U.R.S.S., n'en est-il pas de même dans les grands centres d'industrie où les ouvriers ne sont pas tous Russes authentiques ?

En fait, l'immigration étrangère reproduit assez bien les mouvements *intérieurs* de population dans la France du XIXe siècle et même du premier XXe siècle. L'industrie d'alors a trouvé ses prolétaires – plus durement menés que ceux de nos sociétés actuelles – dans l'immigration rurale. Plus tard, des étrangers ont pris leur place, peu à peu, dans les tâches industrielles les plus dures. Et ils ont comblé en partie les premiers vides des campagnes (Polonais et Ukrainiens dans le Nord et dans l'Aisne vers 1925). Avec la croissance rapide des « Trente Glorieuses », après la dernière guerre, il a bien fallu recruter chez elle la main-d'œuvre étrangère.

Une main-d'œuvre qui, souvent, vit très chichement. Pour en être sûr, il suffit hélas de considérer les taudis, les caves, les bidonvilles... Ces bidonvilles qui se prélassaient hier encore, en 1939, sur la ligne défunte des fortifications de Paris et qu'on retrouve aujourd'hui bien au-delà de la banlieue proche, jusqu'à des postes aussi lointains que Mantes-la-Jolie. Le département des Hauts-de-Seine compte, en 1980, environ 220 000 de ces immigrés, soit 15 % de sa population présente... Tel maçon algérien, Mohammed Nedjaï, 56 ans, en France depuis trente-cinq ans, de dire : « Après avoir construit tant et tant de logements pour les Français, il serait juste qu'on me donne enfin une H.L.M. » [215] Mais l'H.L.M. qui coûte un certain prix, est-elle conçue pour des familles de 8 à 9 enfants ? Ces familles peuvent-elles vivre « bourgeoisement » ? Construire des pavillons, oui, la solution serait bonne, mais on en construit 1 alors qu'il en faudrait 100 ou 1 000. Et qui n'a gardé le souvenir des déclarations sympathiques de Jacques Chaban-Delmas, Premier ministre de Georges Pompidou, promettant de détruire les bidonvilles comme si, les choses étant ce qu'elles sont, l'opération salutaire était possible. Vous détruisez un bidonville, soit, un autre se reforme un peu plus loin. Ils poussent comme les « macumbos » ou les « favellas » du Brésil. D'autant que, à partir de 1956, l'arrivée de la troisième vague d'immigrants a surpris la France qui n'avait rien préparé pour la recevoir. On s'est débrouillé avec ce que l'on avait, fort mal, et au détriment des nouveaux venus.

Alors faut-il aujourd'hui, alors que la marée économique reflue, accuser cette main-d'œuvre de peser sur notre économie ? Lui reprocher de prendre sa part des indemnités de chômage ? De contribuer trop lourdement, du fait de son taux de natalité, au déficit de la sécurité sociale ? Ces accusations sont probablement excessives. Mais seraient-elles exactes que *le problème n'est pas à poser.* Les immigrés installés chez nous depuis longtemps ont contribué à la croissance française, à l'embourgeoisement d'une partie de notre prolétariat, à l'augmentation du niveau de vie général. Si nous devions tous le payer aujourd'hui, d'une façon ou d'une autre, même au prix d'une légère diminution du pouvoir d'achat, ce ne serait que simple justice [216].

Le problème raciste

Le malheur est que la crise économique attise un conflit racial. Il devient même aigre dans les zones où deux groupes denses, Français et Nord-Africains par exemple, se trouvent face à face, compagnons de misère souvent et obligés de vivre côte à côte, mais sans pour autant se mêler, donc conduits à affirmer chacun, violemment, sa spécificité.

Vieux problème, toujours vivant. Il relève de l'*altérité*, c'est-à-dire du sentiment de la présence étrangère de l'autre, qui nie votre propre moi, votre identité, au point que cette différence, réelle ou imaginaire, suscite de part et d'autre malaise, mépris, peur, ou haine... Serions-nous obligés, pour être, de nous opposer à l'*autre* ? Le nationalisme a divisé, enragé, ensauvagé l'Europe. Français, nous avons mangé de l'Espagnol, de l'Anglais, de l'Allemand... Et ces messieurs nous l'ont bien rendu. En 1815, le col rouge que portaient les officiers prussiens signifiait, prétendaient-ils, « le sang des Français », *Franzosen Blut*. Et le mot le plus cruel qu'ait inventé l'altérité, c'est sans doute le méprisant *speak white* des Anglais aux Canadiens français : parlez donc comme les Blancs, leur disait-on sans rire...

Tout cela vous paraît ridicule ? Mais chaque époque charrie ses immondices, ses imbécillités, ses contre-vérités que les contemporains partagent, sans même toujours s'en apercevoir. Voilà pourquoi le livre de Nathaniel Weyl, *Karl Marx, racist* [217], peut amuser, sans pour autant convaincre. Marx apparaît, au détour de ses lettres et de ses écrits, comme un « esclavagiste » : « Sans l'esclavage, écrit-il, l'Amérique du Nord, la plus avancée des nations, serait transformée en nation patriarcale » (phrase qui peut s'interpréter de plusieurs manières, au demeurant). Marx est aussi colonialiste, partisan de la suprématie des Blancs sur les non-Blancs. En 1849, quand les « Américains » enlèvent la Californie aux Mexicains, n'écrit-il pas : « Sans violence, rien n'est accompli dans l'histoire... Peut-on appeler une mauvaise chose le fait que la Californie ait été retirée à ces paresseux de Mexicains, qui ne savaient pas qu'en faire ? » Mais qu'est-ce que cela veut bien dire ? Que l'on ne vit pas à telle ou telle époque sans en subir quelque empreinte, même quand on est Marx. Que le racisme, s'il ne colonise pas sa pensée, l'effleure certainement. Il n'aura pas vécu impunément à Londres, au centre impérieux du monde.

Cela dit, croyez-vous que le racisme n'habite pas notre pays, qu'il ne s'y cache pas en profondeur, qu'il ne jaillisse pas à la surface comme ces bulles d'air qui traversent l'épaisseur de l'eau pour éclater à l'air libre ?

J'aime, à ce sujet, le langage, le témoignage des faits divers, des faits médiocres mais qui se répètent. Un de mes amis me reproche cette manie comme une erreur scientifique. Je persiste à penser que j'ai raison et si le lecteur veut jouer l'arbitre, je lui offre deux ou trois anecdotes où je suis acteur involontaire, mais acteur. Ces faits divers ont au moins, à la différence de tant d'autres, l'avantage de n'être pas sinistres.

J'habite un quartier de Paris, le XIIIe arrondissement, où il y a beaucoup d'immigrés, venus d'Afrique ou d'Asie. Un après-midi, je suis au coin de deux rues, celle où je marche avec ma femme sans nous presser, l'autre qui descend vers elle en pente rapide et la rejoint à angle droit. De cette dernière, un jeune Noir de 15 ou 16 ans, mais d'un mètre quatre-vingts pour le moins, élégamment vêtu, surgit en trombe devant nous sur des patins à roulettes, coupe notre route sur le trottoir, tourne sans s'arrêter, nous évite d'extrême justesse en nous frôlant à toute vitesse. Je proteste avec véhémence – deux ou trois mots seulement : le patineur est déjà loin ! Mais il revient aussitôt sur moi, me couvre d'insultes variées et s'écrie, excédé : « Mais laissez-nous vivre ! » Phrase étonnante et qu'il répète. Evidemment je suis vieux jeu, coupable de m'être trouvé sur son chemin et mes protestations ne sont qu'agression raciste ! Je me console, plutôt mal, en me disant qu'un jeune patineur blanc m'aurait peut-être tenu le même langage. Dix ans plus tôt, j'aurais sans doute réagi avec violence.

Je suis cette fois commodément installé dans le taxi d'une compagnie à laquelle je suis abonné depuis une quinzaine d'années. Je connais le chauffeur, un Martiniquais au corps énorme, épais, comme ces chauffeurs noirs de Washington. La route est longue. Il m'explique qu'il gagne sa vie, le soir, en participant à un orchestre, qu'il est marié à une Française et a trois enfants, fort beaux, ajoute-t-il. L'un d'eux, dentiste, a épousé une Finlandaise. « Et figurez-vous, Monsieur, que j'ai une petite fille blonde », s'esclaffe-t-il. Cette scène que je raconte mal m'avait réjoui. Un immigré heureux ! Et je ne sais pourquoi, revenant le soir dans un autre taxi que conduit une jeune femme de la même compagnie, je la lui raconte. Mal m'en a pris, elle se fâche, vocifère contre les chauffeurs étrangers. Je connais son mari, chauffeur lui-même, et je sais qu'ils n'ont pas d'enfants. Les détestent-ils comme les étrangers ? Alors je ne résiste pas au désir d'avoir le dernier mot : « Si vous aviez eu des enfants, il y aurait aujourd'hui moins de chauffeurs étrangers à Paris. »

Une dernière anecdote n'a peut-être de sens que pour moi. C'est une jeune Algérienne, française de la seconde génération, étudiante qui dit à la radio – vous l'avez peut-être entendue vous-même – sa peine, sa mauvaise humeur, la difficulté obstinée de sa vie. Et elle le dit dans un français tellement parfait, tellement élégant (l'école française a du bon) que j'ai subitement la conviction joyeuse et sans doute absurde que, pour elle au moins, la réussite est au bout du chemin.

Mais laissons cette façon impressionniste de parler. Chacun de nous a sans doute en mémoire des anecdotes de ce genre, preuves d'un racisme toujours à double sens : le refus est réciproque et se nourrit de cette réciprocité. Et si l'antisémitisme est bien atténué chez nous par rapport à l'époque d'Edouard Drumont (1844-1917), le pamphlétaire peu pardonnable de *La France juive* (1866), l'inquiétant est qu'il se ranime comme un feu mal éteint, avec le racisme qui se développe en France à propos d'autres étrangers, plus difficiles à assimiler, et qui se multiplient. D'où des frictions quotidiennes, d'où des dangers.

Pourtant, qui pourrait, en France, parler de « race » ? Les Maghrébins sont de race blanche et notre Midi a sa pinte de sang sarrasin, espagnol, andalou... « Regardons la foule dans le métro [parisien] ou dans les rues de villes comme Lyon, Marseille, Lille ou Grenoble, dit un sociologue, Augustin Barbara [218]. L'extrême diversité des visages et des types humains révèle la grande richesse de cette population et en même temps le ridicule des slogans qui veulent "mettre les étrangers dehors". La population française est un tissu composé de plusieurs ethnies, de plusieurs peuples régionaux rassemblés, auxquels se sont joints, par les différentes immigrations depuis plus d'un siècle, des étrangers d'Europe ou de pays plus lointains » [219]. Tant d'« immigrés », depuis si longtemps, depuis notre Préhistoire jusqu'à l'histoire très récente, ont réussi à faire naufrage sans trop de bruit dans la masse française que l'on pourrait dire, en s'amusant, que *tous* les Français, si le regard se reporte aux siècles et aux millénaires qui ont précédé notre temps, sont fils d'immigrés. Très diverse, la France ne peut-elle courir le risque de le devenir, biologiquement, davantage encore ?

Un problème culturel

Reste un dernier problème, le seul réel, le seul inquiétant : un problème culturel. Appliquons-lui, plus qu'à tout autre, le mot de Bernard Stasi dans son beau livre : « C'est la sérénité qui manque le plus dans le difficile débat sur l'immigration. »[220] Là encore, les mots – intégration, assimilation, insertion – qu'on oppose comme le noir et le blanc, dissimulent les réalités.

Les mariages culturels ne sont jamais simples. A preuve le problème juif. Je garde le souvenir de cet historien, professeur alors, il y a longtemps, à Strasbourg. On l'interroge en tant que Juif. Il répond sans sourciller : « Je ne suis pas Juif, je suis Français. » J'ai envie de dire : bravo ! Mais Serge Koster est plus véridique lorsqu'il dit, dans une enquête récente : « La France est ma patrie, le lieu de ma langue et de mes affections. Mais je nourris pour Israël [entendez l'Etat d'Israël] qui n'est pas mon pays un sentiment sans rémission. »[221] Déjeunant chez Lipp, sans doute en 1958, avec Raymond Aron, celui-ci m'expliquait qu'en tant que Juif, il était, en telle occasion, obligé d'agir de telle manière. Et je lui répondais : « Mais, Raymond, vous n'êtes pas Juif, vous êtes Lorrain » (sa famille, comme celle de son parent illustre, Marcel Mauss, est originaire de cette province). Je ne sais plus si mon interlocuteur a souri, mais je suis sûr qu'il n'a pas répondu. Et il est vrai que, confronté aux diverses civilisations qui lui sont au départ étrangères, le fils d'Israël réussit à les assimiler à la perfection, à s'y perdre même, tout en restant réfugié dans une civilisation intérieure à laquelle il tient, dont il ne se détache, quand il s'en détache, qu'imparfaitement.

Pourtant, les Juifs ne sont que 14 millions, éparpillés de par le monde (600 000 en France, le groupe le plus important après celui des Etats-Unis). Comment les réussites éclatantes de la diaspora dont leur histoire est pleine : la Pologne du XVIIe siècle, l'Italie du XVe, l'Espagne du XVIe, l'Allemagne du XVIIIe, les Etats-Unis d'aujourd'hui, le Brésil, la France..., n'ont-elles abouti nulle part à la fusion pure et simple ? Pourquoi ne se sont-ils pas perdus, comme tant d'autres corps étrangers, dans l'une ou l'autre des nombreuses terres d'accueil où ils ont si longuement vécu ?

Peut-être, proposait récemment un journaliste [222], parce que « toutes les fois... que la collectivité juive semble s'acheminer vers l'assimilation, un choc survient, qui la renvoie à ses origines, à son passé de douleur et de persécution, à son ghetto ». Si j'avais rencontré Raymond Aron avant 1933, m'aurait-il parlé dans les mêmes termes ? J'en doute. Après les massacres hitlériens, quel Juif, même choqué en son for intérieur par certaines manifestations du nationalisme israélien, pourrait-il en convenir publiquement ?

Le voyage de Giscard d'Estaing au Proche-Orient, en 1980, sa prise de position en faveur des Palestiniens, ont provoqué, par presse interposée, une de ces explosives remises en question. La *Tribune juive* a brandi la menace d'un « vote-sanction », à quoi ont répondu des bordées d'injures et d'accusations relevant d'un pur antisémitisme. Heureusement aussi des rappels à la lucidité venant d'intellectuels des deux bords. Mais l'épisode est en soi révélateur.

Comparée à la survie multiséculaire et quasi miraculeuse du petit peuple juif, l'assimilation des premiers groupes serrés d'immigrés dans notre pays paraîtra extrêmement rapide. Pourtant les débuts en ont été difficiles, voire affreux. Les Italiens, en 1896, n'étaient que 291 000 sur notre territoire, mais concentrés dans le Midi : 10 % dans le Var, 12 % dans les Bouches-du-Rhône, 20 % dans les Alpes-Maritimes... Et ces *Ritals*, accusés publiquement de manger le pain des Français, ont été pourchassés. Il y a eu des bagarres meurtrières, de vrais crimes racistes, des lynchages même à Alès [223]. Une trentaine d'années plus tard, les Polonais, eux aussi regroupés massivement, dans le Nord de la France surtout, isolés de surcroît par leur langue, vivant entre eux, avec leurs propres artisans, sont en butte à l'hostilité générale. Dans l'un et l'autre cas, la religion catholique ne sert pas de ciment, au contraire. On se moque des signes de croix des dockers napolitains de Marseille, au cours de leur travail – d'où leur surnom de *cristos*. Les formes de la religiosité polonaise, le baise main au curé entre autres, paraissent dérisoires aux gens du Nord. Et l'Eglise elle-même fait des difficultés à ces étrangers qui veulent avoir pour prêtres des compatriotes : autrement, disent-ils, comment nous confesser[224] ? Bref, tous les préfets affirment : « Les Polonais sont inassimilables ! » Mais il y a l'école, l'école surtout. Et parfois aussi la vie syndicale, les partis politiques (le parti communiste en particulier pour les Italiens). Dès la deuxième génération, dès la troisième en tout cas, l'intégration a été totale. Aujourd'hui seuls les noms de famille, quelques traditions familiales rappellent les origines étrangères. Et on a l'impression que pour les Espagnols, Portugais et Italiens de la récente vague d'immigration, mis à part ceux qui rentrent au pays avec leurs économies à l'âge de la retraite, le même processus d'assimilation rapide est engagé.

Alors pourquoi aujourd'hui, en ce qui concerne les Musulmans installés chez nous, maghrébins en majorité, le phénomène inverse ? Ce sont les fils d'immigrés de la deuxième génération qui sont en difficulté, rejetés et rejetant eux-mêmes une assimilation que la génération de leurs parents ou grands-parents avait parfois réussie. Les obstacles sont sérieux : défiance réciproque, craintes, préjugés racistes, mais aussi différences profondes de croyances, de mœurs ; juxtaposition, ou confrontation des cultures, et non mélange. Un peu comme aux Etats-Unis où, malgré la puissance d'attraction de l'*American way of life*, des problèmes culturels subsistent. Mais, chez nous, la situation est bien plus tendue et instable qu'aux Etats-Unis, et plus subtilement, car nous sommes un vieux pays ; car la maison originelle de nos hôtes, vieux pays elle aussi, est voisine de la nôtre, touche la nôtre. Quelques heures suffisent pour arriver à l'aéroport, débarquer à

Maison-Blanche et notre ouvrier nord-africain reprend le chemin des Kabylies, replonge dans son enfance, sa jeunesse, son bonheur ou sa nostalgie. En Amérique, la distance surabondante – ne serait-ce que l'Atlantique – a été rupture efficace. D'Amérique, on ne revient vers le pays natal que fortune faite, et encore ! Déjà Hernán Cortés touchant le rivage mexicain avait brûlé ses vaisseaux.

Je n'ai rien contre nos synagogues et nos églises orthodoxes. Et donc rien contre les mosquées qui s'élèvent en France, de plus en plus nombreuses et fréquentées. Mais l'Islam n'est pas seulement une religion, c'est une civilisation plus que vivante, une manière de vivre. Cette jeune Maghrébine enlevée et séquestrée par ses frères parce qu'elle voulait épouser un Français, ces centaines de Françaises mariées à des Nord-Africains et à qui, après un divorce, leurs enfants sont enlevés et expédiés en Algérie par les pères qui se reconnaissent, seuls, des droits sur eux, ce ne sont pas là de simples faits divers, mais des symboles de l'obstacle majeur auquel se heurtent les immigrés d'Afrique du Nord : une civilisation autre que la leur. Un droit, une loi qui ne reconnaît pas leur propre droit, fondé sur cette loi supérieure qu'est la religion du Coran. L'autorité paternelle, le statut de la femme posent sans doute les problèmes majeurs, puisqu'ils touchent à cette base fondamentale de la société : la famille. Il y a chaque année, en moyenne, 20 000 mariages mixtes. Deux sur trois aboutissent au divorce [225]. Ils supposent en effet une rupture avec la civilisation mère de l'un des époux, quand ce n'est pas des deux. Or sans intermariages, il n'y a pas d'intégration.

D'où l'hésitation, le déchirement des jeunes générations de Maghrébins, qui vivent difficilement notre crise économique et l'hostilité que leur réservent les grandes villes. Souvent Français de droit, par leur naissance sur notre territoire, ils refusent, par fidélité aux leurs ou par défi, la nationalité française et cultivent le rêve du retour sans trop y croire, cependant, ni même le vouloir.

Ces déchirements sont parfois mortels et il est des morts dont chacun de nous se sentira responsable. Un jeune Nord-Africain est jeté en prison, à Clairvaux, il s'y suicide et laisse un étrange message : « Tous les jours, je crève. J'ai mal terriblement. A croire qu'un cancer me dévore. Je vous quitte, empli de haine et d'amour. De l'amour que j'ai raté, l'amour que je n'ai pas eu, de l'amour que je voulais donner. » Même si Tahar Ben Jelloun [226] a embelli ce très beau message, quel cri !

Autres victimes : « Isolés dans une ville du centre de la France, sans travail, sans habitation, loin de leur ciel, loin de leur terre, [deux Vietnamiens] n'ont pu trouver le courage de vivre. Ces gens sont morts deux fois. Nous [nous, les Français chargés de l'accueil] n'en avions pas le droit. » [227]

Si douloureux que soient ces faits divers, sinistres en vérité, ils sont peu de chose en comparaison du sort maudit réservé aux Harkis. Songez qu'ils sont au moins 400 000 installés ici, en France, et que nos statistiques ne les comptent pas parmi les immigrés, puisque la nationalité française leur a été concédée en récompense des services rendus hier à l'armée française, durant la guerre d'Algérie. Après Evian, ils ont fui vers la France pour échapper au massacre qui a été le sort de milliers d'entre eux. Les voilà, certains dispersés comme des travailleurs immigrés, mais tenus à l'écart, et d'abord par l'immigré algérien ordinaire qui voit en eux des « collaborateurs et traîtres » ; d'autres, vivant encore dans des camps d'accueil, à Bias, dans le Lot-et-Garonne, à Saint-Maurice-l'Ardoise dans le Gard, « auxquels il faut ajouter trente-six hameaux forestiers dispersés dans les régions boisées de la Lozère, du Limousin, des Vosges... » [228]. Dans les baraques où ils s'entassent, ils vivent souvent de la pension médiocre que leur sert l'armée, multipliant les enfants pour récolter un peu d'argent des allocations familiales... Impossible pour eux et même pour leurs enfants de retourner en Algérie. Des promesses ont été faites. Seront-elles tenues ? Nous sommes responsables de leur sort, quelles qu'aient été les raisons de leur allégeance à une France sur laquelle, plus ou moins consciemment, ils ont parié leur vie. J'avoue qu'aucun spectacle ne m'émeut aussi profondément. Toutefois en l'occurrence, les bons sentiments ne servent à rien.

Mais la France est-elle seule coupable ? Comme toujours, les torts sont partagés. Ainsi ces Maghrébins que le hasard a fait vivre un peu trop longtemps en France et qui y ont pris quelques habitudes, plus encore ceux qui y sont nés, ne sont-ils pas ensuite assez mal reçus chez eux lorsqu'ils y reviennent, à titre provisoire ou définitif ? Ecoutons le témoignage angoissé d'un étudiant de 26 ans, Algérien, inscrit à l'université de Lille : « Je ne sais pas si je retourne en Algérie ou si je vais rester en France. Ce choix paraît simple, mais c'est comme si l'on demandait à quelqu'un de choisir entre son pied droit et son pied gauche... Dans [notre] pays d'origine, nous nous trouvons étrangers et on nous le fait sentir. Dans le pays d'accueil, nous sommes étrangers parce que nous n'avons pas la nationalité française [cet étudiant est, en effet, né en Algérie] et parce que nous avons le teint basané. »[229]

Les *Beurs* (c'est le sobriquet qui désigne les immigrés de la deuxième génération) sont en effet aussi mal dans leur peau en France (qu'ils aient accepté ou non la nationalité française à laquelle ils ont droit) qu'en Algérie, où ils sont regardés comme des semi-étrangers. Les raisons de cette exclusion ? Parfois leur jactance, le « luxe » dont ils éclaboussent les uns et les autres pendant leurs vacances au pays, leurs vêtements, leurs automobiles... Parfois aussi leur propre mépris : « Là-bas, dit l'un d'eux de retour en France, il n'y a rien à bouffer. C'est redevenu le Moyen Age. »[230] Et tel autre : « Ici, c'est lugubre, impossible de s'amuser et la famille te surveille sans arrêt. »[231] Mais les Beurs choquent plus encore par ce qu'ils font, pas toujours consciemment, contre les habitudes et mœurs locales. Hassan, qui a fait quelques séjours intermittents à Paris et ne s'y est pas installé, y a trouvé le « milieu des immigrés... très pourri ». « Nous, dit-il, on a des traditions à respecter. Tu vois, là-bas, tu perds ta personnalité... Les jeunes qui sont nés là-bas, en France, ils ont carrément perdu le sens des traditions... vraiment je pourrais pas être comme eux... Ils écrasent leurs parents... Moi, même si j'ai soixante ans, je respecte mon père et ma mère. » Bref, « comme dit un "psy" algérien, [les immigrés sont redoutés en tant que] porteurs du danger de modernité, d'évolution sociale »[232].

A quoi ceux-ci répliquent en avançant leurs propres griefs. « Souvent dans la rue, dit une jeune Algérienne, les hommes font à haute voix la réflexion : c'est une immigrée, simplement parce que je ne baisse pas les yeux. »[233] Que ne faut-il pas faire si l'on veut être admis à nouveau dans sa propre communauté ! Djamel, ce garçon de 22 ans dont toute la famille est en France, revenu seul au pays parce qu'il ne pourrait, dit-il, vivre ailleurs, qui se sent Kabyle « jusqu'à la prunelle des yeux », est étudiant en médecine à Tizi Ouzou. « Les premières semaines ont été pénibles et j'ai dû me battre pour que les autres étudiants m'acceptent parmi eux... On me traite encore d'émigré, mais ils finiront par ne plus le dire... Dans quelques années, je serai toubib dans un dispensaire paumé, aux frais de l'Etat. Ici c'est loin d'être parfait... Moi j'y crois ; je rêve que les choses vont bouger et je veux y tenir mon rôle. »[234]

Mais combien sont-ils à avoir ce courage, cette passion ? Amar, né à Saint-Maur, a tenté par deux fois l'expérience. Il va y renoncer. « Je me suis gouré, c'est tout. Je ne vais pas en faire une maladie. Il y a tout un discours officiel sur la réinsertion et ce n'est que du vent. On ne fait rien pour nous aider, pour nous accueillir. Tu peux même pas avoir des cours d'arabe et tu te fais traiter à longueur de journée d'immigré ou de Parisien. »[235]

Mais le gouvernement algérien est probablement aussi impuissant que le nôtre devant ces discordes. En 1983, un jeune fonctionnaire du ministère de la Planification commente la situation. Il est sans indulgence pour ces immigrés « usuriers » qui ne rentrent en Algérie qu'après avoir « amassé des fortunes en trafic de devises » et forment « une nouvelle bourgeoisie imbue d'elle-même et imbuvable ». Mais il n'accepte pas les « retours forcés », « les filles nées en France à qui on impose un mariage surprise », au cours d'un congé d'été. « Il y a, dit-il, des réactions de rejet incompréhensibles. A la fac, par exemple, les immigrés sont isolés et tenus à l'écart. On se moque d'eux et les filles sont tout simplement considérées comme des prostituées. Quant aux jeunes de la deuxième génération, ils ne résistent en général que quelques semaines. C'est grave parce que nous avons besoin de ces gens neufs, différents. Condamner le racisme en France, c'est bien. Le reproduire ici, c'est insupportable. »[236]

Faut-il s'étonner, dans ces conditions, que des débats récents révèlent deux courants quasi opposés, au sein même des communautés musulmanes de France ?

Le premier continue à prêcher, de façon active et militante, le retour aux sources, au Coran, à « l'Islam rédempteur ». Pour Driss El Yazami, « il n'y a que la religion qui puisse nous rassembler, nous, tous les Maghrébins, même les fils de harkis », qui puisse préserver une « identité » maghrébine, face à la française[237]. Mais ce « face » ne devient-il pas facilement un « contre » ? Un encouragement pour les Français d'origine musulmane à refuser le bulletin de vote comme une sorte de trahison culturelle ? Une source de conflits entre les devoirs religieux, selon l'Islam, et les obligations du droit civil français, en matière de divorce, de droit paternel, etc. ?

Est-ce là le rôle de la religion qui, particulièrement dans une société multiculturelle ou multiraciale, se doit de rester foi intime, morale individuelle ? Lors de la querelle de 1980 dont j'ai parlé plus haut, Léo Hamon, rappelant à la raison les adversaires, précisait les devoirs de tout « Français de confession israélite ». Ce sont, me semble-t-il, ceux de tout individu désireux de vivre dans le cadre d'une nation qui, telle que la nôtre, n'a pas de religion officielle. « Le droit à la différence, écrit-il, s'arrête là où pourrait s'estomper la réalité "communauté". Tout homme, dans les sociétés modernes, a des appartenances diverses – religieuse, philosophique, professionnelle, culturelle, nationale. ... Mais, comme il ne peut y avoir qu'un seul Etat sur une terre donnée, il ne peut y avoir qu'une seule appartenance nationale pour un seul homme. La plénitude des droits pour chacun, la cohérence de la société sont à ce prix... Si je ne pensais pas ainsi, si Israël était mon appartenance majeure, je serais inexcusable de ne point y être... »[238]

Bref, il faut choisir. Et c'est précisément la tendance

de l'autre courant de pensée qui apparaît, en particulier dans les discussions au sujet du bulletin de vote. Belkacem, 26 ans, secrétaire général de l'Association des Travailleurs Algériens en France, explique : « On sait que 90 % des Maghrébins vont rester en France. Notre slogan, ça va être : mon avenir est ici, je vote. »[239] Slimane Tir, économiste de 29 ans, créateur à Roubaix d'un centre maghrébin Action-Recherche-Culture, n'hésite pas à dire que, pour la plupart des immigrés, « le pays réel, aujourd'hui, c'est la France », l'idée de retour, « un mythe », « une fuite devant cette réalité ». A eux d'entrer dans le jeu politique, de voter, d'accéder à une « culture pour déboucher sur une nouvelle citoyenneté ». Et pour cela, « il faut choisir. Trop de jeunes s'enlisent dans une situation de non-choix »[240].

« Choisir, la première bifurcation, celle qui décide de tout l'itinéraire futur, dit à son tour Jean-Francis Held dans le même numéro de *L'Evénement*. Les jeunes Beurs commencent à réaliser qu'une carte d'électeur porte bien plus d'espoir que n'importe quel repli frileux sur le Coran ou sur le rêve du retour. » Et d'évoquer le temps où « des Beurs, beaucoup de Beurs, seront devenus à la force du poignet professeurs, chirurgiens, hommes d'affaires, députés, maires... », capables, de ce fait, de modifier « les rapports avec la population majoritaire »[241].

Puisse-t-il avoir raison ! Ce jour-là, les Maghrébins auront gagné leur partie, donc la nôtre, celle de la communauté. D'autant que les progrès de l'intégrisme dans le monde ont de quoi rendre inquiétantes les plus sincères des croisades religieuses. La France n'est certes pas non chrétienne, mais sur ce point elle est devenue tolérante, ses passions se sont apaisées. Depuis longtemps, nous en avons fini, Français, avec nos guerres de Religion et pourtant plusieurs siècles ne nous ont pas encore permis d'en oublier les cruautés. Qui de nous voudrait, sur notre territoire, en voir renaître de nouvelles ?

NOTES

Notes de l'introduction du livre II

1. Joan ROBINSON, *Hérésies économiques,* 1972, p. 229.
2. Guy BOIS, *Crise du féodalisme,* 1976, p. 16.

Notes du premier chapitre

1. Alfred SAUVY, Lettre du 29 février 1980.
2. Pierre CHAUNU, *La France,* 1982, p. 33.
3. Henri LERIDON et Michel Louis LEVY, « Populations du monde : les conditions de la stabilisation », *in* : *Population et sociétés,* déc. 1980, n° 42.
4. Ange GOUDAR, *Les Intérêts de la France mal entendus,* 1756, I, pp. 255 et 342.
5. Jean MARKALE, *Le Roi Arthur et la civilisation celtique,* 1976, p. 9.
6. Cité par Gilles DELEUZE et Félix GUATTARI, *Capitalisme et Schizophrénie, L'anti-Œdipe,* 1972, p. 169.
7. Ferdinand LOT, *La Fin du monde antique et le début du Moyen Age,* 1968, pp. 11-13. 1983, pp. 28-29.
8. Colin RENFREW, *Les Origines de l'Europe,* 1983, p. 29.
9. Isaac NEWTON, *The Chronology of Ancient Kingdoms amended, in : Œuvres complètes,* 1779-1785, tome V, cité par C. RENFREW, *op. cit.,* p. 29.
10. C. RENFREW, *ibid.,* p. 282.
11. Sur cette révision radicale, voir C. RENFREW, *ibid.,* Chapitres III, IV, V et *passim.*
12. Gabriel CAMPS, *La Préhistoire,* 1982, pp. 125-140.
13. Gabriel CAMPS, *op. cit.,* p. 54.
14. *Ibid.,* pp. 55 *sq.*
15. Selon la remarque d'André LEROI-GOURHAN, cité par G. CAMPS, *op. cit.,* p. 59.
16. Jean GUILAINE, *La France d'avant la France. Du Néolithique à l'Age de fer,* 1980, p. 14.
17. Henri DELPORTE, « Les premières industries humaines en Auvergne », *in* : *Préhistoire française.* I, *Les Civilisations paléolithiques et mésolithiques de la France,* 1976, p. 803, p.p. Henri de LUMLEY.
18. H. de LUMLEY, S. GAGNIÈRE, L. BARRAL et R. PASCAL,« La grotte du Vallonet Roquebrune-Cap-Martin (Alpes-Maritimes) », *in :*

Bulletin du Musée d'Anthropologie préhistorique de Monaco, 10, 1963, pp. 5-20.
19. Franck BOURDIER, *Préhistoire de la France,* 1967, pp. 55 *sq.* et *Préhistoire française,* I, *op. cit.,* tableau chronologique, p. 10.
20. On sait que dans un passé extrêmement lointain, la dérive des continents a pu déplacer des continents entiers. Par exemple, l'Inde, jadis rattachée à l'Antarctide, a été finalement percuter l'Eurasie, au nord de l'Equateur et s'y est soudée (le processus a duré 50 millions d'années).
21. H. de LUMLEY, S. GAGNIÈRE, L. BARRAL et R. PASCAL, art. cit.
22. E.W. PFIZENMAYER, *Les Mammouths de Sibérie. La découverte des cadavres de mammouths préhistoriques sur les bords de la Berezovka et de la Sanga-Iourakh,* 1939, *passim* et pp. 17-21.
23. H. de LUMLEY, J. RENAUL-MISKOVSKY, J.-C. MISKOVSKY, J. GUILAINE, « Le cadre chronologique et paléoclimatique du Postglaciaire », *in : La Préhistoire française.* II, *Les Civilisations néolithiques et protohistoriques de la France,* p.p. Jean GUILAINE, *op. cit.,* 1976, p. 3.
24. Marie-Antoinette de LUMLEY, « Les Anténéanderthaliens dans le Sud », *in : La Préhistoire française,* p.p. Henri de LUMLEY, I, *Les Civilisations paléolithiques et mésolithiques de la France,* 1976, p. 547.
25. Jean ABELANET, *Le Musée de Tautavel,* 1982, pp. 32-36.
26. *Ibid.,* pp. 11 et 25.
27. G. CAMPS, *op. cit.,* p. 157.
28. *Ibid.,* pp. 380-381.
29. *Ibid.,* p. 381 et F. BOURDIER, *op. cit.,* pp. 223-224.
30. G. CAMPS, *op. cit.,* pp. 162-176 ; F. BOURDIER, *op. cit.,* p. 208.
31. Philip LIBERMAN, « L'évolution du langage humain », *in : La Recherche,* 1975, pp. 751 *sq.*
32. G. CAMPS, *op. cit.,* pp. 173-174 et 178.
33. F. BOURDIER, *op. cit.,* p. 262.
34. André LEROI-GOURHAN, « L'art paléolithique en France », *in : Préhistoire française, op. cit.* I, pp. 741 *sq.* ; G. CAMPS, *op. cit.,* pp. 203-207.
35. Pierre GAXOTTE, *Histoire des Français,* 1951, I, pp. 16-17.
36. G. CAMPS, *op. cit.,* p. 194.
37. G. CAMPS, *op. cit.,* pp. 187-190 ; F. BOURDIER, *op. cit.,* pp. 240-244.
38. F. BOURDIER, *op. cit.,* pp. 249-256.
39. G. CAMPS, *op. cit.,* pp. 229-232.
40. Robert ARDREY, *La Loi naturelle,* 1971, pp. 390-391.
41. J. GUILAINE, *op. cit.,* p. 29.
42. *Ibid.,* pp. 29-30.
43. Raymond RIQUET, « L'anthropologie préhistorique », *in : La Préhistoire française,* pp. Jean GUILAINE, II, 1976, p. 151.
44. J. GUILAINE, *op. cit.,* p. 34.
45. J. GUILAINE, *op. cit.,* p. 37.
46. R. RIQUET, *op. cit.,* p. 140.
47. J. GUILAINE, *op. cit.,* pp. 40 *sq.*
48. On désigne sous ce nom aussi bien les constructions faites d'énormes pierres dressées, comme à Carnac, ou à Stonehenge en Angleterre, que les tombes à toitures en encorbellement, comme celles de l'île Longue, en Bretagne, qui utilisent de petites pierres.
49. J. GUILAINE, *op. cit.,* pp. 66-67.
50. J. GUILAINE, *op. cit.,* p. 94 *sq.*
51. J. GUILAINE, *op. cit.,* p. 94.

52. R. RIQUET, *op. cit.,* p. 144.
53. J. GUILAINE, *op. cit.,* pp. 95-96.
54. J. GUILAINE, *op. cit.,* p. 103.
55. Statuette d'ivoire, découverte dans la grotte du Pape, à Brassempouy (Landes).
56. J. GUILAINE, *op. cit.,* pp. 104-105.
57. *Ibid.,* pp. 129-130.
58. *Ibid.,* p. 131.
59. J. GUILAINE, *op. cit.,* p. 149.
60. Le forgeron, dans les sociétés primitives modernes, a toujours été un personnage à part, respecté, généralement redouté.
61. J. GUILAINE, pp. 160-161.
62. *Ibid. op. cit.,* p. 167.
63. *Ibid., op. cit.,* pp. 174 *sq.*
64. *Ibid.,* p. 177.
65. G. RACHET, *op. cit.,* p. 38.
66. J. GUILAINE, *op. cit.,* p. 203.
67. *Ibid.,* p. 241.
68. *Ibid., op. cit.,* pp. 241 *sq.*
69. *Ibid.,* pp. 242 *sq.*
70. *Ibid.,* pp. 248-250.
71. Bien que, récemment, on ait mis en doute qu'il s'agisse bien d'une femme.
72. J. GUILAINE, *op. cit.,* pp. 254-255.
73. Jacques HARMAND, *Les Celtes au second Age du fer,* 1972, pp. 16-17.
74. Venceslas KRUTA, *Les Celtes,* 1976, pp. 68-70.
75. *Ibid.,* pp. 34-35.
76. Barry CUNLIFFE, *L'Univers des Celtes,* 1981, pp. 14-15.
77. Sur l'étonnante civilisation unitaire du Levant au IIe millénaire, *cf.* W. CULICAN, *Le Levant et la mer, histoire et commerce,* 1967.
78. Jacques HARMAND, *Les Celtes au second Age du fer,* 1972, p. 15.
79. *Ibid.,* p. 40.
80. *Ibid.,* p. 42.
81. Jules MICHELET, *Histoire de France,* 1876, I, p. 12.
82. J. MICHELET, *op. cit.,* I, p. 15.
83. Jan de VRIES, *La Religion des Celtes,* 1963, p. 14.
84. Henri HUBERT, *Les Celtes et l'expansion celtique jusqu'à l'époque de la Tène,* 1950 ; *Les Celtes depuis l'époque de la Tène et la civilisation celtique,* 1950.
85. Gustave BLOCH, « La Gaule indépendante et la conquête romaine », *in : Histoire de France,* p.p. Ernest LAVISSE, II, 1911, p. 33.
86. Vital-Fleury VIMAL de SAINT-PAL, « Le Celte, homme de cheval », *in : La Cavalerie celtique,* 1952.
87. J. HARMAND, *op. cit.,* p. 80 ; B. CUNLIFFE, *op. cit.,* p. 120.
88. Karl Ferdinand WERNER, *Les Origines, in : Histoire de France,* p.p. Jean FAVIER, 1984, I, p. 202.
89. Paul-Henri PAILLOU, *L'Anti-César,* 1965.
90. J. HARMAND, *op. cit.,* pp. 88-89.
91. *Infra,* tome III, Chapitre IV.
92. *Dictionnaire archéologique des techniques,* Éditions de l'Accueil, 1964, II, p. 1008, article « transports ».
93. Alain GUILLERM, *L'Etat et l'espace de la guerre,* 1982, dactylogramme, I, pp. 37 *sq.,* p. 49.
94. G. BLOCH, *op. cit.,* p. 43.

95. Venceslas KRUTA, *Les Celtes*, pp. 112-115.
96. *Ibid.*, p. 105.
97. *Ibid.*, p.p. 102-103 et 108-110.
98. G. BLOCH, *op. cit.*, *in : Histoire de France*, pp. E. LAVISSE, II, p. 42.
99. CICÉRON, *De provinciis consularibus*, 12, cité par G. BLOCH, *op. cit.*, p. 37.
100. G. BLOCH, *op. cit.*, p. 95.
101. Albert GRENIER, « Aux origines de l'économie rurale : la conquête du sol français », *in : Annales d'histoire économique et sociale*, 1930, pp. 32-33.
102. A. GUILLERM, *op. cit.*, p. 66.
103. Pierre BONNAUD, « La ville : deux origines, deux filières », *in : Géographie historique des villes d'Europe occidentale.* Actes du colloque du 10-12 janvier 1981 à l'Université de Paris-Sorbonne, t. I. *Villes et réseaux urbains*, p.p. Paul CLAVAL, 1984, p. 29.
104. Emmanuel de MARTONNE, conférence, à São Paulo, Brésil.
105. Colin RENFREW, *Les Origines de l'Europe*, 1983, p.p. 165-168.
106. Raymond RIQUET, « L'anthropologie préhistorique », *in : La Préhistoire française*, p.p. Jean GUILAINE, II, 1976, pp. 150-151.
107. Ferdinand LOT, *La France des origines à la guerre de Cent Ans*, 5e éd. 1941, p. 8.
108. C. RENFREW, *op. cit.*, pp. 133 *sq.*
109. K.F. WERNER, *op. cit.*, p. 71.
110. Louis-René NOUGIER, *Le Peuplement préhistorique*, 1950, p. 65.
111. G. CAMPS, *op. cit.*, pp. 310-311.
112. R. RIQUET, *op. cit.*, p. 146.
113. Cité par Marcel REINHARD, André ARMENGAUD, Jacques DUPAQUIER, *Histoire générale de la population mondiale*, 1968, p. 43.
114. G. BLOCH, *op. cit.*, p. 35.
115. Eugène CAVAIGNAC, cité par Marcel REINHARD, André ARMENGAUD, Jacques DUPAQUIER, *Histoire générale de la population mondiale*, 1968, qui adoptent ce chiffre « assez solidement établi », p. 43.
116. K. F. WERNER, *op. cit.*, p. 167.
117. Jean BERNARD et Jacques RUFFIÉ, *Hématologie géograhique*, 1966, I, cité par M. BORDEAUX, « Voies ouvertes à l'histoire des coutumes par l'hématologie géographique », *in : Annales E.S.C.*, 1969, p. 1275 (carte p. 1282, à titre d'exemple).
118. Robert FOSSIER, *Histoire sociale de l'Occident médiéval*, 1970, p. 22 ; Michel ROBLIN, *Le Terroir de l'Oise aux époques gallo-romaine et franque. Peuplement, défrichement, environnement*, 1978, p. 297.
119. G. BLOCH, *op. cit.*, p. 101.
120. A. GUILLERM, *op. cit.*, p. 44.
121. J. MICHELET, *op. cit.*, I, p. 52.
122. Jérôme CARCOPINO, *César*, 1936, p. 707 ; Camille JULLIAN, *Histoire de la Gaule*, éd. 1971, II, pp. 437-447, pp. 449-452.
123. Gustave BLOCH, *Les Origines. La Gaule indépendante et la Gaule romaine*, *in : Histoire de France*, pp. Ernest LAVISSE, I, 1911, p. 101.
124. *Ibid.*, p. 104.
125. Ferdinand LOT, *La Gaule*, 1947, p. 170.
126. C. JULLIAN, *op. cit.*, pp. 508-509.
127. K.F. WERNER, *op. cit.*, p. 137.
128. A. GUILLERM, *op. cit.*, p. 143.
129. Siegfried Jan DE LAET, « Romains, Celtes et Germains en Gaule septentrionale », *in : Studia historica gandensia*, 1964, p. 92.
130. *Ibid.*, p. 93.

131. Marcel LE GLAY, « Les Gallo-Romains », *in : Histoire de France,* p.p. G. DUBY, 1970, I, p. 114.
132. Maurice BOUVIER-AJAM, *Dagobert,* p. 19 ; Pierre LANCE, *La Défaite d'Alésia, Ses causes dans la société celtique, ses conséquences dans la société française,* 1978, pp. 155 *sq.*
133. André PIGANIOL, *Histoire de Rome,* 1962, p. 273.
134. Jules MICHELET, cité par François GEORGE, *Histoire personnelle de la France,* 1983, p. 91.
135. Pierre LANCE, *op. cit., passim.*
136. Pierre BONNAUD, *Terres et langages. Peuples et régions,* 1981, I, pp. 37-39 et 45. « La situation des Gaulois par rapport au latin au cours du haut Moyen Age rappelle [...] celle de la langue d'oc par rapport au français entre le XVIe siècle et nos jours. » Yves FLORENNE, « Les peuples fidèles », *in : Le Monde,* 21 juillet 1983.
137. J. MARKALE, *Le Roi Arthur, op. cit.,* p. 24.
138. Jan DE LAET, art. cit., p. 91.
139. Référence égarée.
140. F. LOT, *op. cit.,* p. 69.
141. Karl Julius BELOCH, *Die Bevölkerung der Griechisch-Römischen Welt,* 1886, p. 507.
142. Voir *supra,* note 115.
143. K. J. BELOCH, « Die Bevölkerung im Altertum », *in : Zeitschrift fur Social und Wissenschaft,* II, 1899, pp. 512 et 619. Cet article est d'une quinzaine d'années postérieur à l'ouvrage cité note 141.
144. Robert FOSSIER, *Histoire sociale de l'Occident médiéval,* p. 51.
145. Heinrich BECHTEL, « Städte und Bürger vom 13.-15. Jahrhundert », *in : Wirtschaftsgeschichte Deutschlands,* 1951, p. 256.
146. F. BRAUDEL, *Civilisation matérielle...* 1979, I, p. 232.
147. F. LOT, *op. cit.,* p. 397.
148. R. FOSSIER, référence non retrouvée.
149. Jean-Louis VATINEL, *Les Années terribles du IIIe siècle en Gaule,* 1978, p. 17.
150. Lucien MUSSET, « Les Gallo-Romains », *in : Histoire de France,* p.p. Georges DUBY, 1970, I, p. 159.
151. André PIGANIOL, cité par Robert FOSSIER, *Le Moyen Age.* I. *Les Mondes nouveaux (350-950),* 1982, p. 33.
152. Michel ROUCHE, « L'éclatement des mondes anciens », *in : Le Moyen Age, op. cit.,* I, p. 107.
153. Pierre DOCKES, *La Libération médiévale,* 1979 ; « Révoltes bagaudes et ensauvagement », *in : Sauvages et ensauvagés ; analyse épistémologique, histoire économique,* mars 1980, n° 19, pp. 145 *sq.*
154. M. ROUCHE, *op. cit.,* p. 108.
155. Roger AGACHE, « Détection aérienne des vestiges protohistoriques, gallo-romains et médiévaux dans le bassin de la Somme », *in :* Numéro spécial du *Bulletin de la Société de Préhistoire du Nord,* n° 7, 1970, pp. 179-180.
156. Guillaume FOVET, *Gallia,* supp. 20, 1969.
157. Roger AGACHE, « Archéologie aérienne de la Somme », *in :* Numéro spécial du *Bulletin de la Société de Préhistoire du Nord,* n° 6, 1964, planche 32 : fig. 103 et 104.
158. Monique CLAVEL, *Béziers et son territoire dans l'Antiquité,* 1970, pp. 606-607.

159. Pierre DURVIN, *Essai sur l'économie gallo-romaine dans la région de Creil*, 1972, pp. 9-16.
160. Sidoine APOLLINAIRE, *Lettres*, II, éd. 1970, p. 46 et note 9.
161. Henri DUBLED, « Quelques observations sur le sens du mot *villa* », *in : Le Moyen Age*, 1953, 1-2, pp. 1-9.
162. P. DURVIN, *op. cit.*, p. 68.
163. Lucien GACHON, *La Vie rurale en France*, 1re éd. 1967, 3e éd. 1976, p. 39.
164. Michel ROUCHE, « L'éclatement des mondes anciens », *in : Le Moyen Age*, p.p. R. FOSSIER, *op. cit.*, p. 57.
165. *Ibid.*, p. 59.
166. Marie-Bernadette BRUGUIÈRE, *Littérature et droit dans la Gaule du ve siècle*, 1974, p. 321 : Lampridius, ami de Sidoine Apollinaire, assassiné par ses esclaves ; le même Sidoine Apollinaire signale l'enlèvement d'une femme, vendue comme esclave au marché de la ville de Clermont.
167. Régine PERNOUD, *in : Histoire du peuple français*, p.p. Louis-Henri PARIAS, I. *Des origines au Moyen Age*, p. 29.
168. Pierre DOCKES, *La Libération médiévale*, 1979, p. 118.
169. P. DOCKES, *Révoltes bagaudes et ensauvagement*, *op. cit.*, pp. 152-154.
170. Henri HUBERT, *Les Celtes depuis l'époque de la Tène et de la civilisation celtique*, 1950, p. 184.
171. Salvien se retira à l'abbaye de Lerins en 420, puis à Marseille où il fut ordonné prêtre en 430. Ce passage est extrait de *De gubernatione Dei* où il présente les Barbares, chargés par Dieu de châtier le monde romain, comme les promoteurs d'une société régénérée.
172. Cité par Robert FOSSIER, *Histoire sociale de l'Occident médiéval*, *op. cit.*, p. 45.
173. M.-B. BRUGUIÈRE, *op. cit.*, p. 53.
174. P. DOCKES, *Révoltes bagaudes et ensauvagement*, *op. cit.*, p. 237.
175. Jan DHONDT, *Le Haut Moyen Age (VIIe-XIe siècles)*, 1976, pp. 27-28.
176. Hans DELBRÜCK, *Geschichte der Kriegskunst in Rahmen der Politischen Geschichte*, I, 1900, pp. 472 *sq.*
177. Henri PIRENNE, Conférences à Alger, 1931.
178. Lucien ROMIER, *L'Ancienne France des origines à la Révolution*, 1948, p. 45.
179. Ferdinand LOT, « La civilisation mérovingienne », *in : Les Destinées de l'Empire en Occident de 395 à 888.* Première partie : *De 395 à 768. Histoire du Moyen Age*, p.p. Gustave GLOTZ, 1940, p. 383.
180. P. DOCKES, *La Libération médiévale*, *op. cit.*, p. 109.
181. Référence égarée.
182. R. FOSSIER, *Histoire sociale de l'Occident médiéval*, *op. cit.*, pp. 33 *sq.*
183. Paul DUFOURNET, *Pour une archéologie du paysage*, 1978, p. 163.
184. Robert FOLZ, André GUILLOU, Lucien MUSSET, Dominique SOURDEL, *De l'Antiquité au monde médiéval*, 1972, pp. 94-99 et 243.
185. R. FOSSIER, *Histoire sociale de l'Occident médiéval*, *op. cit.*, p. 36.
186. Jean-Louis VATINEL, *Les Années terribles du IIIe siècle en Gaule*, 1969, p. 29.
187. Collection des historiens de France, I, p. 275, cité par Emile LEVASSEUR, *La Population française*, I, 1889, p. 107.
188. Paul-Albert FÉVRIER, *Le Développement urbain en Provence de l'époque romaine à la fin du XIVe siècle (archéologie et histoire urbaine)*, 1964, p. 212.

189. Henri LABROUSSE, *Toulouse antique. Des origines à l'établissement des Wisigoths*, 1968, p. 571.
190. Alexander RÜSTOW, *Ortsbestimmung der Gegenwart*. II, *Weg der Freiheit*, 1952, p. 243.
191. Edmond FREZOULS, « Etudes et recherches sur les villes en Gaule », *in : La Gallia romana*, Actes du colloque de l'Academia Nazionale dei Lincei (Rome, 10-11 mai 1971), 1973, p. 164.
192. M.-B. BRUGUIÈRE, *Littérature et droit...*, *op. cit.*, pp. 391 *sq.*
193. Numa Denis FUSTEL DE COULANGES, *La Monarchie franque*, 5e éd. 1926, p. 520.
194. Marc BLOCH, « Le problème de l'or au Moyen Age », *in : Annales d'histoire économique et sociale*, V, 1933, p. 18.
195. Etienne SABBE, « L'importation des tissus orientaux en Europe occidentale au haut Moyen Age », *in : Revue belge de philologie et d'histoire*, XIV, 1935, pp. 811 et 1261.
196. François-Louis GANSHOF, « Notes sur les ports de Provence du VIIIe au Xe siècle », *in : Revue historique*, 184, 1938, p. 128.
197. Elyas ASHTOR, *A Social and Economic History of the Near East in the Middle Ages*, 1976.
198. Pierre BONNASSIÉ, *La Catalogne du milieu du Xe à la fin du XIe siècle*, 1975, I, p. 379.
199. Je ne crois pas qu'un réchauffement du climat, à partir du VIIIe siècle, autre explication plausible de dernière heure, nous mette sur la bonne voie des causes et conséquences.
200. Marcel REINHARD, André ARMENGAUD, Jacques DUPAQUIER, *Histoire générale de la population mondiale*, 1968, p.p. 62 et 64 ; Karl Ferdinand WERNER, *Les Origines*, *in : Histoire de France*, p.p. Jean FAVIER, 1984, p. 360.
201. K.F. WERNER, *op. cit.*, p. 302 ; Lucien MUSSET, *in :* R. FOLZ, A. GUILLOU, L. MUSSET, D. SOURDEL, *op. cit.*, pp. 118-120.
202. Lucien MUSSET, « Les migrations barbares », *in : Histoire de France*, p.p. Georges DUBY, I, 1970, p. 165 et Pierre RICHE, « Les temps mérovingiens, VIe-VIIe siècles », *ibid.*, I, p. 171.
203. Renée DOEHAERD, *Le Haut Moyen Age occidental. Economies et sociétés*, 1971, pp. 125-126 et 223-224.
204. *Ibid.*, p. 223.
205. Michel ROUCHE, « L'éclatement des mondes anciens », *in : Le Moyen Age*, p.p. Robert FOSSIER, *op. cit.*, p. 97.
206. Jean-François LEMARIGNIER, *La France médiévale, institutions et société*, 1970, p. 52.
207. Pierre RICHÉ, *op. cit.*, *in : Histoire de France*, p.p. G. DUBY, I, p. 170.
208. Léopold GENICOT, « Aux origines de la civilisation occidentale, Nord et Sud de la Gaule, *in : Miscellanea L. Van der Essen*, 1947, pp. 1 *sq.*
209. *Ibid.*, p. 89.
210. Renée DOEHAERD, *op. cit.*, pp. 90 *sq.*
211. Thomas REGAZZOLA et Jacques LEFEVRE, *La Domestication du mouvement. Poussées mobilisatrices et surrection de l'Etat*, 1981, p. 20.
212. Marc BLOCH, cité par Michel LE MENÉ, *L'Economie médiévale*, 1977, p. 26.
213. Henri PIRENNE, « L'instruction des marchands au Moyen Age », *in : Annales d'histoire économique et sociale*, 1929, p. 18.
214. P. RICHÉ, *op. cit.*, *in : Histoire de France*, p.p. G. DUBY, I, p. 170.
215. *Ibid.*, pp. 180-181.
216. R. FOSSIER, *Histoire sociale de l'Occident médiéval*, *op. cit.*, p. 52.

217. Jan DHONDT, *Le Haut Moyen Age (VIIIe-XIe siècles)*, traduction française, 1976, p. 73. Sur le traité de Verdun, voir *L'Identité de la France*, I, pp. 282-284 et carte.
218. J. DHONDT, *op. cit.*, p. 75.
219. Jacques MADAULE, *Histoire de France*, 1943, I, p. 77.
220. C'est-à-dire un événement qui a des conséquences à long terme et s'annexe ainsi un temps très supérieur à sa propre durée.
221. Ernst Robert CURTIUS, *La Littérature européenne et le Moyen Age latin*, 1956, p. 23.
222. Nicolas JORGA, *Histoire du peuple français*, éd. en roumain, 1919, p. 93.
223. P. BONNASSIÉ, *op. cit.*, I, p. 131.
224. Robet FOSSIER, *Le Moyen Age*, I. *Les Mondes nouveaux 350-950*, p. 14 ; II. *L'Eveil de l'Europe 950-1250*, p. 7.
225. J. DHONDT, *op. cit.*, pp. 2-3.
226. Fisc : produit des diverses contributions levées dans les provinces de l'Empire romain. Le mot désigne ensuite le domaine particulier du souverain ou de l'Etat et le produit des droits seigneuriaux que le roi percevait comme possesseur ou suzerain des fiefs.
227. Comtes : gouverneurs de provinces qui avaient autorité administrative, judiciaire, financière et militaire. Les *Missi Dominici* ont été établis par Charlemagne pour les surveiller.
228. Honneur. On donnait le nom d'*honor* ou *honos*, sous les Carolingiens, aux terres, revenus ou délégations d'impôt que le roi concédait en forme de bénéfice à ses principaux fonctionnaires pour leur tenir lieu de traitement pendant la durée de leur fonction.
229. Voir supra I, pp. 274-275 et J. DHONDT, *op. cit.*, p. 55.
230. *Ibid.*, p. 55.
231. *Ibid.*, p. 58.
232. Lucien GACHON, *La Vie rurale en France*, 3e éd. 1976, p. 42.
233. Paul ROLLAND, « De l'économie antique au grand commerce médiéval. Le problème de la continuité à Tournai et dans la Gaule » du Nord, *in : Annales d'histoire économique et sociale*, 1935, VII, pp. 245-284.
234. Anne LOMBARD-JOURDAN, « Du problème de la continuité : y a-t-il une protohistoire urbaine de la France ? », *in : Annales E.S.C.*, 1970, 4, p. 1127.
235. Jacob van KLAVEREN, « Die Wikingerzüge in ihrer Bedeutung für die Belebung der Geldwirtschaft in frühen Mittelalter », *in : Jahrbuch für Nationalökonomie und Statistik*, 1957, Bd.168, H.5/6, pp. 405 *sq.*
236. Maurice LOMBARD, « Mahomet et Charlemagne », *in : Annales E.S.C.*, 1948, n° 2, p. 197.
237. Michel ROUCHE, « La rénovation carolingienne », *in : Le Moyen Age*, I. *Les Mondes nouveaux 350-950*, 1982, p. 371.
238. T. REGAZZOLA et J. LEFEVRE, *op. cit.*, p. 19.
239. *Ibid.*, p. 23.
240. Voir par exemple l'abondante collecte réunie par Renée DOEHAERD, concernant les ventes faites par les villas royales aussi bien que par les seigneurs, les abbayes et les paysans eux-mêmes : *Le Haut Moyen Age occidental*, *op. cit.*, pp. 224-230.
241. Il s'agit de l'*Edictum Pistense* de 864, *in :* Alfred BORETIUS et Victor KRAUSE, *Capitularia regum Francorum*, II, p. 319, *in : Monumenta Germaniae Historica*, 1890.
242. J. DHONDT, *op. cit.*, p. 194.

243. *Ibid.*, p. 36 et pour le commerce à longue distance, pp. 152 *sq.*
244. *Ibid.*, pp. 172-190.
245. *Ibid.*, pp. 160 *sq.*
246. Renée DOEHAERD, *op. cit.*, pp. 103-109.
247. Mozarabes : chrétiens d'Espagne soumis à la domination musulmane.
248. Polyptyque : registre plié en plusieurs parties où l'on inscrivait les états officiels et authentiques des biens et droits d'une abbaye.
249. John RUSSEL, cité par Marcel REINHARD, *in : Histoire générale de la population mondiale, op. cit.*, p. 64.
250. Karl Julius BELOCH, « Die Bevölkerung Europas im Mittelalter », *in : Zeitschrift für Socialwissenschaft*, 1900, p. 408.
251. M. ROUCHE, *op. cit.*, pp. 460-461.
252. Sur le concept d'économie-monde, voir : F. BRAUDEL, *Civilisation matérielle..., op. cit.*, III, pp. 12 et *sq.*
253. Henri PIRENNE, *Histoire économique et sociale du Moyen Age*, éd. 1969, p. 20.
254. J. DHONDT, *op. cit.*, p. 183.
255. J. DHONDT, *op. cit.*, p. 189.

Notes du deuxième chapitre

1. Jan DHONDT, *Le Haut Moyen Age (VIIIe-IXe siècles)*, 1976, p. 186.
2. Guy BOIS, *Crise du féodalisme*, 1976, p. 299.
3. 70 % en Normandie, 64 % en Haute-Provence, 70 % dans le Champsaur, à peu près autant dans la région parisienne. Ces chiffres sont cités par G. BOIS, *op. cit.* pp. 62-63, d'après Edouard BARATIER, *La Démographie provençale du XIIIe au XVIe siècle*, 81 et 59 ; Alfred FIERRO, « Un cycle démographique : Dauphiné et Faucigny du XIVe au XIXe siècle », *in : Annales E.S.C.*, sept.-oct. 1971, pp.-941-949 ; Guy FOURQUIN, *Les Campagnes de la région parisienne à la fin du Moyen Age*, 1964, pp. 364-366.
4. G. BOIS, *op. cit.*, troisième partie : « Les étapes de la crise ».
5. *Cf.* Karl Ferdinand WERNER, *Les Origines, in : Histoire de France*, publiée sous la dir. de Jean FAVIER, I, 1984, p. 432.
6. *Ibid.*, p. 431.
7. *Ibid.*, p. 433.
8. *Ibid.*, p. 426. Dès le XIe siècle dans le Nord de la Bourgogne.
9. La Frise, pays maritime de longue date, intégrée au royaume de Lothaire lors du traité de Verdun en 843, pratiquait le commerce à longue distance de son industrie textile. Jan DHONDT, *Le Haut Moyen Age (VIIIe-XIe siècles)*, 1976, pp. 143-144.
10. Edouard PERROY, *La Guerre de Cent Ans*, 1945, p. 41.
11. Alleu : héritage tenu en franchise par opposition aux fiefs.
12. Ce « qu'à la fin du XIe siècle, on commencera d'appeler le « fief », Jean FAVIER, *Le Temps des principautés : de l'an Mil à 1515, in : Histoire de France... op. cit.*, II, 1984, p. 22.
13. Charles PFISTER, *Etudes sur le règne de Robert le Pieux (996-1031)*, 1885, pp. 167-168.
14. E. PERROY, *op. cit.*, p. 18.
15. François SIGAUT, « Moulins, femmes, esclaves », *in : Colloque*

Techniques, technologie et histoire dans l'aire méditerranéenne, Aix-en-Provence, 21-23 octobre 1982, à paraître.
16. K.F. WERNER, *op. cit.,* p. 424 ; J. DHONDT, *op. cit.* p. 27.
17. J. DHONDT, *op. cit.* pp. 24-25 et Georges DUBY, *L'Economie rurale et la vie des campagnes de l'Occident médiéval,* 1962, I, pp. 100-102.
18. Sur la formation de ces deux pôles d'activité, *cf.* F. BRAUDEL, *Civilisation matérielle...,* III, 1979, pp. 78 *sq.*
19. *Ibid.,* p. 77, note 17.
20. Josiah Cox RUSSELL, « Late ancient and medieval population », *in : Transactions of the American Philosophical Society,* 1958, pp. 95 *sq.*, cité par Wilhelm ABEL, *Crises agraires en Europe (XIIIe-XXe siècle),* 1973, pp. 35-36.
22. Josiah Cox RUSSEL, art. cit., p. 96.
23. W. ABEL, *op. cit.,* p. 37.
24. G. DUBY, R. MANTRAN, *L'Eurasie... op. cit.* pp. 18-19.
25. *Ibid.,* p. 85.
26. Amédée THALAMAS, *La Société seigneuriale française 1050-1270,* 1951, p. 46, note 18.
27. Marc BLOCH, *Les Caractères originaux de l'histoire rurale française,* I, 1976, pp. 5 et 9.
28. A. THALAMAS, *op. cit.,* p. 43.
29. M. BLOCH, *op. cit.,* I, p. 9.
30. Louis BADRÉ, *Histoire de la forêt française,* 1983, p. 27.
31. E. MOREL, « En Champagne, le bois dont on fait les villages », *in : Marie-France,* octobre 1982.
32. Sur l'importance de l'usage du bois, *cf.* F. BRAUDEL, *Civilisation matérielle...* 1979, I, p. 252.
33. Le Multien, ancienne région de France, entre la Marne et l'Ourcq.
34. L'Orxois, petit pays de la Brie.
35. Pierre BRUNET, *Structure agraire et économie rurale des plateaux tertiaires entre la Seine et l'Oise,* 1960, pp. 430 *sq.*
36. Voir les étonnantes photographies aériennes de Roger Agache, qui révèlent l'emplacement d'anciennes villas gallo-romaines aujourd'hui invisibles, et le village, construit parallèlement à la limite, parfois irrégulière, des terres de la villa. Ce qui suppose une première implantation au temps où l'exploitation existait encore. R. AGACHE, « Archéologie aérienne de la Somme, recherches nouvelles », *Bulletin spécial de la Société de Préhistoire du Nord,* n° 6, 1964, figure 218 ; « Détection aérienne des vestiges protohistoriques gallo-romains et médiévaux dans le bassin de la Somme et ses abords », *ibid.,* n° 7, 1970, figure 637 et figure Q, pp. 210-211.
37. Emile MIREAUX, *Une province française au temps du Grand Roi : la Brie,* 1956, pp. 70 *sq.*
38. P. BRUNET, *op. cit.* p. 434.
39. François JULIEN-LABRUYÈRE, *Paysans charentais, histoire des campagnes d'Aunis, Saintonge et Bas-Angoumois,* I, 1982, p. 43.
40. Guy BOIS, « Population, ressources et progrès technique dans un village du Mâconnais (Xe-XVIIIe siècles) », *in : Des labours de Cluny à la révolution verte,* actes du *Colloque Population-ressources,* 1985, p. 38.
41. Jan DHONDT, *op. cit.,* pp. 115-117 et note p. 330.
42. Jean FAVIER, *Histoire de France,* II : *Le Temps des principautés de l'an Mil à 1515,* 1984, p. 58.
43. *Cf.* F. BRAUDEL, *Civilisation matérielle... op. cit.,* III, p. 77, note 19.

44 *Ibid.*, p. 77, note 18.
45. J. FAVIER, *op. cit.*, p. 56.
46. Guy BOIS, *Crise du féodalisme*, 1976, p. 264.
47. K.F. WERNER, *op. cit.*, pp. 426-428.
48. *Ibid.*, p. 58.
49. *Ibid.*, p. 60.
50. Pierre CHAUNU, *Le Temps des Réformes*, 1975, p. 77.
51. Robert PHILIPPE, *L'Energie au Moyen Age : l'exemple des pays d'entre Seine et Loire de la fin du xe siècle à la fin du xve siècle* (thèse inédite) I, 1980, p. 173.
52. André CHEDEVILLE, *Chartres et ses campagnes, XIe-XIIIe siècles*, 1973, p. 196.
53. *Ibid.*, p. 194.
54. La puissance moyenne d'un moulin étant fixée à 6 HP, l'énergie mise en œuvre est de 120 000 HP, alors que le cheval, animal tracteur, représente 1/7 de HP et l'homme, 0,3 HP, mais il faudrait tenir compte de l'intermittence du travail fourni par l'homme ou le cheval, et aussi de l'intermittence saisonnière de l'activité des moulins.
55. Robert PHILIPPE dans une de nos discussions.
56. Robert PHILIPPE, « Les premiers moulins à vent », *in : Annales de Normandie*, n° 2, juin 1982, p. 100, note : « En 1802, 66 000 moulins à eau, 10 000 moulins à vent ; en 1896, 37 051 moulins à eau et à vent ; en 1921, 20 168. »
57. P. BONNAUD, *op. cit.*, I, p. 18.
58. Même si l'on ne retient pas le chiffre très bas de Russell cité plus haut (6 200 000 habitants), la population au début du XIIe siècle ne peut dépasser un maximum de dix millions, soit une population active d'environ deux millions. En admettant que les 20 000 moulins de cette époque soient l'équivalent de 600 000 travailleurs (voir *supra* et note 54), ils augmenteraient l'activité générale d'environ un tiers. Tout cela hypothétique, mais qui suggère un ordre de grandeur.
59. Témoignage recueilli au hasard d'un voyage de l'intéressé lui-même.
60. R. PHILIPPE, *L'Energie au Moyen Age, op. cit.*, I, p. 15.
61. W. ABEL, *op. cit.*, chapitre I, en particulier pp. 49-51.
62. P. CHAUNU, *op. cit.*, p. 13.
63. Léopold DELISLE, *Etudes sur la condition de la classe agricole et l'état de l'agriculture en Normandie au Moyen Age*, 1850, cité par R. PHILIPPE, *op. cit.*, p. 66.
64. Pour plus de détails sur cette première économie-monde européenne, *cf.* F. BRAUDEL, *Civilisation matérielle...*, III, pp. 74-94.
65. Félix BOURQUELOT, *Etudes sur les foires de Champagne*, 1865 (I, pp. 72-75) ; Robert-Henri BAUTIER, « Les foires de Champagne », *in : Recueils de la Société Jean Bodin*, V, *La Foire*, 1953, p. 14.
66. Michel BUR, « Remarques sur les plus anciens documents concernant les foires de Champagne », *in : Colloque Les Villes, contribution à l'étude de leur développement en fonction de l'évolution économique*, Troyes, octobre 1970, 1972, p. 60.
67. Philippe DOLLINGER, « Le chiffre de la population de Paris au XIVe siècle : 210 000 habitants ou 80 000 habitants ? », *in : Revue historique*, juil.-sept. 1956, pp. 35-44.
68. E. PERROY, *op. cit.*, p. 16. Charles V (1356-1380) construira au-delà des murailles le quartier du Marais.

69. « Georges Suffert fait le point avec Régine Pernoud : des cathédrales à recolorier », *in : Le Point*, 24-30 janvier 1983, pp. 112-122.
70. Ernst CURTIUS, *La Littérature européenne et le Moyen Age latin*, trad. française, 1956, p. 68.
71. *Ibid.* pp. 588-589. Michael Blaunpayn, dit aussi Michel de Cornubie, natif de Cornouailles, fit ses études à Oxford et à Paris.
72. Lando BORTOLOTTI, *Le Città nella storia d'Italia*, 1983, p. 36.
73. Robert FOSSIER, *Le Moyen Age*, III, 1983, p. 55.
74. François SIMIAND distingue la phase A, phase de montée, et la phase B, phase de descente dans les crises cycliques.
75. R. FOSSIER, *op. cit.* p. 21.
76. Guy BOIS, *Crise du féodalisme*, 1976, p. 10.
77. *Ibid.*, p. 11.
78. André CHÉDEVILLE, *Chartres et ses campagnes, XIe-XIIIe siècles*, 1973, p. 528.
79. R. FOSSIER, *op. cit.*, III, p. 25.
80. Michel BELOTTE, *La Région de Bar-sur-Seine à la fin du Moyen Age*, thèse 1973, p. 37.
81. R. FOSSIER, *op. cit.*, III, p. 44.
82. Robert PHILIPPE, *op. cit.*, I, p. 265.
83. G. BOIS, *op. cit.*, p. 52.
84. *Ibid.*, p. 62.
85. *Ibid.*, p. 299.
86. Adolphe VUITRY, *Etudes sur le régime financier de la France avant la Révolution de 1789*, 1883, II, pp. 295-299, cité par G. BOIS, *op. cit.*, p. 267.
87. Jean-Noël BIRABEN, *Les Hommes et la peste en France et dans les pays européens et méditerranéens*, 1975, I, p. 55.
88. En provenance du Proche-Orient, où la peste n'avait pas disparu comme en Europe (*cf.* note 90).
89. J.-N. BIRABEN, *op. cit.*, I, p. 309.
90. Dans l'Empire ottoman, la peste continuera à sévir, imposant des quarantaines dans tous les ports de la Méditerranée ; comme en Europe, elle disparaîtra complètement, mais vers 1850 seulement. Daniel PANZAC, *La Peste dans l'Empire ottoman 1700-1850*, thèse inédite, Aix-en-Provence, 1982.
91. Jean de VENETTE, *Continuations de Guillaume de Nangis (1300-1368)*, II, éd. 1844, cité par Noël COULET, « Le malheur des temps, 1348-1440 », *in : Histoire de la France*, p.p. Georges DUBY, II, 1971, p. 11.
92. J.-N. BIRABEN, *op. cit.*, p. 159.
93. N. COULET, *in :* G. DUBY, *op. cit.*, II, p. 9.
94. Thomas BASIN, *Histoire de Charles VII*, éd. 1933, pp. 88-89.
95. F. JULIEN-LABRUYÈRE, *op. cit.*, p. 132.
96. Noël COULET, *in.* G. DUBY, *op. cit.*, p. 18.
97. Jean FROISSART, *Chroniques*, V (1356-1360), cité par N. COULET, *op. cit.*, p. 14.
98. *Journal d'un bourgeois de Paris (1405-1449)*, éd. 1881, cité par N. COULET, *op. cit.*, p. 32.
99. *Ibid.*, p. 9.
100. Emile LEVASSEUR, *La Population française*, 1891, I, p. 179.
101. N. COULET, *in :* G. DUBY, *op. cit.*, II, p. 28.
102. R. FOSSIER, *op. cit.*, III, p. 65.
103. John DAY, « The Great Bullion Famine of the 15th century », *in : Past and Present*, mai 1978, pp. 3-54 ; « The Question of Monetary

Contraction in late Medieval Europe », *in : Nordisk Numismatik Arsskrift*, 1981, pp. 12-29.
104. F. BOURQUELOT, *op. cit.*, I, p. 190.
105. André LEFEVRE, « Les finances de la Champagne aux XIIIe et XIVe siècles », *in : Bibliothèque de l'Ecole des Chartes*, 1859, p. 69, cité par M. BELOTTE, *op. cit.*, p. 156.
106. Renée DOEHAERD, « Les galères génoises dans la Manche et la mer du Nord à la fin du XIIIe et au début du XIVe siècle », *in : Bulletin de l'Institut Historique belge de Rome*, 1938, pp. 5-76.
107. F. BRAUDEL, *Civilisation matérielle...*, III, p. 123
108. Enrique OTTE, « La Rochelle et l'Espagne. L'expédition de Diego Ingenios à l'île des Perles en 1528 », *in : Revue d'Histoire économique et sociale*, 1959, I, p. 44.
109. F. BRAUDEL, *op. cit.*, III, p. 95.
110. *Ibid.*, pp. 475-477.
111. *Ibid.*, pp. 95 *sq.*
112. Pierre CHAUNU, Georges SUFFERT, *La Peste blanche*, 1976, p. 57.
113. Franck C. SPOONER, *The international Economy and Monetary Movements in France, 1493-1725*, 1972.
114. F. BRAUDEL, *La Méditerranée et le mond...*, *op. cit.*, II, p. 217.
115. Père Roger MOLS, *Introduction à la démographie historique des villes d'Europe du XIVe au XVIIIe siècle*, II, 1955, p. 516.
116. Jean-H. MARIÉJOL, *La Réforme et la Ligue. L'Edit de Nantes (1559-1598)*, t. VI_1 de l'*Histoire de France*, p.p. Ernest LAVISSE, 1911, pp. 111 *sq.*
117. Pierre GOUBERT, *Beauvais et le Beauvaisis de 1600 à 1730. Contribution à l'histoire sociale de la France du XVIIe siècle*, 1960, p. 30.
118. E. LEVASSEUR, *op. cit.*, *I*, p. 189.
119. E. LE ROY LADURIE, *Les Paysans de Languedoc*, 1966, I, pp. 149-150.
120. *Ibid.*, p. 163.
121. *Ibid.*, p. 189.
122. M. BELOTTE, *op. cit.*, p. 266.
123. *Ibid.* p. 310.
124. Claude HARMELLE, *Les Piqués de l'aigle. Saint-Antonin et sa région (1850-1940)*, 1982, p. 22.
125. Pierre de BRANTÔME, *Œuvres*, IX, éd. 1779, p. 249.
126. Cité par Karl HELLEINER, *in : The Cambridge Economic History of Europe*, éd. E.E. RICH et H.J. HABAKKUK, IV, 1967, p. 24.
127. Omer LUTFI BARKAN, cité par F. BRAUDEL, *La Méditerranée et le monde méditerranéen..*, I, 1982, p. 363.
128. F. BRAUDEL, *Civilisation matérielle...*, I, 1979, pp. 163 *sq.*
129. Cela dépend probablement des régions. En Normandie, par exemple, Guy Bois constate que le plafond atteint vers 1550 est sensiblement inférieur du quart environ à celui de la fin du XIIIe siècle, *op. cit.*, p. 71.
130. F. BRAUDEL, *Civilisation matérielle...*, III, p. 69 ; Guy BOIS, *op. cit.*, p. 10 en donne une saisissante illustration ; en 1473, le Nord de la Normandie est anéanti par les Bourguignons : villages rasés, récoltes totalement brûlées, la désolation est la même qu'un siècle plus tôt, mais cette fois, en pleine reprise économique, tout est réparé en quelques années seulement.
131. André ARMENGAUD, *La Famille et l'enfant en France et en Angleterre du XVIe au XVIIIe siècle*, 1975, p. 81.
132. Oudard COQUAULT, *Mémoires... (1649-1668)*, éd. 1875, I, p. 34.

133. Pierre GOUBERT, « Le régime démographique français au temps de Louis XIV », *in : Histoire économique et sociale de la France,* p.p. Fernand BRAUDEL et Ernest LABROUSSE, II, 1970, p. 37.
134. Jean FOURASTIÉ, « De la vie traditionnelle à la vie tertiaire », *in : Population,* 1959, nº 3, p. 418.
135. André ARMENGAUD, Jacques DUPAQUIER, Marcel REINHARD, *Histoire générale de la population mondiale,* 1968, pp. 175-176.
136. *Ibid.* p. 195.
137. F. BRAUDEL, *Civilisation matérielle...,* 1979, I, p. 136.
138. *Histoire de l'Aquitaine,* p.p. Charles HIGOUNET, 1971, p. 303.
139. Alain CROIX, *La Bretagne aux XVIe et XVIIe siècles,* 1981, I, pp. 44-45.
140. F. BRAUDEL, *Civilisation matérielle...,* I, p. 141 et notes 233 et 234.
141. E. JUILLARD, *La Vie rurale dans la plaine de Basse-Alsace. Essai de géographie sociale,* 1953, pp. 213-215.
142. Earl J. HAMILTON, *American Treasure and the Price Revolution in Spain,* 1934.
143. Huguette et Pierre CHAUNU, *Séville et l'Atlantique 1504-1650,* 1955-1960.
144. Michel MORINEAU, *Incroyables Gazettes et fabuleux métaux. Les retours des trésors américains d'après les gazettes hollandaises (XVIe-XVIIIe siècles),* 1985.
145. P. GOUBERT, *Beauvais et le Beauvaisis..., op. cit.,* p. 382 et note 77.
146. Witold KULA, *Théorie économique du système féodal...,* 1970, p. 48.
147. Frank SPOONER, *The International Economy and Monetary Movements in France 1493-1725,* 1972, p. 306.
148. Karl Julius BELOCH, « Die Bevölkerung Europas zur Zeit der Renaissance », *in : Zeitschrift für Sozialwissenschaft,* 1900, pp. 774 et 786.
149. A. ARMENGAUD, J. DUPAQUIER, M. REINHARD, *op. cit.,* pp. 241-271, 328-339.
150. Charles-Henri POUTHAS, *La Population française pendant la première moitié du XIXe siècle,* 1956 ; P. GOUBERT, « Les fondements démographiques », *in : Histoire économique et sociale de la France... op. cit.,* II, 1970, pp. 9-84 ; André ARMENGAUD, « Le rôle de la démographie », *in : Histoire économique et sociale de la France... op. cit.,* III_1, 1976, pp. 161-238.
151. A. ARMENGAUD, J. DUPAQUIER, M. REINHARD, *op. cit.,* p. 252.
152. A. ARMENGAUD, *op. cit., in :* F. BRAUDEL et E. LABROUSSE, *Histoire économique et sociale de la France,* III_1, 1976, p. 173.
153. C.E. LABROUSSE, *La Crise de l'économie française à la fin de l'Ancien Régime et au début de la Révolution,* 1944.
154. B.H. SLICHER VAN BATH, *Yield Ratios 810-1820,* 1963, p. 16.
155. Richard GASCON, « La France du mouvement : les commerces et les villes », *in : Histoire économique et sociale de la France...,* I_1, 1977, p. 238, qui cite MACHIAVEL, *Tableau de la France en 1510.*
156. Paul BAIROCH, « Les grandes tendances des disparités économiques nationales depuis la révolution industrielle », *in : Regional and International Disparities in Economic Development since the Industrial Revolution,* 7e congrès international d'histoire économique, 1978, pp. 43-45.
157. L.M. POUSSEREAU, « Changements survenus depuis un siècle dans la condition des bûcherons et des ouvriers forestiers du département de la Nièvre », *in : Bulletin de la Société scientifique et artistique de Clamecy,* 1927, pp. 36-54.
158. Jean-Charles SOURNIA, *Histoire et médecine,* 1982, p. 236.

159. *Ibid.*, p. 235.
160. Jean BERNARD cité *in :* « Le 28e Congrès d'histoire de la médecine, tromper la mort », *in : Le Monde*, 8 septembre 1982.
161. Emile LITTRÉ, *Journal des débats*, 18 Juin 1856, cité par J.-Ch. SOURNIA, *op. cit.*, p. 237.
162. Claude BERNARD, *Introduction à l'étude de la médecine expérimentale*, cité par J.-Ch. SOURNIA, *op. cit.*, p. 236.
163. Alfred SAUVY, « Préface » à *Demain le Tiers-Monde : population et développement*, n° spécial de la *Revue Tiers Monde*, XXIV, n° 94, avril-juin 1983, p. 236.
164. Alfred SAUVY, *La Population*, 1963, p. 66.
165. A. SAUVY, Notes de lecture *Le Monde*, 14 septembre 1982.
166. John NAISBITT, *Megatrends*, cité par Jacques DUQUESNE, « Spécial 1983-2000, l'agenda du futur », in : *Le Point*, 7 nov. 1983, p. IV.
167. 10 pour mille en 1980, huitième place dans le monde, derrière la Suède, le Japon, la Finlande, la Suisse... avant les Etats-Unis et l'Allemagne (*Population et Sociétés*, août 1982, n° 160). En 1985, ce chiffre est passé à 8,3 pour mille (*ibid.*, n° 200).
168. Georges VALRAN, *Misère et charité en Provence au XVIIIe siècle*, 1899, pp. 22-23.
169. A. SAUVY, *H. économique de la France entre les deux guerres*, *op. cit.*, II, 1974, pp. 340-341.
170. Ange GOUDAR, *op. cit.*, 1756, I, pp. 271 et 275.
171. Jean AUFFRAY, *Le Luxe considéré relativement à la population et à l'économie*, 1762, pp. 29-30.
172. A. GOUDAR, *op. cit.*, p. 96.
173. Jean NOVI DE CAVEIRAC, *Paradoxes intéressants sur la cause et les effets de la révocation de l'Edit de Nantes, la dépopulation et repopulation du Royaume, l'intolérance civile et rigoureuse d'un gouvernement...*, 1758, p. 253.
174. Denis-Laurian TURMEAU de LA MORANDIÈRE, *Appel des étrangers dans nos colonies*, 1763, p. 21.
175. Chevalier de CERFVOL, *Législation du divorce*, 1770, pp. 62-63.
176. M. MOHEAU, *Recherches et considérations sur la population de la France*, 1778, éd. 1912, p. 258.
177. Père FÉLINE, *Catéchisme*, 1782, p. 11, cité par Jean-Marie GOUESSE, « En Basse-Normandie aux XVIIe et XVIIIe siècles : le refus de l'enfant au tribunal de la pénitence », *in : Annales de démographie historique*, 1973, pp. 255-256.
178. M. MESSANCE, *Nouvelles Recherches sur la population de la France*, 1788, p. 27.
179. Jean-Pierre BARDET, *Rouen aux XVIIe et XVIIIe siècles, les mutations d'un espace social*, I, 1983, p. 263.
180. Guy ARBELLOT, *Cinq Paroisses du Vallage, XVIIe-XVIIIe siècles. Etude de démographique historique*, 1970, p. 225.
181. J.-M. GOUESSE, art. cit., p. 231.
182. *Ibid.*, p. 251.
183. John NICKOLLS (pseudonyme de PLUMARD DE DANGEUL), *Remarques sur les avantages et désavantages de la France et de la Grande-Bretagne par rapport au commerce et autres sources de la puissance des Etats*, 1754, pp. 18-19.
184. Jacques DUPAQUIER, Marcel LACHIVER, « La contraception en France ou les deux malthusianismes », *in : Annales E.S.C.*, 1969, n° 6, p. 1401.
185. J.-P. BARDET, *op. cit.*, p. 265.

186. *Ibid.*, p. 272.
187. Jean GANIAGE, *Trois Villages d'Ile-de-France au XVIIIe siècle*, I.N.E.D., cahier n° 40, 1963, p. 131.
188. Antoinette CHAMOUX et Cécile DAUPHIN, « La contraception avant la Révolution française : l'exemple de Châtillon-sur-Seine », *in : Annales E.S.C.*, 1969, 3, pop. 662-684.
189. Raymond DENIEL et Louis HENRY, « La population d'un village du Nord de la France, Sainghin-en-Mélantois de 1665 à 1851 », *in : Population*, 1965, 4, pp. 563-602. Pour la Vendée, J.-L. FLANDRIN, *Les Amours paysannes (XVIe-XIXe siècles)*, 1975, p. 242.
190. J.-M. GOUESSE, art. cit., p. 232 et note 6.
191. Marquise de SÉVIGNÉ, *Lettres*, I, éd. Pléiade, 1953, pp. 432, 433, 450, *cf.* aussi *La Prévention des naissances dans la famille, ses origines dans les pays modernes*, cahier de l'INED, n° 35, 1960, pp. 156-159.
192. J.-P. BARDET, *op. cit.*, p. 264.
193. Michel de MONTAIGNE, *Les Essais*, éd. Pléiade 1962, I, XIV, p. 58.
194. Textes du XVIe siècle cités par Jean-Louis FLANDRIN, *op. cit.*, pp. 83 et 86.
196. Bricquebec, sept. 1708, cité par J.-M. GOUESSE, art. cit., p. 258.
197. M. de MONTAIGNE, *op. cit.*, I, XXX, p. 196.
198. Pierre de BRANTÔME, *Les Dames galantes*, éd. Maurice RAT, [1917], p. 25, cité par Jean-Louis FLANDRIN, « La vie sexuelle des gens mariés dans l'ancienne société : de la doctrine de l'Église à la réalité des comportements », *in : Communications*, 1982, pp. 108-109.
199. P. DE BRANTÔME, *op. cit.*, pp. 32 et 27-28, cité par Jean-Louis FLANDRIN, « Contraception, mariage et relations amoureuses dans l'Occident chrétien », *in : Annales E.S.C.*, 1969, 6, pp. 1383-1384 et note 4.
200. P. de BRANTÔME, *op. cit.*, pp. 38-39, cité par J.-L. FLANDRIN, art. cit., p. 1385.
201. J.-L. FLANDRIN, « L'attitude à l'égard du petit enfant et les conduites sexuelles dans la civilisation occidentale », *Annales de démographie historique*, 1973, pp. 182 *sq.*
202. Cité par Hélène BERGUES, *La Prévention des naissances dans la famille*, INED, cahier n° 35, 1960, pp. 229-230.
203. M. DE MONTAIGNE, *op. cit.*, I, XIV, p. 62.
204. Alfred SAUVY, « Essai d'une vue d'ensemble », *in : La Prévention des naissances dans la famille, ses origines dans les temps modernes, op. cit.*, pp. 389-390.
205. Ferdinand BUISSON, *Souvenirs (1866-1916)*, 1916, pp. 30-32.
206. Sur ce groupe, sa vie et son rôle social au XVIe siècle, *cf.* George HUPPERT, *L'Idée de l'histoire parfaite*, 1973 ; *Bourgeois et gentilshommes. La réussite sociale en France au XVIe siècle*, 1983. Pour la fondation des nouvelles écoles, au XVIe siècle, George HUPPERT, *Public School France in Renaissance*, 1984.
207. Edgar QUINET, *Histoire de mes idées. Autobiographie*, [1878], pp. 78-79.
208. Cité par M. REINHARD, A. ARMENGAUD, J. DUPAQUIER, *Histoire de la population mondiale*, 1968, p. 336.
209. Michel-Louis LEVY, « Les étrangers en France », *in : Population et société*, juillet-août 1980, n° 137. Les chiffres qui précèdent sont empruntés à ce même article.
210. *Ibid.*
211. *Ibid.*
212. Cité par F. BRAUDEL, *La Méditerranée... op. cit.*, II, p. 129.

213. Augustin BARBARA, « Un muscle seulement ? », *in : Le Monde*, 25 juillet 1980.
214. En 1984, aux Etats-Unis, certaines industries de pointe trouvaient plus avantageux, pour réduire leurs coûts, de recourir à l'off-shore manufacturing (en Asie le plus souvent) plutôt qu'à la main-d'œuvre mexicaine.
215. Jean-François DUPAQUIER, « Les familles d'immigrés ne veulent pas jouer les « bourgeois »... mais avec 8 ou 9 enfants, les appartements sociaux leur sont interdits, *in : Le Quotidien de Paris*, 27 mars 1980.
216. C'est ce que pensent d'ailleurs la majorité des Français : selon un sondage du Figaro-Sofres (novembre 1985), 90 % trouvent normal que les immigrés qui cotisent reçoivent allocations de chômage et allocations familiales, bien que 71 % souhaitent le renvoi dans leur pays des immigrés clandestins.
217. Nathaniel WEYL, *Karl Marx, racist*, 1980.
218. Art. cit. *in : Le Monde*, 25 juillet 1980.
219. Ce que confirme une étude biologique réalisée par l'INSERM, à partir de milliers de tests sanguins, tant en ce qui concerne les groupes sanguins que les combinaisons de gènes. Réalisée sur des familles installées dans leur région depuis au moins trois générations, elle prouve « la grande diversité de nos origines ethniques », avec des différences régionales parfois surprenantes, révélatrices de très anciens courants migratoires. Franck NOUCHI, « Une étude biologique démontre le "métissage" du peuple français », *in : Le Monde*, 25 octobre 1985.
220. Bernard STASI, *L'Immigration, une chance pour la France*, 1984, p. 13.
221. « Après les accusations de Begin, les Français sont-ils antisémites ? Oui, dit Serge Koster, qui pense qu'il n'y a pas de discours innocent sur Israël », *in : Le Quotidien de Paris*, 12 août 1982.
222. « Un équilibre sans cesse remis en question », *in : Le Quotidien de Paris*, 2 avril 1980.
223. Jean-François DUPÂQUIER, « Quand les bougnoules étaient ritals... », *in : L'Evénement du jeudi*, 13-19 juin 1985, pp. 48-49, qui se réfère à *L'Emigrazione italiana in Francia prima del 1914*, J.-B. DUROSELLE et E. SERRA, Milan 1978.
224. Jean-François DUPÂQUIER, « Quand les bougnoules étaient polaks... », *in : L'Evénement du jeudi*, 13-19 juin 1985, pp. 50-51.
225. Judith SAYMAL, « Si ma sœur épouse un Français, je la tue ! », *in : L'Evénement du jeudi*, 13-19 juin 1985, pp. 40-41.
226. Tahar BEN JELLOUN, « Les jeunes et la mère amnésique », *in : Le Monde*, 25 juillet 1980.
227. G. LECLERC-COUTEL, « Ne pas mourir deux fois », *in : Le Monde*, 25 juillet 1980.
228. Jean ANGLADE, *La Vie quotidienne des immigrés en France de 1919 à nos jours*, 1976, pp. 105 *sq.*
229. Débat : « Les immigrés parmi nous », *Le Monde*, 19-20 juin 1983.
230. Jean-François MONGIBEAUX, « L'album de voyage de petits maghrébins au Maghreb », *in : Le Quotidien de Paris*, 7 septembre 1982.
231. Enquête en Kabylie de Jacques MAIGNE, « Le double exil des immigrés qui choisissent le "grand retour", *in : Libération*, 7 novembre 1983.
232. Enquête à Alger de Michel AREZKI, « Les émigrés, ces étrangers de l'intérieur », *in : Libération*, 9 novembre 1983.

233. *Ibid.*
234. Enquête en Kabylie de J. MAIGNE, art. cit.
235. *Ibid.*
236. *Ibid.*
237. Jean-François DUPÂQUIER, « L'Islam ou le bulletin de vote ? », *in : L'Evénement du jeudi*, 13-19 juin 1985, pp. 34-38.
238. Léo HAMON, « Une seule appartenance », *in : Le Monde*, 23 mai 1980.
239. J.-F. DUPÂQUIER, art. cit., p. 37.
240. *Ibidem*, J.-F. DUPÂQUIER, « Le pays réel, c'est la france », *ibid.*, p. 41.
241. Jean-Francis HELD, « Comment faire des Français avec du Beur ? », *in : L'Evénement du jeudi*, 13-19 juin 1985, pp. 32-33.

TABLE DES CARTES ET GRAPHIQUES

Aire de répartition du mammouth entre 15 000 et 10 000 19
La sophistication croissante de l'outillage 15 000-10 000 21
Répartition géographique des vestiges de l'homme de Néanderthal (75 000-35 000) 23
L'art rupestre figuratif animalier, 15 000-10 000 26
Premières communautés paysannes en France VIe-Ve millénaires 30
Les zones de loess et de limons en Europe ... 32
Distribution géographique des dolmens en France Ve-IIIe millénaires 35
Principaux sites des débuts du Néolithique en France VIe-IVe millénaires 36
Sites des IVe et IIIe millénaires 37
Sites de l'Age du bronze en France 42
Sites du premier Age du fer (700-500 avant J.-C.) 44
La Gaule celtique au IIe siècle avant J.-C. 50
Les conquêtes des Celtes (Ve-IIIe siècles) 51
La Gaule avant la conquête romaine 60
Le peuplement du bassin du Loing, au Néolithique et aujourd'hui 62-63
Conquête de la Gaule par César (58-52 avant J.-C.) 70
Les aqueducs romains à Lyon 80
Les routes de la Gaule romaine 82
Le réseau urbain de la Gaule romaine 83
Les invasions du IIIe siècle 86
L'économie-monde romaine 98
L'expansion franque 104
La Gaule sous Dagobert 106
L'Empire carolingien 112

La France des Capétiens 134
Vieux moulins sur l'Indre 146
Les villes en rapport avec les foires de Champagne (XIIe-XIIIe) 148
La carte du gothique 151
Diffusion de la Peste Noire (1347-1351) 158
L'économie-monde européenne en 1500 163

Crédit cartographique : Armand Colin, Arthaud, Fayard, Flammarion, Hachette, Larousse, Lieu Commun, P.U.F.

TABLE DES MATIÈRES

PREMIÈRE PARTIE : LE NOMBRE ET LES FLUCTUATIONS LONGUES

CHAPITRE I : La population de la Préhistoire à l'An Mille 11

I. A propos des populations préhistoriques 13

Une surabondance de durée, 15 – Les corps et les outils, 20 – De l'Age de pierre à l'agriculture : la grande mutation, 27 – Hétérogénéité, diversité, 31 – L'Age des métaux, 39 – Les Celtes ou les Gaulois : plus que leur histoire, leur civilisation, 48 – Le triomphe du nombre, 61.

II. De la Gaule indépendante à la Gaule carolingienne 68

Si possible, expliquer la conquête de la Gaule par les Romains, 69 – L'apogée de la Gaule romaine sous le règne de Commode, 79 – La Gaule romaine, face à ses troubles intérieurs et face aux invasions barbares, 84 – Une jacquerie impossible à éteindre, 86 – Tout de même, ne pas oublier les invasions barbares, 93 – Rome, une économie-monde, 97 – La Gaule mérovingienne, 103 – Y-a-t-il eu un Empire carolingien ?, 111 – Naissance de l'Europe : naissance, affirmation de la féodalité, 114 – Les dernières invasions barbares, 117 – Economie et population, 118 – Les cycles se renversent, 125.

CHAPITRE II : La population du xe siècle à nos jours 127

I. Un cycle multiséculaire, presque parfait, ou la première modernité de la France et de l'Europe (950-1450) 130

Le xe siècle ou la fin de Rome, 130 – L'essor de la première Europe, 136 – Une chance française : les foires de Champagne et de Brie, 147 – L'expansion géographique : les croisades, 152 – La branche descendante (1350-1450), 153 – La Peste Noire et la guerre de Cent Ans, 156 – Revenir à l'économie-monde, 161 – L'Europe et le destin de la France, 165.

II. 1450-1950 : une courbe ascendante, mais quelle courbe ! 167

Des phases successives, 170 – Y a-t-il, pour les processus démographiques d'avant 1850, une ou des explications possibles ?, 180.

III. Les derniers problèmes : triomphes de la médecine, restriction des naissances, immigration étrangère 183

Médecine et santé publique, 185 – La restriction des naissances, 190 – L'attitude de l'Eglise, 198 – Le cas français, 202 – L'immigration étrangère : un problème récent, 205 – Un problème économique, 209 – Le problème raciste, 211 – Un problème culturel, 215.

NOTES 224

TABLE DES CARTES ET GRAPHIQUES 243

Achevé d'imprimer en Avril 1994
sur les presses de l'imprimerie Maury Eurolivres SA
45300 Manchecourt

N° d'éditeur : 15138
Dépôt légal : septembre 1990
N° Impression : M3473

Imprimé en France